LE MÉTIER DE ROI

SOURCES CHRÉTIENNES

N° 407

JONAS D'ORLÉANS

LE MÉTIER DE ROI

(De institutione regia)

INTRODUCTION, TEXTE CRITIQUE,
TRADUCTION, NOTES ET INDEX

PAR

Alain DUBREUCQ
Maître de conférences
à l'Université de Dijon

Ouvrage publié avec le concours
du Centre National des Lettres et de la Ville d'Orléans

LES ÉDITIONS DU CERF, 29 Bd de Latour-Maubourg, Paris 7e
1995

*La publication de cet ouvrage a été préparée avec le concours
de l'Institut des « Sources Chrétiennes »
(U.R.A. 993 du Centre National de la Recherche Scientifique)*

AVANT-PROPOS

Ce travail, qui trouve son origine dans une thèse soutenue à l'Université de Paris IV-Sorbonne en 1992, sous la direction de M. Michel ROUCHE, a pour objet de mettre à la disposition du public sous une forme commode le texte et la traduction d'un traité précieux pour la compréhension de la vie de l'Église à l'époque carolingienne. C'est la raison pour laquelle l'apparat critique et la démonstration philologique ont été volontairement abrégés. Nous nous permettons de renvoyer les lecteurs intéressés par l'édition scientifique proprement dite à un ouvrage qui sera publié prochainement aux Éditions du CNRS sous le titre de *Jonas d'Orléans et le « De institutione regia » : étude et édition critique*.

Nous tenons à exprimer toute notre gratitude aux PP. Dominique Bertrand et Bernard de Vregille ainsi qu'au Secrétariat de Sources Chrétiennes.

INTRODUCTION

I
JONAS D'ORLÉANS ET SON TEMPS

1. L'ORIGINE DE JONAS
ET SON ACCESSION À L'ÉPISCOPAT

La vie de Jonas d'Orléans est mal connue en dehors des indications qu'il en donne dans ses propres œuvres. Ainsi dit-il lui-même dans les premières lignes du livre que nous publions ici, *Le Métier de roi* – appelé dans la suite de cette introduction l'*Institution royale* –, qu'il est né et a été élevé en Aquitaine, qu'il y a été formé aux lettres et qu'il y a reçu la tonsure[1]. Cependant, la date de sa naissance est incertaine. La recherche moderne, à la suite de Manitius[2], indique simplement qu'il naquit avant l'année 780. Un poème d'Alcuin[3] permet peut-être de préciser davantage : ce poème, signalé par P. Godman, et daté par lui des années 778-780, cite parmi ceux qui sont envieux de son art au palais de Charlemagne les noms de Paulin, Pierre, Albric, Samuel et Jonas[4]. Les premiers sont Paulin, qui fit partie de

---

1. *Inst. royale*, Adm., l. 17-19 (les références à l'*Inst. royale* renvoient au chapitre et à la linéation du texte latin de notre édition).
2. M. MANITIUS, *Geschichte der lateinischen Literatur des Mittelalters*, Munich 1911, p. 374-375.
3. ALCUIN, *Carmina*, IV (*MGH Poet.* I, p. 220-223).
4. P. GODMAN, *Poets and Emperors. Frankish Politics and Carolingian Poetry*, Oxford 1987, p. 44-45.

la cour de 777 à 787, date à laquelle il devint patriarche
d'Aquilée, et le grammairien Pierre de Pise. D'Albric nous
ne savons rien, mais Samuel était le surnom de Beornrad,
abbé d'Echternach en 777 et futur archevêque de Sens.
Certes, la présence d'un Jonas parmi les maîtres palatins de
la cour itinérante de Charlemagne ne permet pas en soi d'y
voir le futur évêque d'Orléans. Cependant, il semble que ce
dernier ait joui d'une réputation certaine en matière littéraire. Ainsi, son talent est-il loué à l'extrême dans un poème
que composa Bertold de Micy, à l'occasion du transfert des
reliques de saint Maximin. Dans ce poème, il n'hésite pas à
le qualifier d'autre Homère [1]. Jonas le confirme d'ailleurs
lui-même dans la pièce de vers qui suit l'Admonition au roi
Pépin dans ces termes : « Moi qui jadis m'adonnais avec plus
d'aisance aux odes métriques, maintenant, le corps tremblant, il ne m'est loisible que de pleurer [2]. » Cette dernière
précision apporte un élément supplémentaire : Jonas était
très âgé lors de la composition du poème en l'honneur de
Pépin.

Il convient donc de placer sa date de naissance bien avant
780, peut-être vers 760. Le poème d'Alcuin cité plus haut
nous autorise à penser que Jonas, né et élevé en Aquitaine
comme il le dit lui-même, séjournait déjà au palais de
Charlemagne dans les années 780.

Il est possible que, par la suite, il ait fait partie de la cour
du royaume d'Aquitaine, mais le seul repère chronologique
dont on dispose avant son accession à l'épiscopat nous est
donné dans la préface d'une autre de ses œuvres, le *De cultu
imaginum* [3] : en relatant un voyage qu'il a effectué autrefois
dans les Asturies, Jonas, après avoir fait un récit de l'expansion de l'adoptianisme, décrit sa rencontre avec les disciples

1. BERTOLD DE MICY, *Vie de saint Maximin* (*ASOSB*, t. I, 591).
2. *Inst. royale*, vers, l. 7-8.
3. *De cultu libri tres* (*PL* 106, 308-309).

d'Élipand de Tolède, qu'il a reconnus comme hérétiques et qu'il a ensuite évités. Il précise par ailleurs que Félix, évêque d'Urgel, a été l'instigateur de l'hérésie adoptianiste, qu'il a ensuite propagée en Gaule avec l'aide d'Élipand. Cette hérésie fut plus tard, nous dit Jonas, condamnée par un concile réuni sur l'ordre de Charlemagne, avec le concours de la sainte Église de Rome. Ce concile condamna en même temps l'auteur de l'erreur, Nestorius [1]. Ces précisions permettent de situer le voyage de Jonas après l'accession de Félix à l'épiscopat en 783 et avant un concile ayant condamné l'adoptianisme sous le règne de Charlemagne. Il ne peut s'agir que du concile de Ratisbonne en 792, de celui de Francfort en 794 ou de celui d'Aix-la-Chapelle en 799. Or, le nom de Nestorius n'a été associé à l'adoptianisme que lors du concile de Francfort, où le pape était représenté par deux légats, ce qui confirme la mention par Jonas de l'autorité de la sainte Église de Rome. Le voyage de Jonas a donc eu lieu entre 783 et 794.

Ces précisions concordent avec la réalité historique. En effet, l'affaire de l'adoptianisme avait commencé par la tenue à Séville d'un concile au cours duquel l'archevêque Élipand de Tolède, en condamnant les erreurs d'un certain Migétius, avait parlé du Christ comme du fils adoptif de Dieu, ce qui fut combattu par deux moines du couvent de San Torribio, Beatus et Etherius [2]. Élipand réagit vivement à leurs critiques dans une lettre adressée en octobre 785 à leur abbé, Fidelis, qui était l'un de ses partisans. Eut lieu alors une violente controverse, qui fut arbitrée par le pape Hadrien Ier,

---

1. *PL* 106, 309 B : « Réunis en un concile sur l'ordre du même prince [Charlemagne] et avec l'aide de l'autorité de la sainte Église de Rome, ils [les soldats du Christ] condamnèrent le même Félix, ou plutôt ils jetèrent un anathème perpétuel sur lui et sur l'instigateur de son erreur, Nestorius. »

2. Ces faits sont connus par la réponse de Beatus et d'Etherius, *Adversus Elipandum libri duo* (éd. B. Löfstedt, *CCCM* 59).

lequel, dans une lettre aux évêques espagnols, condamna les propos d'Élipand et de l'évêque Ascaric. Or, Jonas mentionne cette intervention du pape : les hérétiques ayant refusé de se soumettre à la décision apostolique, il dit même qu'il les a évités[1]. Le voyage de Jonas a donc eu lieu peu après la réception de la lettre d'Hadrien Ier par les évêques espagnols en 786. Il est difficile de dire si Jonas était dans les Asturies en qualité de *missus*, mais il semble plus probable que, comme d'autres clercs chargés de fonctions palatines, il ait été envoyé par le souverain en mission d'information.

Jonas faisait certainement déjà partie de la cour de Louis le Pieux quand celui-ci était roi d'Aquitaine. Quand Louis devint empereur, Jonas resta en Aquitaine comme conseiller ou précepteur de son fils Pépin. C'est ce qu'il nous apprend lui-même dans les premières lignes de l'Admonition placée en tête de l'*Institution royale*[2], en précisant un peu plus loin qu'il a dû fuir précipitamment la cour de Pépin à la suite d'intrigues fomentées contre lui[3]. Sans nier la réalité de celles-ci, il convient de rapprocher les dires de Jonas d'un passage de la *Vie de Louis*, dite de l'Astronome, dans lequel l'auteur signale que le jeune roi s'empressa de chasser du royaume les conseillers qui lui avaient été donnés par son père[4]. Pépin n'ayant été couronné roi qu'en 817, la fuite de Jonas dut avoir lieu cette même année dans le cadre de la reprise en main du royaume par Pépin, puisque Jonas devint évêque d'Orléans dès 818. Ce diocèse ne faisait pas partie du

---

1. *De cultu imaginum*, I (*PL* 106, 309 A) : « Et comme, conformément à l'ordre du pape, ils avaient été sommés de renoncer à leur prédication aberrante, mais avaient persisté dans leur erreur, je les ai évités en tant qu'hérétiques. »

2. *Inst. royale*, Adm., l. 34-36 : « ...si je n'avais pas connu par l'expérience votre désir d'apprendre avec ferveur et d'écouter avec joie tout ce qui touche à l'amour et à la crainte de Dieu... »

3. *Inst. royale*, Adm., l. 20-25.

4. ASTRONOMUS, *Vita Hludowici*, 61 (éd. R. Rau, *Quellen zur karolingischen Reichsgeschichte*, I, p. 372, l. 18-20).

royaume d'Aquitaine. Jonas y succédait à Théodulf, dont l'empereur s'était débarrassé à l'occasion de la participation supposée de cet archevêque à la révolte de Bernard d'Italie. Bien qu'il n'eût jamais reconnu sa faute, Théodulf fut déposé au synode d'Aix-la-Chapelle en 818 et enfermé à Saint-Aignan. Il mourut en 821, mais Jonas le remplaça dès l'année 818, d'après le témoignage d'Ermold le Noir, qui raconte que, durant l'été 818, l'empereur s'arrêta à Orléans, où il fut accueilli par l'évêque Jonas [1]. Ce séjour de l'empereur et la rapidité de la nomination de Jonas au siège d'Orléans, un des diocèses les plus importants de la Neustrie, montrent bien qu'il jouissait de la confiance de l'empereur.

2. JONAS EN SON TEMPS

Ayant séjourné à la cour de Charlemagne dans les années 780, Jonas avait connu les débuts de la monarchie carolingienne et l'expansion rapide du royaume par la conquête. A cette *dilatatio regni* se superposait une extension de la religion chrétienne, qui contribua peu à peu à la renaissance de l'idée d'empire, mais d'un empire chrétien. Le long cheminement de cette idée se concrétisa le 25 décembre 800 par le couronnement impérial de Charlemagne [2]. On assistait là à une restauration de l'empire, mais d'un empire considéré comme l'expression politique de l'universalisme chrétien et s'assignant pour tâche essentielle l'exaltation et la défense de l'Église [3]. A cet effet,

1. ERMOLD LE NOIR, *Poème sur Louis le Pieux et épîtres au roi Pépin*, éd. Faral, Paris 1932, p. 114.
2. R. FOLZ, *Le Couronnement impérial de Charlemagne*, Paris 1964.
3. R. FOLZ, *L'Idée d'empire en Occident du Ve au XIVe siècle*, Paris 1953, p. 31.

l'empereur assumait la direction de celle-ci en tant que nouveau David, *rex et sacerdos*, chargé par Dieu de la correction de la société chrétienne.

Jonas a donc passé la première partie de sa vie dans un climat caractérisé par la stabilité politique et un pouvoir impérial fort et incontesté. Cependant, Charlemagne n'avait pas essayé d'établir la pérennité de son empire unifié en fondant une dynastie impériale. En effet, il avait organisé en février 806 sa succession par un partage dans la tradition franque entre ses trois fils, Charles, Pépin et Louis, aucun d'entre eux n'ayant d'autorité sur ses frères. Seule la mort prématurée de Pépin en 810 et de Charles l'année suivante empêcha la *diuisio regnorum* prévue en 806. En 813, Charlemagne associa Louis à l'empire, mais confia à Bernard, fils de Pépin, le gouvernement de l'Italie, en le subordonnant à l'autorité de Louis. Cette dernière décision eut des conséquences funestes. A la mort de Charlemagne en 814, Louis devint seul empereur et se contenta de s'assurer la fidélité de Bernard par serment. Mais il était très marqué par la mort de ses frères, ce qui apparaît dans les changements qu'il effectua dans la titulature des actes et capitulaires impériaux : il se considérait comme « empereur auguste par la Providence divine », plutôt que par succession dynastique [1]. Ceci explique qu'au début de son règne il ait consacré ses efforts au maintien de l'unité impériale par l'*ordinatio imperii* de 817, qui associait son fils aîné Lothaire à l'empire et attribuait aux deux cadets Pépin et Louis des *regna* subordonnés en Aquitaine et en Bavière, sans même mentionner la royauté de Bernard d'Italie.

L'acte unitaire de 817 cristallisa autour de Bernard d'Italie le mécontentement des anciens conseillers de Charlemagne

---

1. L. HALPHEN, *Charlemagne et l'empire carolingien*, 2e éd., Paris 1968, p. 198.

évincés par Louis et fut la cause directe de la révolte de Bernard à la fin de la même année. Cette révolte échoua et fut durement réprimée par l'empereur. Bernard dut se soumettre et fut condamné à mort en avril 818, mais sa peine fut commuée en celle de la crevaison des yeux, dont il mourut. L'accession de Jonas à l'épiscopat eut donc lieu dans un contexte politique difficile : l'empereur sortait de la crise affaibli et sa politique était contestée par une partie des Grands et de l'épiscopat. Par la suite, il s'employa à apaiser les esprits, en faisant ratifier par serment en mai et en octobre 821 aux assemblées de Nimègue et de Thionville l'*ordinatio* de 817, et en faisant pénitence à Attigny en 822 pour la mort de Bernard d'Italie. Cette pénitence, qui évoquait pour ses contemporains celle de Théodose en 390 [1], marque le début de la prise en main des affaires publiques par les évêques francs. Jonas était d'ailleurs, dès cette époque, un représentant typique de cet épiscopat carolingien soucieux d'un retour à une morale de type vétérotestamentaire s'appliquant à tous les domaines de la vie publique et privée. Cette exigence morale de justice et de correction des abus caractérise toute son action pastorale.

3. JONAS D'ORLÉANS ET LE CLERGÉ RÉGULIER

L'évêque d'Orléans fit preuve d'une grande sollicitude envers les monastères de son diocèse, et notamment celui de Micy, dont il fit restaurer les bâtiments et embellir l'église, ce que nous apprend une *uita* anonyme de saint Maximin [2]. Letald, un moine de Saint-Mesmin de Micy qui écrivit l'histoire de son monastère un siècle plus tard, confirme ce point et précise que Jonas en fit orner la porte orientale de petites

---

1. Astronomus, *Vita Hludowici*, 35 (*op. cit.*, p. 314).
2. *Vie anonyme de saint Maximin*, ASOSB I, 1668, p. 580-591.

plaques de plomb[1]. Après ces transformations, l'abbaye
acquit une telle renommée que beaucoup de nobles, dépo-
sant leurs armes, s'y consacrèrent au service de Dieu.

C'est cependant le transfert des reliques de saint
Maximin, fondateur du monastère, qui apparaît comme le
fait le plus marquant de l'action de Jonas en faveur de Micy.
Elles étaient jusqu'alors conservées dans la cathédrale
d'Orléans, mais les moines avaient adressé une réclamation
à Jonas. Ce dernier en référa à l'empereur, qui donna son
assentiment au transfert, lequel se déroula en 825 en présence d'abbés et de prélats éminents, dont l'archevêque de
Sens[2]. En mars 825, Jonas fit en outre obtenir pour
l'abbaye un privilège impérial lui garantissant l'intégrité des
biens et la libre élection de l'abbé[3]. Toute cette activité de
l'évêque d'Orléans en faveur du monastère de Micy a pu
faire dire que Jonas y avait été moine pendant sa jeunesse[4].
Ceci est cependant peu probable, car l'abbaye semble avoir
été en plein délabrement à cette époque[5]. Le zèle de Jonas
en faveur de Saint-Mesmin, qui appartenait à son diocèse,
est par ailleurs tout à fait conforme à l'esprit de la réforme
monastique carolingienne.

Jonas contribua au règlement d'affaires monastiques déli-
cates en dehors de son diocèse, notamment à l'occasion de
l'application de la réforme bénédictine au monastère Saint-
Denis de Paris. En effet, une partie des moines contestait
l'opportunité du rétablissement de la stricte observance de
la règle, qu'avaient tenté d'imposer Benoît d'Aniane et
Arnoul, abbé de Saint-Philibert, quelque temps aupara-

---

1. LETALD DE MICY, *Liber miraculorum s. Maximini* (*MGH SS* 1,
p. 598-613).

2. *Vie anonyme de saint Maximin*, *ASOSB* I, 1668, p. 591.

3. T. SICKEL, *Die Urkunden der Karolinger*, II, Vienne 1867-68,
p. 241.

4. J. LECLERCQ, *La Spiritualité du Moyen Age*, 1961, p. 92.

5. *Vie anonyme de saint Maximin*, *ASOSB* I, p. 590.

vant[1]. A la demande d'Hilduin, abbé de Saint-Denis, un premier concile réunit les évêques des provinces de Sens et de Reims en 829. Après un examen des documents antérieurs au règne de Louis le Pieux, les évêques confirmèrent que le monastère devait bien être soumis à la règle et obligèrent les moines apostats à se soumettre à la pénitence canonique, comme le précise le diplôme de réforme issu de cette assemblée[2]. Cependant, les moines profitèrent de la disgrâce d'Hilduin auprès de l'empereur en 830-831 pour introduire un recours auprès de ce dernier. Une nouvelle assemblée d'évêques eut donc lieu dans l'abbaye le 22 janvier 832, qui réfuta les dires des moines et donna lieu à un nouveau partage des biens de l'abbaye. Une charte en est conservée qui présente les souscriptions des évêques présents au concile, dont celle de Jonas d'Orléans[3]. Cette charte comporte la seule mention autographe connue de Jonas. Le rôle joué par celui-ci est difficile à déterminer, mais sa souscription arrive en troisième position parmi celles des évêques, ce qui souligne l'importance de son rang.

Jonas fut à plusieurs occasions un *missus* de l'empereur. C'est en effet à ce titre qu'il accompagna Donat, comte de Melun, pour enquêter sur un différend qui opposait les moines de Fleury à ceux de Saint-Denis[4]. Cette enquête eut lieu entre 832 et 834, car les deux diplômes de réforme de l'abbaye de Saint-Denis en 829 et 832 que nous venons de citer n'en parlent pas et, par ailleurs, le comte Donat fut démis de son *honor* en 834. En 835, Jonas eut aussi à défendre les biens de l'abbaye de Fleury contre la mainmise des laïcs, en compagnie du comte Hugues de Tours, tous

---

1. C. DE CLERCQ, *La Législation religieuse franque*, t. II, Anvers 1958, p. 171-173.

2. *MGH Conc.* II, p. 683-687.

3. Archives Nationales, K. 9, n. 5 (*MGH Conc.* II, p. 688-694).

4. ADREVALD, *Ex miraculis s. Benedicti* (éd. Holder-Egger, *MGH SS* 15, p. 490).

deux étant *missi* de l'empereur. Cette mission fut un succès puisque l'empereur promulgua un diplôme de restitution au monastère la même année [1].

Jonas intervint également en 837-838 dans un litige entre l'évêque Aldric du Mans et les moines de Saint-Calais [2]. Depuis Charlemagne, ce monastère dépendait de l'évêque du Mans, mais l'abbé Adalgaire avait obtenu par la ruse, en usant d'un faux, un diplôme d'immunité de Louis le Pieux [3]. Sur l'intervention d'Aldric, l'affaire fut déférée au plaid d'Aix-la-Chapelle en 838. L'abbé y fut destitué de son monastère et l'empereur envoya deux *missi* pour enquêter : Jonas d'Orléans et l'abbé Henri [4]. L'empereur les chargeait de forcer les moines à réintégrer leur monastère selon les canons et leur vœu de stabilité. Les deux *missi* menèrent leur tâche à bien et les moines furent condamnés au plaid de Querzy en septembre 838 à faire pénitence.

Jonas apparaît donc à plusieurs reprises dans les sources en tant que *missus* de l'empereur à propos de litiges en matière ecclésiastique. Ceci montre une nouvelle fois qu'il jouissait de la confiance de Louis le Pieux.

4. L'ACTIVITÉ SYNODALE DE JONAS D'ORLÉANS

Jonas a joué un rôle actif dans la plupart des grandes assemblées synodales du règne de Louis le Pieux.

1. M. PROU, *Recueil des chartes de Saint-Benoît sur Loire*, I, p. 43, n° 19.
2. Cf. F. LOT, " Les jugements d'Aix et de Quierzy ", *Bibliothèque de l'École des Chartes*, 82 (1921), p. 281-315.
3. T. SICKEL, *Acta* n° 14 du 25 août 814, p. 88.
4. Cf. *Gesta Aldrici* (éd. R. Charles et L. Froger, Mamers 1899) et *Actus Pontificum* (éd. G. Busson et A. Ledru, Le Mans, 1901).

a. Le « concile » de 825

La querelle des images, qui se ranima en 824, fut la première occasion où l'on vit Jonas intervenir dans une assemblée de l'Empire. La question des images avait déjà été évoquée au cours du synode de Francfort en 794, qui avait également condamné l'adoptianisme [1]. Rappelons brièvement les faits : en avril 824, l'empereur Michel II et son fils Théophile firent parvenir une lettre à Louis le Pieux par l'intermédiaire de deux ambassadeurs byzantins qui devaient se rendre ensuite auprès du pape Eugène II. Louis leur adjoignit Freculf, évêque de Lisieux, et Adegar, qui avaient pour mission de demander au pape l'autorisation de réunir les évêques francs pour débattre du problème des images. Le pape ayant accepté, l'empereur Louis réunit une assemblée à Paris en novembre 825 [2]. Il ne s'agissait pas vraiment d'un concile, mais d'une réunion des fidèles de l'empereur, ainsi qu'ils se nommaient eux-mêmes.

Les évêques présents à cette assemblée sont Freculf et Adegar, Jonas et son métropolitain, Jérémie de Sens, Halitgaire de Cambrai et Amalaire de Metz. Il faut noter l'absence d'Agobard, celle de Modoin d'Autun, qui se fit excuser, et celle de Claude de Turin, qui refusa de s'y rendre, qualifiant cette réunion d'assemblée d'ânes [3]. Il semble bien que les positions iconoclastes de l'évêque de Turin, divulguées l'année précédente dans son *Apologeticum*, aient également été étudiées au cours de l'assemblée de Paris en 825.

---

1. Cf. *supra*, p. 11.
2. Les actes en sont édités par A. Werminghoff (*MGH Conc.* II, p. 475-535) avec la lettre des empereurs Michel et Théophile (p. 520-523), avec un projet de lettre à envoyer au pape par l'empereur Louis et un projet de lettre à envoyer à Michel et Théophile par le pape (p. 523-532).
3. Cf. DUNGAL, *Respons. adv. Claud. Taurin.* (PL 105, p. 465-530).

Ce sont Jonas et son métropolitain, Jérémie de Sens, qui ont rédigé les actes de celle-ci dans un *Libellus synodalis Parisiensis* [1], qui reprenait en gros les positions des *Livres carolins*, mais sans les citer. Les évêques francs soulignaient dans ce document que le pape était dans l'erreur, par ignorance [2]. Ils joignaient à ce *Libellus* un projet de lettre, que Louis était supposé envoyer au pape Eugène II. L'empereur ne pouvait envoyer au pape aucun des deux documents qui lui étaient proposés. En conséquence, il demanda à Jonas et Jérémie de revoir et de résumer le document de Paris [3], en leur recommandant la plus grande modération afin de permettre le retour au calme et à la concorde. On a conservé ce résumé, appelé *Epitome libelli synodalis Parisiensis*, qui est plus modéré que les actes de Paris.

L'empereur demandait dans sa lettre à Jonas et à Jérémie de porter ce résumé au pape et d'accompagner éventuellement les ambassadeurs byzantins à Constantinople si le pape le jugeait bon. Parallèlement, Louis le Pieux adressa une lettre au pape Eugène II, en lui recommandant ses deux émissaires Jonas et Jérémie, dont il dressait un portrait élogieux en vantant leurs qualités en matière de théologie et de polémique [4]. On ne sait pas si l'ambassade à Constantinople eut réellement lieu. Il n'en reste pas moins que Jonas et Jérémie sont désignés par l'empereur comme ses *familiares* et ont été choisis pour leur érudition et leur habitude des controverses. Ceci rend évident à nouveau l'étendue de la confiance et de l'estime de l'empereur envers Jonas en 825.

Une partie du contenu des actes de Paris se retrouve dans le *De cultu imaginum* de Jonas d'Orléans : en effet, 26 des 65 citations présentes dans ce traité proviennent du

1. *MGH Conc.* II, p. 533-536.
2. *MGH Conc.* II, p. 482-485.
3. *MGH Conc.* II, p. 532-533
4. *MGH Conc.* II, p. 533-535.

Libellus [1], et les parallèles sont nombreux, notamment entre le livre II du *De cultu imaginum* et les chapitres 65-76 du *Libellus*, où les autorités sont pratiquement citées dans le même ordre. Cela rend évident la participation de Jonas en tant que *spiritus rector* du synode et constitue un premier exemple d'une méthode que l'évêque d'Orléans réutilisa constamment par la suite.

b. Le concile de Paris en 829 et la réforme de Saint-Denis

L'année 828 avait été marquée par de nombreux troubles intérieurs et extérieurs ; les empereurs Louis et Lothaire convoquèrent simultanément quatre conciles à Mayence, Paris, Lyon et Toulouse. Seuls les actes de celui de Paris sont conservés en entier [2]. Rédigés par Jonas d'Orléans, comme on le verra un peu plus loin, ces actes ont une portée considérable car ils expriment la position de l'épiscopat franc sur le problème des rapports entre les pouvoirs dirigeant la société. La présence de Jonas à Paris en 829 est attestée par un acte sur lequel certains évêques présents au concile avaient apposé leur souscription à la demande d'Inchad, évêque de Paris [3]. Celle de Jonas s'y retrouve en sixième position.

c. Le synode de Worms en 833

Sur la foi d'un diplôme de l'archevêque Aldric de Sens, donné à Worms et comportant une liste des souscriptions d'évêques ayant participé à l'assemblée, on a cru longtemps pouvoir démontrer la présence de Jonas à Worms en 833, au synode convoqué par Louis le Pieux pour définir une ligne

1. Cf. A. BOUREAU, « Les théologiens carolingiens devant les images religieuses : la conjoncture de 825 », dans *Nicée II, 787-1987 : Actes du colloque international Nicée II*, Paris 1987, p. 250.
2. *MGH Conc.* II, p. 605-680.
3. Cf. *supra*, p. 17.

de conduite face à l'intervention du pape dans le conflit opposant l'empereur à ses fils. Mais Simson[1] a montré que ce diplôme se rapporte en fait à une autre assemblée qui eut lieu à Worms entre le 30 juin 833 et le 1er mars 834 sous le gouvernement du seul Lothaire. Nous pensons cependant que Jonas fut présent au premier synode qui se tint à Worms entre Pâques et le 10 juin 833, avant les événements du Rothfeld et la déposition de l'empereur[2]. Certains évêques, comme Agobard, avaient refusé d'y participer[3], mais il est vraisemblable que la plupart s'y rendirent. A l'issue du synode, les évêques envoyèrent au pape Grégoire IV une lettre contestant son intervention dans le litige opposant l'empereur à ses fils[4]. Il est probable que Jonas a été l'un des auteurs de cette lettre, dont le texte n'est malheureusement pas conservé. Le pape fit à cette lettre une réponse très ferme, qui affirmait la primauté de la décision pontificale.

d. Le concile de Thionville et la déposition d'Ebbon

L'année 834 vit un retournement total de la situation. Pépin et Louis le Germanique se rallièrent à leur père et se retournèrent contre Lothaire au printemps de l'année 834. Celui-ci dut se soumettre à la fin de l'été et fut renvoyé en Italie. En 835, l'empereur fut solennellement réintégré dans ses droits et les coupables de la révolte furent jugés et condamnés au cours d'une assemblée tenue en février à Thionville. Ainsi, Agobard de Lyon, Bernard de Vienne, Barthélemy de Narbonne furent-ils condamnés par contumace et déposés. L'archevêque Ebbon de Reims, qui avait imposé la pénitence publique à l'empereur, fut condamné et déposé. Les actes du synode sont perdus mais les témoi-

---

1. Simson, *Jahrbücher*, t. II, p. 291-293.
2. Cf. *infra*, p. 44.
3. Cf. Simson, *Jahrbücher*, t. II, p. 35.
4. Agobard, *Epistulae*, n° 17 (*MGH Ep.* 5, p. 228-232).

gnages d'Hincmar [1] et de Flodoard [2] nous en ont gardé le récit. On sait par ces témoins que Jonas fut le maître d'œuvre du synode et que c'est lui qui dicta le procès verbal de la déposition d'Ebbon de Reims le 4 mars 835. Les noms de quarante-trois évêques figurent à la fin du *Libellus episcoporum de Ebonis resignatione* [3] ; la souscription de Jonas y apparaît en deuxième position parmi celles des évêques, ce qui signale bien l'importance du rôle qu'il eut dans ce synode.

e. Le concile d'Aix-la-Chapelle en 836

La législation conciliaire, après un arrêt dû aux guerres civiles, reprit en 836. En février, l'empereur réunit un concile à Aix-la-Chapelle [4]. Les actes de ce concile, divisés en trois livres consacrés à la vie des évêques, à leur ministère et à ceux des ordres inférieurs, stigmatisent la responsabilité des fils de l'empereur dans les troubles qui ont divisé l'empire. Il s'agit d'une véritable remise en ordre des affaires ecclésiastiques, dont les termes recoupent largement ceux des actes du concile de Paris en 829 et de la *Relatio episcoporum* de la même année. Bien que les souscriptions ne soient pas conservées, il semble que Jonas soit le rédacteur des actes d'Aix-la-Chapelle, car ses idées et son style de rédaction s'y reconnaissent.

5. Les dernières années de Jonas

Le diocèse d'Orléans avait beaucoup souffert des années de guerre civile. En effet, dès l'année 828, les troubles avaient commencé avec la destitution des comtes Matfrid

1. *PL* 125, 388-391.
2. Flodoard, *Histoire de l'Église de Reims,* II, 20 (*MGH SS* 13, p. 471 s.).
3. *MGH Conc.* II, p. 703.
4. *MGH Conc.* II, p. 704-724.

d'Orléans et Hugues de Tours, qui, l'année précédente, avaient tardé à secourir le comte Bernard de Septimanie assiégé dans Barcelone par les troupes musulmanes. A la cour de Louis, ce retard avait été considéré comme une trahison et mis sur le compte de la rivalité qui opposait Matfrid et Hugues, partisans de Lothaire, au comte Bernard dont l'influence à la cour grandissait à leur détriment. Après l'éviction de Matfrid, Eudes, un cousin de Bernard de Septimanie, fut nommé comte d'Orléans. Il commit de nombreuses exactions et s'empara notamment de biens appartenant au temporel de la cathédrale d'Orléans, selon Adrevald de Fleury [1]. Le diocèse dut souffrir également de la campagne de Pépin d'Aquitaine qui, à l'occasion de la révolte de 830, traversa l'Orléanais avec son armée et rétablit Matfrid dans ses fonctions [2]. Ce dernier participa au premier soulèvement contre Louis le Pieux et fut pour cette raison une nouvelle fois déchu de son comté après la restauration de l'autorité impériale en 831. Il se joignit à Lothaire lors de la deuxième révolte des fils de l'empereur en 833 aux côtés des comtes Hugues de Tours et Lambert de Nantes. Malgré la défaite de Lothaire en 834, Lambert et Matfrid ne déposèrent pas les armes. C'est pourquoi Eudes, qui entre-temps avait été restauré dans la dignité comtale, leva alors une armée pour mener campagne contre eux. A cet effet, il demanda à Jonas d'Orléans et à Boson, abbé de Saint-Benoît, de participer à la guerre et de fournir un contingent et une contribution en argent [3]. L'expédition fut un échec et Eudes fut tué pendant la bataille, mais au cours de cette campagne, nous dit Adrevald, les deux rives de la Loire furent ravagées et le pays pillé.

---

1. ADREVALD, *Miracula s. Benedicti*, 20 (*MGH SS* 15, p. 487).
2. NITHARD, *Histoire*, p. 14.
3. ADREVALD, *ibid.*, p. 487-488.

Jonas consacra ses dernières années à la restauration de son diocèse. De 834 à 838, l'Orléanais fit partie du royaume de Pépin Ier et Jonas obtint de ce roi la restitution de biens considérables[1]. A la mort de Pépin en décembre 838, l'ensemble du *regnum* revint à la couronne impériale, puis l'empereur l'incorpora en 839 à la part de son fils Charles. Jonas obtint du nouveau roi entre 840 et 843 un diplôme confirmant à l'Église d'Orléans l'ensemble de ses possessions[2], renouvelant un acte de Louis le Pieux qui ne nous est pas parvenu. A cette époque, Jonas était donc encore en vie et avait de bons rapports avec le fils de Louis. C'est d'ailleurs en son honneur qu'il rédigea le *De cultu imaginum*. Il le lui remit probablement lors de la venue de Charles à Orléans en décembre 840, après avoir demandé à Loup de Ferrières de le corriger, ce que celui-ci refusa de faire[3]. Jonas entretenait en effet avec Loup une correspondance suivie, dont trois lettres sont conservées. La dernière lettre de Loup à Jonas peut être datée de la fin du mois de décembre 840 ou du début de l'année 841[4], puisque Loup y relate les circonstances de son accession à l'abbatiat. Loup étant devenu abbé de Ferrières le 13 décembre 840, il est certain que Jonas était encore en vie à cette date. Il était très âgé et peut-être malade, car Loup s'inquiète de sa santé à la fin de sa dernière lettre[5]. Celle-ci fait également état d'une plainte du nouvel abbé de Ferrières à propos de préjudices qu'un certain Agius, un parent de Jonas, faisait subir aux biens du monastère. Cet Agius est probablement le *uocatus episcopus*

---

1. E. LESNE, *Histoire de la propriété ecclésiastique en France*, II, 1, Lille 1922, p. 53-54.
2. G. TESSIER, *Recueil des actes de Charles II le Chauve*, I, p. 62-65.
3. LOUP DE FERRIERES, *Epistulae*, éd. P. K. Marshall, Teubner 1984, p. 33.
4. *Ibid.*, p. 29-30.
5. *Ibid.*, p. 30.

Auinus dont on trouve la souscription pour Orléans à la suite des actes du concile de Germigny en septembre-octobre 843 [1]. Sa nomination fut régularisée en 844 lors du synode de Ver, dont les actes indiquent que la plus grande confusion régnait dans le diocèse malgré la nomination du nouvel évêque l'année précédente [2]. La lettre de Loup et la présence d'Agius au concile de Germigny permettent de placer la mort de Jonas entre décembre 840 et septembre 843, peut-être dès l'année 841, car il semble peu probable qu'un évêché de cette importance soit resté long-temps sans titulaire. Jonas a dû mourir à un âge très avancé. Cette longévité n'est cependant pas exceptionnelle à l'époque. Ainsi Eginhard, Ebbon, Raban Maur ou Hincmar ont-ils eu également une carrière très longue.

6. L'ŒUVRE LITTÉRAIRE DE JONAS D'ORLÉANS

Jonas était considéré à son époque comme une autorité littéraire incontestable. Nous avons vu en quelle estime le tenait l'empereur dans la lettre qu'il écrivit en 825 au pape Eugène II à propos de la querelle des images. A la même époque, l'évêque Walcaud de Liège demanda à Jonas de réécrire en latin correct une ancienne *uita* mérovingienne de saint Hubert [3]. Walcaud, qui était un évêque de cour, aurait pu le faire lui-même. C'est par amitié, et surtout parce qu'il connaissait les talents de Jonas, qu'il demanda à celui-ci de le faire à sa place.

Ces talents étaient également reconnus par Bertold de Micy [4]. De même, Loup de Ferrières, dans sa lettre adressée

---

1. *MGH Conc.* III, p. 6.
2. *MGH Conc.* III, p. 42.
3. Cette lettre est éditée dans les *MGH Ep.* 5, p. 348-349.
4. Cf. *supra* note 1, p. 10.

à Jonas en 840, refusa de vérifier le *De cultu imaginum* que l'évêque d'Orléans lui avait adressé, en soulignant que Jonas était mieux qualifié que lui pour corriger son écrit[1]. Dans une autre lettre[2], Loup fait d'ailleurs une allusion au titre et à la renommée de Jonas, ce qui montre bien l'importance de celle-ci dans les milieux intellectuels. Jonas a laissé une œuvre considérable et très diverse.

La *Vita secunda sancti Hucberti*

Au VIIIᵉ siècle avait été écrite une vie de saint Hubert, qui existe encore aujourd'hui[3]. Cependant, sous l'épiscopat de Walcaud se produisit un fait important : le transfert des reliques du saint de l'église de Liège au monastère d'Andage. Walcaud était un personnage influent à la cour. Il avait fait partie comme Théodulf des signataires du testament de Charlemagne[4]. Ami personnel de Jonas, il lui demanda, à l'occasion de ce transfert, de réécrire en bon latin la *Vie de saint Hubert*.

Les causes et le déroulement du transfert des reliques sont relatés dans la lettre de dédicace de la *Vita secunda* écrite par Jonas et dans le récit de la translation écrit par Jonas à la suite de celle-ci[5]. Cette translation des reliques, que Jonas date du 30 septembre 825, fait suite à une série d'événements typique de l'époque carolingienne. A l'origine simple *cella* abritant des chanoines et presque en ruine au début du IXᵉ siècle, l'abbaye d'Andage fut restaurée par l'évêque

---

1. Éd. P. K. Marshall, Teubner 1984, p. 33.
2. *Ibid.*, p. 29, l. 15.
3. Elle est éditée dans les *MGH, SRM* 6, p. 471-496.
4. Cf. EGINHARD, *Vie de Charlemagne* (éd. L. Halphen, Paris 1938, p. 100).
5. L'ensemble est édité par De Smedt, *ASS* novembre, t. I, p. 806-818. La lettre dédicatoire est éditée également dans les *MGH Ep.* 5, p. 348-349.

Walcaud [1], qui lui fit une donation sur les biens de l'évêché et, en 817, elle passa sous la règle bénédictine. Plus tard, à la requête des moines d'Andage, Walcaud demanda à l'empereur, par l'intermédiaire de l'archevêque Hildebold de Cologne dont il dépendait, l'autorisation de transférer de Liège à Andage les reliques de saint Hubert. Cette autorisation était obligatoire depuis le concile de Mayence en 813 [2].

Jonas fut probablement témoin du transfert et en fait un récit très précis et intéressant à plusieurs égards : il dresse un tableau de la vie religieuse des campagnes du diocèse de Liège, expose le mode de transfert des reliques de saints et surtout dessine un véritable miroir du bon évêque, qu'il développa par la suite dans le premier livre des actes du concile de Paris en 829. Au-delà de l'histoire de saint Hubert, c'est un modèle de l'évêque carolingien qui est ici décrit. Celui-ci est responsable du peuple qui lui est confié, il doit le mener au salut et, pour cela, briller par l'exemple et les œuvres et veiller à la bonne marche de son diocèse.

L'*Institution des laïcs*

C'est chronologiquement le premier des écrits de Jonas [3]. Le destinataire, désigné dans la lettre dédicatoire, en est Matfrid, comte d'Orléans au début de l'épiscopat de Jonas. Ce personnage extrêmement influent, que l'on voit figurer à de nombreuses reprises comme *ambasciator* de requêtes provenant de tout l'empire, fut jusqu'en 828 un proche de l'empereur. Son rôle dans les troubles qui provoquèrent l'effondrement de l'empire ne fut pas négligeable selon Nithard [4]. Au début de son épiscopat, Jonas semble cepen-

---

1. Cf. *ASS* novembre, t. I, p. 817.
2. *Conc. Mayence* (813), 51 (*MGH Conc.* II, p. 272).
3. L'*Inst. des laïcs* n'a pas reçu d'édition scientifique complète. La lettre dédicatoire a été éditée par Dümmler en 1899 (*MGH Ep.* 5,

dant avoir entretenu de bons rapports avec lui : la lettre dédicatoire de l'*Institution des laïcs* précise même que cette dernière fut écrite à la demande du comte afin de l'éclairer sur l'état de mariage. On peut cependant douter de cette demande, puisque le traité lui-même, qui se compose de trois livres contenant respectivement vingt, vingt-neuf et vingt chapitres, ne consacre que seize chapitres du livre II aux problèmes du mariage.

Le premier livre expose les fondements de la morale chrétienne, en mettant en valeur l'importance des sacrements, en particulier du baptême, et l'utilité de la prière et des œuvres. Le livre II se compose de deux parties, dont la première est consacrée au mariage et à la morale conjugale des laïcs. Dans la seconde, Jonas stigmatise le comportement des grands seigneurs, qui se croient supérieurs aux pauvres et préfèrent l'amour de la chasse et de la bonne chère à la charité. Le livre III est un exposé des vices et des vertus, comme aussi du comportement moral que doivent observer les laïcs en général, en vue de leur salut au jour du jugement. L'ensemble de l'ouvrage est très bien construit suivant une méthode rigoureuse. Ainsi, chaque chapitre se compose d'une introduction, suivie de la définition d'un problème ou d'un abus, puis d'un dossier d'autorités. Viennent enfin la description du comportement à suivre et une conclusion en forme d'exhortation.

L'*Institution des laïcs* est conservée dans neuf manuscrits que l'on peut répartir en deux familles, représentant deux versions successives du texte. Ces deux versions présentent

---

p. 346-347). Les chap. 1 à 16 du livre II ont été édités par O. Dubreucq (Thèse de troisième cycle, Lille 1986) et la capitulation l'a été par I. Schröder (*DAEM* 44, 1988, p. 93-97). L'ensemble du texte figure dans *PL* 106, 121-278.

4. Nithard, *Histoire*, p. 17.

des divergences dans le contenu et l'agencement d'une ving-
taine de chapitres[1].

Dans deux des trois manuscrits de la version courte, la
table du deuxième livre mentionne un chapitre 30 intitulé
De principibus, qui n'existe dans aucun des manuscrits de la
version longue. D'autre part le nom du destinataire,
Matfrid, ne figure dans aucun des représentants de celle-ci.
On le lit dans le manuscrit de Cologne, mais il a été gratté
par la suite. Or, on sait que les comtes Hugues et Matfrid
ont été destitués de leur charge et bannis en février 828, à la
suite de leur manque d'empressement à secourir le comte
Bernard[2]. Jonas, qui était resté fidèle à l'empereur, n'aurait
pas fait une telle dédicace après la destitution de Matfrid. La
version courte a donc été écrite avant cette date puisqu'elle
est dédicacée au comte Matfrid, la version longue l'a été
après février 828.

La version courte a probablement été composée juste
après 818, date de l'accession de Jonas au siège d'Orléans.
En effet, deux indices permettent de le supposer : Jonas lui-
même, dans la lettre dédicatoire de l'*Institution des laïcs*,
indique que les Pères qui l'ont précédé ont déjà pénétré dans
la forêt des saintes Écritures pour y ramasser les rameaux
dont sont issues les *Institutions canonique et monastique*[3].

---

1. Les témoins de la version courte sont : Cologne, *Dombibliothek*,
184 (IXᵉ s.) ; Paris, B.N., *lat. 2398* (X-XIᵉ s.) ; Paris, B.N., *lat. 12291*
(XIIᵉ s.) ; Vatican, *lat. 990* (IXᵉ s). La version longue est représentée par
Londres, British Library, *add. 10459* (IXᵉ s.) ; Paris, B.N., *lat. 2397*
(IXᵉ s.) ; Valenciennes, B.M., *203* (XIIᵉ s.) ; Paris, B.N., *lat. 5307*
(Xᵉ s.) ; Francfort, Stadt- und Universitätsbibliothek, *Ms Barth 67*
(XIIᵉ s.). Les chapitres 8, 9, 10, 11, 12, 13, 28 du livre II ; 1, 2, 3, 4 du livre
III de la version courte deviennent respectivement 13, 8, 9, 10, 11, 12
du livre II ; 10, 1, 3, 4, 2 du livre III dans la version longue.

2. SIMSON, *Jahrbücher*, t. II, p. 287-289 (cf. *infra*, p. 43).

3. *Inst. des laïcs*, PL 106, 124 A : « canonica atque monastica institutio » ; indication signalée par SCHARF, *Studien*, p. 365-366.

Cette formulation ne peut s'appliquer qu'aux *Institutions* issues du synode de 817[1]. Par ailleurs, dans le prologue du capitulaire de 818, l'empereur lui même avait exprimé son souci de la composition d'une *Institution* des laïcs à côté de celles des moines et des chanoines[2]. Il semble donc que Jonas n'ait fait que donner suite au souhait de l'empereur, dans le cadre des grandes réformes qui ont suivi l'avènement de Louis à l'empire. On peut donc placer la rédaction de la version courte peu après 818 et voir dans la demande de Matfrid un thème de circonstance plus qu'une réalité. Il était normal que Jonas, qui venait d'être nommé à l'évêché d'Orléans, dédiât son traité au comte de sa cité, qui était à cette époque le deuxième personnage de l'empire[3].

La version longue a pu, en revanche, être écrite après le mois de mars 828, puisqu'elle ne mentionne pas le nom de Matfrid, et avant juin 829, date à laquelle ont commencé les travaux du concile de Paris. C'est d'ailleurs cette version longue qui a servi de base aux actes du concile de 829[4].

Le *De cultu imaginum*

C'est l'œuvre la plus personnelle de Jonas[5]. Il y réfute les idées de l'évêque Claude de Turin. Ce réfugié d'origine hispanique avait d'abord séjourné à Lyon au temps de l'arche-

---

1. *MGH Conc.*, II, p. 307-464.
2. *MGH Capit.*, I, p. 274, l. 38.
3. On peut se demander si Matfrid n'avait pas la dignité de patrice. Ermold le Noir le décrit lors d'une cérémonie au palais d'Ingelheim le front couronné d'un diadème et portant des vêtements étincelant d'or (cf. ERMOLD LE NOIR, *Poème en l'honneur de Louis le Pieux,* éd. E. Faral, Paris 1932, p. 176-177).
4. DUBREUCQ, *Regia*, p. 144-150.
5. Il n'en subsiste aucun manuscrit, mis à part un fragment tardif dans Vatican, *Reg. lat. 349* (XVᵉ-XVIᵉ s.), fol. 173 v. La lettre dédicatoire a été éditée par Dümmler (*MGH Ep.*, V, p. 353-355). On trouve le reste du texte dans *PL* 106, 305-388.

vêque Leidrad, auquel il avait laissé une bonne impression. En 811, il fut invité à enseigner à l'école du palais de Louis à Chasseneuil[1]. Après l'année 814, il exerça des fonctions palatines à la cour d'Aix-la-Chapelle[2] et en 817, Louis le nomma archevêque de Turin. Il écrivit de nombreux textes exégétiques qui furent appréciés en leur temps. Après sa nomination au siège de Turin, il s'attaqua aux superstitions et aux pratiques douteuses qui semblent avoir régné dans son diocèse. C'est alors qu'il envoya un commentaire sur l'*Épître aux Corinthiens* à son ami l'abbé Théodemir. Celui-ci, doutant de l'orthodoxie de l'ouvrage, l'envoya à la cour d'Aix-la-Chapelle, où il fut examiné mais non condamné. Théodemir écrivit alors une lettre à Claude, dans laquelle il lui demandait de renoncer à ses erreurs. Claude répondit à cette lettre sous la forme d'un long traité[3], aujourd'hui perdu et dont on ne connaît que les extraits cités par Jonas et Dungal pour le réfuter. Ces extraits semblent avoir été rédigés à la cour et envoyés à Jonas et Dungal[4] pour examen.

Claude fut convoqué à l'assemblée de Paris en 825 pour y rendre compte de ses opinions. Il refusa de se rendre à cette réunion à laquelle Jonas participa. Dès son retour de Rome, ce dernier commença à rédiger sa réfutation des idées de Claude de Turin, mais il l'abandonna à la mort de Claude, en 827, alors qu'il en avait rédigé la plus grande partie. Il en

---

1. *MGH Ep.* IV, p. 592. Sur Claude de Turin, les travaux les plus récents sont ceux de E. Ann MATTER, « Theological Freedom in the Carolingian Age : the Case of Claudius of Turin », dans *La Notion de liberté au Moyen Age*, Paris 1985, p. 50-60 et A. BOUREAU, « Les théologiens carolingiens devant les images religieuses : la conjoncture de 825 », dans *Nicée II, 787-1987, op. cit.*, p. 247-262.

2. *MGH Ep.* IV, p. 354, l. 11.

3. *PL* 105, 464 D, dont le titre est *Apologeticum atque rescriptum adversus Theutmirum abbatem.*

4. JONAS D'ORLÉANS, *De cultu* (*PL* 106, 305-388) et DUNGAL, *Liber aduersus Claudium Taurinensem* (*PL* 105, 466 s).

reprit la rédaction, la termina en 840 et la dédia au roi Charles le Chauve, dont il était alors le sujet. Jonas précise bien dans sa lettre de dédicace qu'il n'a pas lu le traité de Claude, mais seulement le résumé que l'empereur Louis lui avait fait envoyer [1].

On reprochait à Claude, outre un lien supposé avec l'adoptianisme, d'avoir fait détruire les images saintes dans son diocèse, de refuser le culte des reliques, l'adoration de la croix et la valeur des pèlerinages à Rome. Jonas lui répondit sur tous ces points. Le premier livre du *De cultu imaginum* règle la question des images en reprenant les thèses définies par l'épiscopat franc dans les actes de 825. On a vu d'ailleurs les similitudes qui existent entre le *De cultu imaginum* et les décisions de cette assemblée. Le deuxième livre réfute les assertions de Claude concernant le culte de la croix par une série de citations exaltant la puissance du signe de la croix. Le troisième livre combat la mise en cause par Claude des pèlerinages à Rome. Pour Jonas, le pèlerinage est un signe de piété et permet l'intercession des apôtres.

L'ensemble du traité est très véhément, et quelquefois injuste envers Claude. Jonas n'hésite pas à manier l'ironie à son égard, va jusqu'à l'accuser de plagiat [2] et à le comparer à un silène ivre et trébuchant [3]. En fait, Jonas ne fait pas une critique véritablement théologique du livre de Claude. Ce qu'il lui reproche, c'est son extrémisme, et aussi de se désolidariser de la position médiane qui était celle de l'épiscopat franc. La position de Jonas et de Dungal n'était peut-être pas entièrement partagée par l'empereur, car à aucun moment Claude ne fut condamné, et il conserva son siège jusqu'à sa mort.

1. *MGH Ep.*, V, p. 354, l. 23-24.
2. *PL* 106, 308 et 312.
3. *PL* 106, 362.

Le *De rebus ecclesiasticis non inuadendis*

On a coutume de donner ce nom à un florilège appelé aussi *Libellus ad Pippinum regem* dans les manuscrits [1]. Il s'agit en fait d'un long texte rédigé sur l'ordre des évêques présents au concile d'Aix-la-Chapelle en 836 et sur recommandation de l'empereur pour être adressé au roi Pépin Ier d'Aquitaine, dans le but de l'amener à restituer aux Églises des biens qui leur avaient été soustraits pendant les troubles des années 830-833. La démarche de Jonas semble avoir été couronnée de succès, car Pépin restitua les biens sécularisés [2].

Un manuscrit aujourd'hui perdu de ce texte en attribue la rédaction à Jonas d'Orléans [3]. Par ailleurs, un des manuscrits contenant l'*Institution des laïcs* inclut le traité des biens ecclésiastiques entre le deuxième et le troisième chapitre de celle-ci [4], ce qui prouve que, dans la deuxième partie du IXe siècle, on considérait déjà le *De rebus ecclesiasticis* comme un écrit de l'évêque d'Orléans. Il semble donc bien que celui-ci en soit l'auteur. Le texte, qui se compose presque exclusivement de citations bibliques, patristiques ou canoniques, comprend trois livres et présente un dossier complet sur les biens ecclésiastiques. Il a de nombreuses similitudes de contenu et de méthode avec les autres œuvres de Jonas [5].

---

1. Ce texte est édité dans les *MGH Conc.* II, p. 724-767 à la suite des actes du concile d'Aix.

2. Le fait est confirmé par les *Annales de Saint-Bertin*, éd. P. Grat, Paris 1964, p. 21, et la *Vie de Louis* par l'Astronome, éd. Tenberken, Rottweil 1982, p. 205.

3. Beauvais *A 4* (IXe s.), dont une partie est éditée par A. SALMON, « Notice sur les manuscrits de la bibliothèque du tribunal de Beauvais », *Revue des Bibliothèques*, 8 (1898), p. 362 et 367-69.

4. Londres, British Library, *add. 10459* (IXe s.), f. 109 r-130 v.

5. Notamment *De rebus*, I, 35 avec *Inst. des laïcs*, II, 20 ; *De rebus*, II, 7 avec *Inst. royale*, 10 ; *De rebus*, II, 18 avec *Inst. royale*, 13 et *Inst. des laïcs*, 11. Enfin, la bénédiction finale reprend les termes mêmes de la fin de l'Admonition (*Inst. royale*, Adm., l. 256-259).

L'*Institution royale* et les œuvres conciliaires de Jonas

Les rapports unissant l'*Institution des laïcs*, l'*Institution royale* et les actes du concile de Paris en 829 ont été reconnus très tôt[1]. De fait, comme le montre le tableau ci-après,

**Correspondances globales entre l'*Institution royale*,
les actes du concile de Paris en 829 et l'*Institution des laïcs***

I.R.	*C.P.*	*I.L.*
ch. 1	I, 2-3	
ch. 2	III, 8 (*part.*)	II, 20-21 (*part.*)
ch. 3	II, 1	
ch. 4	II, 2	
ch. 5	II, 3	
ch. 6	II, 4	
ch. 7	II, 5	
ch. 8	II, 8	
ch. 9	II, 6	
ch. 10	II, 9	
ch. 11	II, 7	I, 20
ch. 12	II, 10	I, 19
ch. 13	II, 11	I, 11
ch. 14	II, 12	I, 13
ch. 15	II, 13	I, 14
ch. 16	I, 50 ; III, 19-20	
ch. 17	I, 6	I, 8
	I, 9	I, 3
	III, 2	*Capitulatio*, II.III
	III, 25 (*part.*)	II, 14

1. Luc d'Achery avait le premier posé la question de la chronologie des textes. Selon lui l'*Institution royale* était le plus ancien d'entre eux et aurait été insérée par la suite dans les actes du concile de Paris. AMELUNG, *Leben und Schriften*, p. 40 s. posa à nouveau le problème et conclut que l'*Inst. des laïcs* était antérieure aux actes de Paris, eux-mêmes réutilisés dans l'*Inst. royale*.

six chapitres de l'*Institution des laïcs* ont un correspondant dans l'*Institution royale*, treize chapitres de celle-ci peuvent se retrouver dans les actes du concile de Paris et trois autres présentent des similitudes avec d'autres canons de ces actes.

La première étude scientifique des relations entre ces trois textes a été réalisée par J. Scharf en 1961 [1]. Cependant, seule une étude textuelle systématique [2] permet de définir avec précision ces liens et la chronologie des textes. Une série d'indices montre que l'*Institution des laïcs* est antérieure aux actes de Paris. Ceux-ci résument en les regroupant plusieurs chapitres de l'*Institution des laïcs* [3]. En outre, les actes de Paris reprennent plusieurs paragraphes d'un chapitre de l'*Institution des laïcs* en les isolant de leur contexte originel, ce qui contraint l'auteur à rédiger une introduction pour que l'ensemble reste compréhensible [4]. Parfois, une citation un peu longue ou un raisonnement de l'*Institution des laïcs* sont coupés en leur milieu lors de leur réutilisation par les actes de Paris [5]. Enfin, la dernière partie du chapitre 2 du livre III des actes du concile de Paris reproduit pratiquement dans l'ordre la liste des chapitres du livre II de l'*Institution des laïcs*, en l'introduisant par une petite phrase [6].

La comparaison des deux textes montre donc bien l'antériorité de l'*Institution des laïcs* par rapport aux actes de

1. SCHARF, *Studien*, p. 333-384.

2. Nous résumons ici une démonstration beaucoup plus étendue que l'on trouvera dans DUBREUCQ, *Regia*, p. 127-150.

3. *Conc. Paris* (829), III, 8 résume *Inst. des laïcs,* II, 20 et 21 ; de même *Conc. Paris* (829), I, 6 résume les *Inst. des laïcs,* I, 2 et I, 8.

4. N'ayant pas reproduit *Inst. des laïcs,* I, 1-2, *Conc. Paris* (829), I, 9 comportent une introduction nouvelle résumant le contenu des deux chapitres absents.

5. *Conc. Paris* (829), II, 12 — *Inst. des laïcs,* I, 13.

6. *Conc. Paris* (829), III, 2 (*MGH Conc.*, II, p. 670-71) : « Congessimus etiam in opere conuentus nostri nonnulla alia capitula. »

Paris. Les actes reprennent la lettre de chapitres entiers de
l'*Institution des laïcs* dans sa version longue [1] ou bien en
abrègent le contenu. Mais la comparaison avec l'*Institution
royale* montre que ce texte est postérieur aux actes de Paris.
Le tableau comparatif illustre que les chapitres 3 à 15 de
l'*Institution royale* sont semblables aux chapitres II, 1 à 13
des actes du concile de Paris, mais dans un ordre différent.
Des indices nets permettent de montrer lequel des deux
textes dépend de l'autre. Ainsi une petite phrase des actes de
Paris n'a plus aucun sens dans l'*Institution royale* [2]. De
même le chapitre 16 de l'*Institution royale* reprend en les
résumant trois canons du concile de Paris, en précisant :
« Ainsi que nous en avons récemment prié votre père [3] »,
alors que le chapitre 19 du livre III des actes du concile de
Paris dit : « Ainsi que nous vous en avons prié il y a longtemps [4] », ce qui montre bien que l'*Institution* est dédiée à
Pépin, alors que les actes l'étaient à son père. L'*Institution
royale* fait ici nettement allusion au concile de 829, qui s'est
déroulé récemment (*dudum*).

Ces éléments et de nombreux autres indices apportent
une certitude dans la chronologie : les actes du concile de
Paris précèdent de peu l'*Institution royale*, qui les reproduit
en général fidèlement, quelquefois en les résumant.

L'étude comparative des deux *Institutions* confirme
l'échelonnement dans le temps des textes. Elle permet
également de constater qu'une partie du contenu de

---

1. Ainsi *Conc. Paris* (829), II, 7 et *Inst. royale*, 11 suivent fidèlement
le texte de la version longue de l'*Inst. des laïcs*, I, 20. D'autre part, les
actes de Paris reproduisent l'inversion de chapitres du livre II caractéristique de la version longue de l'*Inst. des laïcs*.
2. « Iam in superioribus capitulis demonstratum est », en *Conc.
Paris* (829), qui fait allusion à *ibid.* I, 1 n'a plus aucun sens dans l'*Inst.
royale*, où le problème n'a jamais été abordé.
3. *Conc. Paris* (829), I, 50, III, 19 ; 20.
4. *Ibid.*, III, 19.

l'*Institution des laïcs* se retrouve dans l'*Institution royale* sans passer par les actes du concile de Paris. Cependant l'*Institution royale* ne récupère directement que très peu de la matière de l'*Institution des laïcs*. Dans l'ensemble, elle suit fidèlement le texte des actes de Paris [1].

En résumé, l'*Institution des laïcs* a été écrite une première fois entre les années 818 et 828, probablement peu après l'année 819, puis retouchée et augmentée en 828-829 en vue du concile de Paris. Les actes de ce dernier ont été réutilisés pour la rédaction de l'*Institution royale*.

Enfin, on a depuis longtemps reconnu une parenté entre les actes du concile de Paris en 829, la *Relatio episcoporum* de Worms en août 829 et les actes du concile d'Aix-la-Chapelle en 836 [2]. La *Relatio episcoporum* est postérieure aux actes de Paris. Elle résume les travaux de celui-ci ainsi que ceux des conciles de Toulouse, Lyon et Mayence, qui avaient eu lieu à la même époque, en un *rescriptum* présenté à l'empereur. En fait, il semble que la *Relatio episcoporum* doive la majeure partie de son contenu aux actes du seul concile de Paris, auquel l'empereur avait assisté [3]. Seuls les canons 11 à 13 de la *Relatio* ne proviennent pas des actes de Paris. Elle se compose de quatre livres traitant successivement de la conduite morale du clergé, des réformes proposées par les évêques, des problèmes concernant l'ensemble des fidèles et enfin de la personne et du ministère du roi. Elle résume les actes de Paris, en les remaniant et en abrégeant souvent les dossiers d'autorités.

Les actes du concile d'Aix-la-Chapelle en 836 reproduisent une partie des canons de la *Relatio episcoporum*, mais

---

1. *Inst. royale*, 2 – *Inst. des laïcs*, II, 20-21.
2. La *Relatio episcoporum* est éditée dans *MGH Capit.* II, p. 26-51 et le concile d'Aix (836) dans *MGH Conc.* II, p. 704-724.
3. *Conc. Paris* (829), III, 18 (*MGH Conc.* II, p. 676) atteste la présence de l'empereur : « Nous prions instamment Votre Piété d'admonester maintenant, dans le présent plaid... »

dans un ordre différent. Ils se composent de cinq livres consacrés respectivement à la vie des évêques, à leur conduite, aux ordres inférieurs, au roi et enfin à l'honneur dû aux évêques. On constate en comparant les actes de Paris, la *Relatio episcoporum* et les actes d'Aix-la-Chapelle en 836 qu'ils sont l'œuvre d'un seul et même rédacteur. En effet, les trois textes présentent globalement des analogies de contenu et de méthode de rédaction. La *Relatio episcoporum* reprend une partie des canons des actes de Paris en les fragmentant ou en les associant à d'autres canons du même concile ; il en est de même pour les actes d'Aix-la-Chapelle, qui reprennent vingt-six canons de la *Relatio episcoporum*, en changeant leur disposition, et un canon du concile de Paris [1]. Remarquons au passage que les chapitres de l'*Institution des laïcs* qui se retrouvent dans les actes de Paris se retrouvent également dans les deux autres textes [2].

Cependant, le contexte des trois documents est différent, ce qui oblige parfois leur rédacteur à insérer des phrases introductives, de renvoi ou d'abréviation [3]. Ces phrases sont toujours les mêmes et se retrouvent aussi dans les chapitres de l'*Institution royale* qui reproduisent des passages de l'*Institution des laïcs* ou des canons du concile de Paris [4]. L'emploi de cette méthode caractéristique de la compilation

---

1. La recomposition la plus complexe se trouve en *Conc. Paris* (829), II, 1 et II, 2, qui se divisent en trois parties d'un même canon de la *Relatio episcoporum*, 56, lesquelles se divisent elles-mêmes en cinq canons dans les actes d'Aix (41.42.44.45.46).

2. Il faut ainsi rapprocher *Conc. Paris* (829), III, 25, *Relatio episcoporum*, 60 et *Conc. d'Aix* (836), 53 de *Inst. des laïcs*, II, 14. La comparaison montre que le rédacteur des actes conciliaires connaît parfaitement la matière de l'*Inst. des laïcs*.

3. On trouve de nombreux exemples de phrases du type : « In praecedentibus dictum est », ou « In superioribus capitulis demonstratur » ou encore « Extant et alia innumera exempla ».

4. Nous renvoyons à une démonstration plus complète qui figure dans DUBREUCQ, *Regia*, p. 179-184.

entraîne inévitablement quelques erreurs. Elles sont ici très
rares, mais l'une d'entre elles est particulièrement significative, car elle se retrouve à la fois dans l'*Institution royale,*
dans les actes du concile de Paris, dans la *Relatio episcoporum* et dans les actes du concile d'Aix-la-Chapelle[1]. Par
ailleurs, les passages empruntés à l'*Institution des laïcs* ne
sont pas identifiés par les actes conciliaires. De même,
l'*Institution royale* ne signale pas les emprunts qu'elle fait
aux actes de Paris.

La conclusion qui se dégage de cette étude comparative
est que l'*Institution des laïcs,* les actes du concile de Paris en
829, la *Relatio episcoporum* de Worms d'août 829 et les actes
du concile d'Aix-la-Chapelle en 836 ont été rédigés par
Jonas d'Orléans.

Cette constatation montre le rôle considérable que jouait
Jonas dans l'organisation des conciles de son époque. Louis
le Pieux lui avait confié en 825 la rédaction des actes de
l'assemblée de la même année sur les images, et le soin de les
résumer en un *épitomé* à l'intention du pape. Peut-être
avait-il déjà auparavant une expérience en la matière, si l'on
pense avec J. Scharf qu'il avait pu participer aux conciles
réformateurs d'Aix-la-Chapelle en 816-817[2]. Sa fonction
peut être précisée : dans la lettre de convocation du concile
de Paris en 829, les empereurs Louis et Lothaire souhaitent
que les participants au concile élisent parmi eux un notaire
qui transcrive les débats et les consigne sous serment[3]. On
peut supposer qu'au moins pour le concile de Paris en 829,

---

1. *Conc. Paris* (829), II, 1 ; *Relatio episcoporum,* 56 ; *Conc. d'Aix*
(836), 51 ; *Inst. royale,* 3. On retrouve dans ces quatre textes la même
erreur d'attribution d'un passage des *Sentences* d'Isidore (III, 48), qui
est identifié aux *Moralia* de Grégoire.

2. SCHARF, *Studien,* p. 366.

3. *MGH Conc.* II, p. 597. On trouvait déjà cette mention dans
l'*Epistola generalis* de décembre 828 (*MGH Conc.* II, p. 601, l. 25-
29).

Jonas a été ce notaire élu par les participants. Ce fait est confirmé pour le synode de Thionville qui décida la déposition de l'archevêque Ebbon de Reims en 835 : ici Jonas a été le *dictator* des termes de la déposition d'Ebbon, laquelle fut transcrite par Héli, futur évêque de Chartres [1].

Ces informations ont un grand intérêt car elles jettent un jour nouveau sur l'organisation des conciles carolingiens. Ici, le notaire est Héli, qui agit sur les ordres et sous la dictée de Jonas d'Orléans, l'assemblée étant présidée par l'archevêque Drogon. Les conciles carolingiens suivent l'*ordo* défini par le quatrième concile de Tolède en 633 [2]. Cet *ordo*, qui a dû se diffuser en Gaule par l'intermédiaire de l'*Hispana Gallica*, prévalait déjà dans les conciles carolingiens dès la fin du VIIIe siècle [3]. En fait, deux fonctions semblent devoir être différenciées sous le même nom de *notarius* : celle des notaires proprement dits, chargés de lire les textes proposés à l'assemblée et de transcrire les débats, et celle du responsable de la rédaction des actes qui, lui, est élu et assermenté.

C'est, n'en doutons pas, ce dernier rôle qu'a joué Jonas à Paris en 825 et en 829, à Worms en août 829, à Thionville en 835 et à Aix-la-Chapelle en 836. A Thionville notamment Jonas intervient au nom de tous les évêques et sur leur

---

1. Ces informations sont données par FLODOARD, *Histoire de l'Église de Reims*, II, 20 (*MGH SS* 13, p. 471 s.). et confirmées par le *Libellus episcoporum* (*MGH Conc.* II, 701-703).

2. *Concilios visigoticos e hispano romanos,* éd. Vives, Madrid-Barcelone 1963, p. 186-225. Cet *ordo* fut définitivement fixé dans l'*ordo de celebrando concilio,* cf. C. MUNIER, « L'*ordo de celebrando concilio* wisigothique : ses remaniements jusqu'au Xe siècle », *RevSR* 37 (1963), p. 250-271.

3. L'utilisation de l'*ordo* espagnol est déjà visible en *Conc. Francfort* (794), *MGH Conc.* II, p. 131. La présence d'un notaire conciliaire y est attestée. Il en est de même lors des conciles régionaux de 813, notamment ceux de Mayence et de Châlon (*MGH Conc.* II, p. 258 et 273).

demande [1]. C'est également à la demande des évêques réunis à Aix-la-Chapelle en 836 que Jonas rédigea et adressa à Pépin son traité sur les biens ecclésiastiques, traité qui, on l'a vu, présente de nombreux parallèles avec l'*Institution royale*. Aussi peut-on dire que Jonas d'Orléans a joué un rôle particulièrement important, celui de rédacteur ou plutôt de *dictator* lors de la tenue des principaux conciles du règne de Louis le Pieux. L'*Institution royale* est ainsi directement inspirée d'actes conciliaires.

---

1. *Libellus episcoporum* (*MGH Conc.* II, p. 701-703) : « sicut hic Ionas episcopus rogatu omnium coram omnibus et pro omnibus manu notarii synodalis egit ».

II
CONTENU ET CONTEXTE HISTORIQUE
DE l'*INSTITUTION ROYALE*

1. LE CONTEXTE HISTORIQUE DE LA RÉDACTION DE L'*INSTITUTION ROYALE*

Il convient de présenter brièvement l'environnement historique de la rédaction de l'*Institution royale* si l'on veut en saisir les motifs.

Le remariage de l'empereur en 819, avec Judith, fille du comte Welf, et la naissance de son dernier fils Charles en 823 furent à l'origine de nombreux troubles. Pour les calmer, l'empereur associa en août 825 le nom de Lothaire aux actes et aux capitulaires impériaux et essaya la même année de remettre de l'ordre dans les affaires de l'empire [1]. Les choses se détériorèrent avec la destitution en 828 des comtes Matfrid d'Orléans et Hugues, beau-père de Lothaire, qui étaient accusés de n'avoir pas porté secours au comte Bernard, gouverneur de la marche d'Espagne, assiégé dans Barcelone. La mise à l'écart d'Hugues et de Matfrid laissa au comte Bernard les coudées franches pour confirmer son influence à la cour de Louis. En outre, malgré les avertissements des évêques participant aux conciles réformateurs de 829, l'empereur Louis constitua la même année, à la diète de Worms, une dotation territoriale en faveur de son fils Charles aux dépens de ses autres fils. Lothaire, ayant protesté, fut envoyé en Italie et son nom disparut des diplômes impériaux.

La dotation de Charles et les intrigues du comte Bernard de Septimanie et de ses partisans furent la cause d'une pre-

---

1. Le système de pensée de l'empereur est exposé par celui-ci dans l'*Ordinatio* de 825 (éd. Werminghoff, *MGH Capit*. I, p. 303 s. et 414-415).

mière révolte des trois fils aînés de Louis en avril 830.
Bernard de Septimanie dut s'enfuir à Barcelone et son frère
Herbert eut les yeux crevés. L'impératrice fut contrainte à
prendre le voile et l'empereur, en liberté surveillée, dut promettre de respecter l'*ordinatio* de 817. Cependant, dès le
mois d'octobre, les rois Pépin et Louis rompirent la coalition et l'empereur retrouva son autorité à la diète de
Nimègue. Une répression s'ensuivit contre les partisans de
Lothaire, notamment Wala, Hilduin et l'évêque Jessé
d'Amiens, et Lothaire lui-même fut renvoyé en Italie.
Enfin, en février 831, à l'assemblée d'Aix-la-Chapelle,
Judith se justifia par serment et Bernard de Septimanie
revint à la cour en octobre de la même année.

Un vrai partage eut lieu cette année là, qui rompait totalement avec le principe d'unité impériale fixé en 817. Pépin
y recevait, outre l'Aquitaine, le pays d'entre Loire et Seine
et Louis tout le nord de la Germanie. Charles recevait un lot
important avec essentiellement la Bourgogne, la Gothie et la
Provence. Lothaire était le grand perdant. Ce partage ne
devait cependant être réalisé qu'après la mort de l'empereur,
mais Pépin, mécontent de la part trop grande donnée à
Charles, recommença à s'agiter dès l'automne 831. De
même, en 832, Louis le Germanique envahit l'Alémanie,
mais dut se soumettre. Pépin, capturé en septembre 832, se
vit ôter le royaume d'Aquitaine au profit de Charles, ce qui
augmenta son ressentiment. Les conditions d'une nouvelle
révolte étaient réunies. Lothaire rejoignit Pépin et Louis en
Alsace et le pape Grégoire IV résolut de s'y rendre également pour soutenir les fils de l'empereur, lequel avait
convoqué l'ost pour la Pâque de 833. L'entrée en scène de
Grégoire IV mécontenta les partisans de Louis le Pieux, qui
essayèrent de dissuader le pape d'intervenir dans le conflit.
Le 24 juin 833, les armées de Louis le Pieux et de ses fils
étaient face à face au Rothfeld, entre Colmar et Bâle. Dans
la nuit du 29 au 30 juin, l'empereur fut abandonné par la

plupart de ses partisans, troublés par l'intervention du pape, et dut se rendre. Lothaire prit alors le pouvoir et Louis le Pieux fut enfermé à Saint-Médard de Soissons, dut faire une confession publique, fut privé de ses armes et dut prendre l'habit de pénitent. Cependant, dès le début de l'année 834, Pépin et Louis rompirent une nouvelle fois la coalition et se retournèrent contre leur frère Lothaire. Celui-ci dut fuir en Italie avec les siens, et l'empereur retrouva ses droits et fit juger les responsables de la révolte au synode de Thionville, en mars 835. C'est dans ce climat de révolte renouvelée de la part des fils de l'empereur qu'il faut placer la rédaction de l'*Institution royale*.

2. LA DATATION DE L'*INSTITUTION ROYALE*

La datation de l'*Institution royale* est un sujet de controverse depuis les premiers éditeurs de l'œuvre. L'étude comparative a montré qu'elle est postérieure à la rédaction de l'*Institution des laïcs* et à celle des actes de Paris, mais c'est l'œuvre elle-même qui fournit les indices qui permettent de la dater. Trois dates ont été proposées :

– Luc d'Achery, le premier éditeur, estimait que Jonas n'aurait pas osé envoyer au roi Pépin une simple copie des actes de 829 et que le traité était donc antérieur à ceux-ci[1]. Cette opinion fut réfutée par K. Amelung, qui montra définitivement l'impossibilité de cette datation[2].

– Amelung fut le premier à remarquer que la préface du traité contenait une allusion à des troubles graves qui, l'année précédente, avaient fait souffrir le peuple de Dieu, et à une *dehonoratio* de l'empereur qui avait alors eu lieu[3].

---

1. L. D'ACHERY, *Spicilegium*, 1e éd., t. V, p. 9.
2. AMELUNG, *Leben und Schriften*, p. 40.
3. *Inst. royale*, Adm., l. 154-157 et 178-183.

Amelung y vit une allusion aux événements de juin 833, qui avaient précédé la destitution de l'empereur à Compiègne en octobre de la même année. Comme la volte-face de Pépin en 834 permit la réintégration de l'empereur dans ses fonctions, cette date de 834 paraissait à Amelung la seule possible. Werminghoff se rallia à cette opinion [1].

– Cette opinion fut battue en brèche par J. Reviron [2], qui estimait que l'*Institution royale* avait été écrite en 831 pour les raisons suivantes : Jonas n'aurait pas gardé un ton aussi mesuré envers Pépin s'il avait fait allusion à un événement aussi grave que la déposition de l'empereur ; d'autre part, en automne 831, Pépin recommençant à s'agiter, il pouvait sembler opportun à Jonas d'intervenir auprès de lui ; J. Scharf opte pour la même date, mais avec une argumentation différente dirigée contre la datation d'Amelung et de Werminghoff [3] : selon lui, il ne faut pas accorder trop de poids au mot *dehonoratio*, qui signifie seulement un manquement au respect que l'on doit à son père, car Jonas fait suivre la mention de la *dehonoratio* de Louis le Pieux par une série de textes bibliques justifiant l'amour et le respect dus au père par les fils [4]. De plus, si Pépin s'était déjà révolté une fois, Jonas aurait également évoqué cette révolte. Enfin, selon J. Scharf, Jonas se référerait à deux reprises à une rencontre récente (*nuper*) avec le roi Pépin, ce qui renverrait, d'après lui, à l'année 830, puisque Pépin est passé à cette date par Orléans et en a profité pour chasser le comte Eudes et restituer son comté à Matfrid [5]. Tandis que la date de 834 ne serait pas tenable, puisque Jonas aurait déjà rencontré Pépin aux assemblées de Compiègne et de Nimègue. La

---

1. *MGH Conc.* II, p. 670, n. 1.
2. Reviron, *Idées*, p. 52-53.
3. Scharf, *Studien*, p. 368-370.
4. *Inst. royale*, Adm., l. 162-170.
5. Cf. *supra*, p. 24.

rédaction de l'*Institution royale* se placerait donc durant l'été 831.

H. H. Anton, réétudiant le problème, se rallia à cette démonstration en précisant qu'en 830, le diocèse d'Orléans avait été attribué à Pépin d'Aquitaine et que Jonas était devenu ainsi son sujet[1].

Il semble qu'il faille accepter la date proposée par Scharf et Anton, mais en apportant les précisions que voici :

– Le mot *dehonoratio*, s'il a bien le sens faible de manque de respect, peut aussi avoir un sens fort : « déposition, retrait de l'*honor* », c'est-à-dire pour Louis, de sa charge d'empereur[2]. Le mot se trouve du reste avec ce sens fort au chapitre 9 de l'*Institution royale*[3], où il fait allusion à la destitution des comtes Hugues et Matfrid en 828.

– Jonas ne dit à aucun moment qu'il a rencontré récemment Pépin. Il dit simplement qu'il s'est rendu compte récemment (« nuper didici ») du discernement dont usait Pépin dans la charge royale (« regium honorem »). Il ne mentionne aucune rencontre et se contente de préciser qu'il a connu par expérience (« experimento didicissem ») le désir d'apprendre de Pépin. Nous pensons qu'il s'agit là d'une allusion au rôle de précepteur qu'a pu jouer Jonas à la cour de Pépin pendant la jeunesse du roi. Par ailleurs, il est peu probable que Jonas, un fidèle de l'empereur, ait rencontré Pépin à Orléans en 830 alors que celui-ci y venait pour rétablir Matfrid, qui était à ce moment un ennemi déclaré de Louis. Enfin, Jonas n'était pas davantage le sujet de Pépin à cette époque. Certes, celui-ci avait, avec d'autres territoires, obtenu l'Orléanais lors du partage de 830 qui récompensait sa volte-face en faveur de son père, mais ce partage, qui ne

---

1. H. H. Anton, *Fürstenspiegel*, p. 24.
2. J. F. Niermeyer, *Mediae latinitatis lexikon minus*, Leyde 1984, p. 315.
3. *Inst. royale*, 9, l. 34-38 et 47-49.

devait devenir effectif qu'après la mort de l'empereur, n'a jamais été appliqué. D'ailleurs, on ne peut trouver aucun acte de Pépin concernant l'Orléanais avant l'année 834.

Jonas souligne les dommages que les rivalités ont infligés au peuple de Dieu l'année précédente, mais ne dit pas que le sang a coulé. Bien au contraire, il précise que le renforcement de l'amour mutuel des fils de l'empereur a détourné la guerre que la fourberie du diable avait allumée, « afin que le sang du peuple chrétien... ne fût pas répandu entre concitoyens [1] ». On voit donc que dans cette circonstance, la guerre a été évitée. Si Jonas avait écrit en 834, cette affirmation aurait été impossible. Un autre élément doit être apporté au dossier : Jonas constate le « renforcement de la dilection mutuelle » des fils de l'empereur et souhaite qu'ils « demeurent indissolublement unis dans une dilection mutuelle [2] ». C'est donc qu'à l'époque, l'empereur était maître de la situation et que les trois frères s'entendaient relativement bien. C'est encore vrai à l'automne 831, mais certainement pas après le mois de mars 834.

Le chapitre 19 du livre III des actes du concile de Paris en 829 donne une indication chronologique, que nous avons déjà signalée : les évêques y demandent à Louis le Pieux de faire respecter le jour du Seigneur, en précisant qu'ils en avaient déjà fait la demande autrefois (« iamdudum » [3]). Il faut rapprocher ce passage de son parallèle dans le début du chapitre 16 de l'*Institution royale*, qui rappelle au roi Pépin une requête présentée récemment (« dudum ») à son père à ce sujet [4]. Jonas fait ainsi certainement allusion à la demande présentée à l'empereur par les évêques assemblés à Paris deux ans auparavant. Ceci indique nettement que

---

1. *Inst. royale*, Adm., l. 187-190.
2. *Inst. royale*, Adm., l. 190-193.
3. Cf. *supra*, p. 37.
4. *Inst. royale*, 16, l. 6-7.

l'*Institution royale* a été écrite peu après la tenue du concile de Paris. Ici encore, la date de 831 s'impose. Elle n'est pas incompatible avec un sens fort du mot *dehonoratio*, car les événements de 830 étaient eux aussi très graves : l'impératrice dut prendre le voile, ses deux frères furent expédiés dans des monastères et l'empereur lui-même était en liberté surveillée et privé de tous ses pouvoirs[1]. Il s'agissait donc bien d'une privation effective de son *honor*.

Le climat, à l'automne de 831, s'harmonise bien avec l'envoi de l'*Institution royale* à Pépin : le roi d'Aquitaine recommençait à s'agiter et venait de refuser d'assister à l'assemblée de Thionville en ce même automne, bien qu'il y eût été invité à plusieurs reprises[2]. De nombreux évêques participèrent à cette assemblée, dont on ne conserve qu'un acte, en faveur de Saint-Martin de Tours[3]. L'absence de Pépin était en elle-même un signe inquiétant d'insoumission. C'est à ce moment qu'il faut placer, vraisemblablement, l'envoi à Pépin de l'*Institution royale*. La rédaction de ce texte a pu avoir été faite à la demande de l'assemblée et, dans ce cas, il paraît normal que son contenu reprenne celui des actes de Paris en 829 et que Jonas ait dédié son écrit à Pépin, malgré ses mauvaises relations avec ce roi.

3. LE CONTENU DE L'*INSTITUTION ROYALE*

Pour étudier la structure de ce traité, il ne faut pas oublier les circonstances de sa rédaction, ni sa dépendance très nette par rapport aux actes du concile de Paris en 829 et à l'*Institution des laïcs*.

---

1. NITHARD, *Histoire*, I, 3 (p. 10).
2. SIMSON, *Jahrbücher*, t. II, p. 11.
3. T. SICKEL, *Die Urkunden der Karolinger*, t. I, Vienne 1867-1868, p. 13.

Le texte se compose de trois parties : une longue admonition, une pièce de vers dédicatoire et un traité divisé en dix-sept chapitres. L'ensemble est une exhortation, comme on le lit dans la lettre dédicatoire[1], ou « admonition », qui figure en tête de l'ouvrage. Dans cette lettre, l'évêque d'Orléans précise son but, qui est de détourner le roi d'Aquitaine d'une attitude hostile à son père, afin d'éviter que le malheur ne s'abatte sur l'Empire. Après une mise en garde précise, faisant allusion aux événements de l'année 830, Jonas montre au roi la nécessité de la concorde et de l'entente mutuelle entre les fils de l'empereur. Il lui donne quatre conseils, qui doivent lui valoir le salut éternel. Ces conseils sont de nature morale : la pratique des œuvres, la confession des péchés, la vigilance et la méditation, dans la perspective du jugement dernier. C'est la *caritas* qui pousse l'évêque à donner ces conseils. Certes, il s'agit là d'un *topos*, tout comme celui de la médiocrité et de la petitesse de l'auteur[2]. Jonas use volontiers de ces *topoi*, qui sont très répandus dans la littérature de son temps et constituent un style qui s'enracine dans l'Antiquité classique[3]. Quant à la *caritas*, elle évoque aussi le salut du roi, dont l'évêque est responsable devant Dieu.

Le traité proprement dit est issu des actes du concile de Paris en 829. Étudier le traité revient donc en partie à analyser les actes. En effet, seuls trois passages de l'*Institution royale* et le chapitre 17 sont véritablement indépendants des actes de Paris[4]. L'ensemble est divisé en trois parties :
– *Les chapitres 1 et 2* définissent les rapports entre le pouvoir royal et le pouvoir sacerdotal, qui appartiennent tous deux à la structure de l'*Ecclesia catholica*, corps du Christ.

1. *Inst. royale*, Adm., l. 158-159.
2. *Inst. royale*, Adm., l. 16.23.144 ; 3, l. 50.
3. E. R. CURTIUS, *La littérature européenne et le Moyen Age latin*, Paris 1956, p. 105-106.
4. *Inst. royale*, 1, l. 20-30 ; 3, l. 48-56 ; 16, l. 1-8.

Deux documents appuient cette doctrine : un passage d'une lettre du pape Gélase à l'empereur Anastase, modifié par Jonas [1], et une citation de Fulgence [2], selon laquelle le pontife détient la puissance dans l'Église, tandis que l'empereur gouverne le siècle. Le sens de cette seconde citation est, comme pour la première, tiré par Jonas d'Orléans du côté de l'autorité épiscopale, alors que, chez les auteurs cités, c'est de l'autorité du pape qu'il était question. Le chapitre 2 souligne que les évêques ont à la fois la *potestas* et l'*auctoritas* puisqu'ils ont hérité des apôtres le pouvoir des clefs. Les autorités invoquées sont ici les évangiles de saint Matthieu [3] et de saint Jean [4]. Les évêques exercent un ministère par délégation de Dieu : ils doivent donc être respectés, même s'ils sont mauvais. Les évêques, ou les prêtres, car le mot *sacerdos* peut désigner à cette époque les deux fonctions, ont eux-mêmes des obligations quant à leur conduite et à l'enseignement qu'ils apportent aux fidèles. Ils doivent veiller sur le salut des rois qui, en échange, doivent défendre l'Église, par les armes s'il le faut.

– *Les chapitres 3 à 8* décrivent le ministère royal et les obligations qui s'y rattachent. L'exposé se fonde sur des citations du *Deutéronome,* d'Isidore de Séville et du Pseudo-Cyprien. Les trois idées forces sont ici la justice, l'humilité et la miséricorde. Le roi doit défendre l'Église, qui lui a été confiée par Dieu, ainsi que les pauvres et il aura des comptes à rendre pour cette tâche au jour du Jugement. Il doit déléguer ses pouvoirs à des conseillers justes [5] et laisser monter à son audience la cause des pauvres. Il règne en vue du salut du peuple de Dieu, dont il a la garde. La piété, la justice et la miséricorde renforcent le royaume et assurent sa stabilité.

1. *Inst. royale,* 1, l. 11-16.
2. *Inst. royale,* 1, l. 17-19.
3. *Matth.* 16, 19 ; 18, 18 : « Quodcumque ligaueris... »
4. *Jn* 20, 22-23.
5. *Inst. royale,* 5, l. 11-12, se fondant sur *Deut.* 16, 18-19.

Le pouvoir n'est pas conféré aux rois par l'hérédité, mais par Dieu[1]. Les mauvais rois ne règnent que par permission, et leur royauté a pour cause les péchés du peuple, comme le dit un passage des *Sentences* d'Isidore[2]. Le pouvoir du roi lui étant conféré par Dieu, les sujets doivent lui obéir. Jonas cite ici les versets classiques de l'*Épître aux Romains*[3].

– *Les chapitres 9 à 16* constituent la section « morale » du traité de Jonas. C'est pourquoi la majeure partie des chapitres y sont tirés de l'*Institution des laïcs*[4]. La *caritas*, c'est-à-dire l'amour mutuel plus que la charité, et la *bona uolun-tas* sont les fondements de cette morale chrétienne[5]. Ceux qui détiennent des fonctions palatines doivent être les premiers à se conformer à celle-ci, au lieu de s'entre-déchirer. Il s'agit ici d'une allusion directe aux troubles et aux dissensions qui régnaient au palais de l'empereur depuis l'année 827[6]. De plus, les commandements de Dieu doivent être également observés : ceux qui les transgressent attirent sur eux le châtiment divin, comme le prouvent de nombreux passages de l'Ancien Testament. Chacun dans son ordre doit respecter la loi divine, sous peine de damnation[7]. La pratique des bonnes œuvres constitue le troisième volet d'une morale qui s'applique à tous, clercs et laïcs, car la foi à elle seule ne mène pas au Royaume des cieux. En effet, la dévotion qui marquait les temps apostoliques n'existe plus ou presque. La voie du salut passe par les œuvres, et ceux qui, bien qu'ayant reçu la foi du Christ, ont fini leur vie dans

---

1. *Inst. royale*, 6-7.
2. *Inst. royale*, 7, l. 33-36.
3. *Rom.* 13, 2 s.
4. *Inst. royale*, 11-15, issus de l'*Inst. des laïcs*, I, 20 ; 19 ; 11 ; 13 ; 14.
5. *Inst. royale*, 9, l. 3-23.
6. *Inst. royale*, 9, l. 34-38.
7. *Inst. royale*, 10, l. 65-71.

le mal seront damnés. Ici ce sont Origène et saint Augustin qui fournissent la matière de la démonstration[1].

Il faut se rendre fréquemment à l'église pour y prier[2], et ne pas célébrer la messe dans des lieux interdits par les canons. Il ne sert d'ailleurs à rien de se rendre à l'office si on n'y prête pas l'oreille du cœur et si on s'y disperse en discours oiseux[3], et il faut prier fréquemment, même s'il n'y a pas d'église à proximité[4], car Dieu est partout. Le chapitre 16 regroupe deux canons des actes de Paris et met l'accent sur la pratique du jour du Seigneur et sur la nécessité d'une communion fréquente.

– *Le dernier chapitre* de l'œuvre est occupé presque totalement par le passage de la *Cité de Dieu* qui définit le portrait idéal de l'empereur chrétien. Y sont glorifiés les rois qui ont respecté les préceptes exposés dans le traité qui précède, Jonas le dit expressément en rappelant qu'il n'a en vue que le salut du roi[5]. Il est significatif que ce souci du salut du prince, véritable obligation des évêques exprimée dès l'*Admonition*, soit rappelé à la fin de l'œuvre.

On peut constater que l'ordre suivi par le deuxième livre des actes du concile de Paris est très différent de celui de l'*Institution royale*. Les cinq premiers canons sont consacrés à la personne du roi et à son ministère. Vient ensuite un canon sur la charité, puis un autre sur les œuvres ; le huitième traite de l'obligation pour les sujets d'obéir aux pouvoirs qui ont été institués par Dieu, le neuvième de la transgression des commandements de Dieu, et le dixième souligne que la foi sans les œuvres n'assure pas la rédemption. On

---

1. *Inst. royale*, 12.

2. *Inst. royale*, 13.

3. *Inst. royale*, 14, fondé sur une homélie de Bède et un sermon de Césaire d'Arles.

4. *Inst. royale*, 15.

5. *Inst. royale*, 17, l. 3-8 ; l'essentiel de ce chapitre est issu d'AUG., *Cité de Dieu*, V, 24 (*BA* 33, p. 748 s.).

voit bien qu'ici la « politique » et la morale sont intimement mêlées. La raison de ce mélange est simple, et elle est exposée par Jonas lui-même, représentant les évêques de Paris : le premier livre des actes de Paris dénonce les négligences et les abus à corriger en matière ecclésiastique. Le second livre traite des rois et des princes et, par extension, de tous les laïcs[1]. Cette intention explique la reprise à cet endroit des chapitres moraux tirés de l'*Institution des laïcs* et leur juxtaposition avec les canons traitant de la royauté.

La disposition de l'*Institution royale* correspond à une perspective différente : après avoir décrit la responsabilité et le ministère des évêques, puis la personne et le ministère du roi dans l'ensemble qui comprend les sept premiers chapitres, Jonas montre dans le chapitre 8 que les obligations des *subiecti* font pendant à celle des prêtres et des rois, dans une sorte de contrat général de société. Les chapitres à portée morale, qui étaient présents dans le deuxième livre des actes de Paris, mais en ordre dispersé, se retrouvent ainsi regroupés dans un ensemble cohérent constituant un deuxième volet de l'*Institution royale*.

L'ensemble répond à une composition précise que l'on retrouve dans les autres œuvres de l'évêque d'Orléans, en particulier dans l'*Institution des laïcs*. Jonas développe dans cette œuvre toute une spéculation sur les nombres, dont la source est pour l'essentiel le premier livre des *Morales* de saint Grégoire[2]. La construction de l'*Institution des laïcs* en trois livres, qui devaient initialement comporter soixante-dix chapitres, est l'expression de cette arithmétique sacrée. Il en est de même pour l'*Institution royale*, qui comporte dix-sept chapitres, nombre qui entre dans la même symbolique que les soixante-dix chapitres de l'*Institution des laïcs* ; dans le cas présent, on a la conjonction des dix commande-

---

1. *MGH Conc.* II, p. 649, l. 9-11.
2. *Inst. des laïcs*, I, 5 (*PL* 106, 130-131).

ments avec les sept dons de l'Esprit Saint [1]. Jonas, on l'a vu, a introduit dans l'*Institution royale* un chapitre final qui n'a pas de parallèle dans les actes de Paris, et qui décrit la félicité qui attend les bons rois dans l'au-delà. Il a porté ainsi à dix-sept le nombre total des chapitres de son traité, nombre qui évoque la perfection et la récompense éternelle des élus après le jugement et la résurrection.

Cette mystique n'est pas propre à Jonas d'Orléans : on la retrouve chez la plupart des auteurs carolingiens, en particulier chez Raban Maur et chez Dhuoda [2]. Elle fait partie intégrante de la culture exégétique du haut Moyen Age.

---

1. La symbolique du nombre sept, qui fait également référence à la Sainte Trinité et aux quatre évangiles, est exposée en détail dans le passage indiqué à la note précédente.
2. RABAN MAUR, *De universo*, 18, 3 (*PL* 111, 9-614) et *De laudibus sanctae crucis* (*PL* 107, 133-294) ; DHUODA, *Manuel pour mon fils* (*SC* 225 bis, p. 290-292 et 327-341).

III
INTÉRÊT HISTORIQUE DU TRAITÉ

1. Un « miroir des princes »

La recherche moderne donne le nom de « miroir des princes » au traité de l'*Institution royale* de Jonas, à juste titre, car la notion de miroir est présente dans toute l'œuvre de celui-ci. Ce faisant, elle renvoie au latin classique, où le mot *speculum* désigne le miroir-objet [1], mais aussi l'image, la reproduction fidèle donnée par le miroir. Elle renvoie ainsi à la notion de représentation, et donc à celle de moyen de connaissance, particulièrement pour la connaissance de soi. La métaphore du miroir est également présente dans l'Ancien Testament [2], mais c'est chez saint Paul que l'évocation en est la plus nette [3].

Chez les Pères de l'Église, on passe de cette notion d'image à celle d'exemple et donc de perfectibilité [4]. Tout naturellement, on retrouvera ce concept à l'époque carolingienne. Ainsi Alcuin considérait-il le *Pastoral* de saint Grégoire comme un miroir de l'évêque [5]. Jonas est nourri de cette symbolique du miroir, que l'on trouve à la fois dans ses traités et ses œuvres conciliaires. L'*Institution des laïcs*, par exemple, est dédiée au comte Matfrid « afin qu'il puisse

---

1. N. Hugedé, *La Métaphore du miroir dans les épitres de saint Paul aux Corinthiens*, Paris 1957 et R. Bradley, « Backgrounds of the Title *Speculum* in Medieval Literature », *Speculum*, 29 (1954), p. 100-115.

2. *Sag.* 7, 26 ; *Ex.* 34, 29-35.

3. *I Cor.* 13, 12 ; *II Cor.* 3, 18. Saint Paul y expose l'impossibilité de la connaissance plénière de Dieu.

4. Augustin, *Enarr. in Psalmum* 103 (*PL* 32, 908) et Grégoire, *Moralia*, II, 1.

5. Alcuin, *Lettre 116* (éd. Dümmler, *MGH Ep.* 4, p. 171), et *Traité des vertus et des vices* (*PL* 101, 616 CD).

contempler comme dans un miroir » la vie que les hommes mariés doivent mener [1].

Il en va de même pour l'*Institution royale* [2] où l'usage que fait Jonas de la métaphore va plus loin que chez Alcuin : le miroir montre la voie à suivre, et il se présente sous la forme d'un opuscule que le prince doit avoir sous la main afin de le lire fréquemment. On retrouve cette idée dans le *Manuel* de Dhuoda, où le mot *speculum* est directement associé à sa forme physique, le *libellus manualis* [3]. On est donc passé d'une idée de réflexion à celle du perfectionnement, pour aboutir finalement à un objet manuel qui montre la voie de la vertu et doit être lu si l'on veut connaître le chemin du salut.

De cette notion, on est très vite arrivé à celle de « miroir des princes ». Il n'entre pas dans le cadre de ce livre d'étudier l'histoire de ce genre littéraire. Nous nous bornerons à rappeler qu'on peut en observer la continuité de l'Antiquité aux temps modernes [4] et que pendant très longtemps on a inclus dans ce genre tout et n'importe quoi, depuis les panégyriques antiques jusqu'aux innombrables traités des vices et des vertus qui connurent tant de succès pendant le Moyen Age. Il importe donc d'en donner une définition précise, que nous reprendrons à Einar Mar Jonsson [5]. Selon lui, les « miroirs des princes » se définissent par les caractéristiques suivantes : il s'agit d'un traité ; il existe une relation personnelle liant l'auteur et le prince que montre la dédicace faite au destinataire ; enfin, l'œuvre comprend une description du prince idéal et de son comportement. Sont donc exclus

---

1. « Ut in eo quasi in quodam speculo te assidue contemplari, qualiter coniugalem vitam honeste ducere debeas » (*PL* 106, 123).
2. *Inst. royale*, 3, l. 54-55.
3. DHUODA, *Manuel pour mon fils* (*SC* 225 bis, p. 70 et 80).
4. P. HADOT, art. « Fürstenspiegel », *RAC* 8 (1972), p. 555 s.
5. E. M. JONSSON, « La situation du *speculum regale* dans la littérature occidentale », *Études germaniques*, 42 (1987), p. 394.

les lettres-sermons, les panégyriques, les œuvres historiques
à but pédagogique et les traités des vices et des vertus.

Il faut malgré tout noter que l'expression « miroir des
princes » n'apparaît pas avant la fin du XIIᵉ siècle, dans
le traité de Godefroy de Viterbe (1180-1183)[1]. Aussi,
employer le terme de « miroir des princes » pour l'époque
carolingienne relève-t-il de l'anachronisme ; les auteurs
carolingiens n'avaient aucune conscience de ce concept et
connaissaient bien peu les œuvres du passé qui pouvaient
s'y apparenter. Nous conserverons cependant ce terme,
faute de mieux, et parce qu'on trouve souvent dans les traités carolingiens des allusions à la métaphore du miroir.

Les « miroirs des princes » carolingiens forment une
entité bien distincte, que l'on peut facilement cerner. Ils pro-
cèdent de la combinaison d'une tradition patristique continue et des influences espagnole et irlandaise en pays franc[2].
On arrive ainsi à isoler un groupe d'écrits présentant les
caractéristiques suivantes :
— une définition de la place du prince dans le monde ;
— une définition de la royauté et de ses rapports avec les
autres pouvoirs ;
— une définition du rôle du prince ;
— une exposition de la conduite du prince idéal et des dangers que celui-ci doit éviter.

L'ensemble aboutit en quelque sorte à l'élaboration d'une
« voie royale », qui est d'ailleurs le titre du traité le plus
ancien, écrit par l'abbé Smaragde de Saint-Mihiel, dans les
années 811-814 et probablement destiné à Louis le Pieux.
Cet ouvrage est très important, car il s'y fait jour une
conception du pouvoir dans la ligne d'un ministère, qui fait

1. *MGH SS* 22, p. 21-93.
2. Cf. notre démonstration dans DUBREUCQ, *Regia*, p. 597-626. Cf.
aussi O. EBERHARDT, *Via Regia : der Fürstenspiegel Smaragds von
Saint-Mihiel und seine literarische Gattung*, Munich 1977.

du roi le vicaire de la royauté suprême du Christ. Le caractère sacré du *ministerium regale* est souligné par l'onction [1].
Pour accomplir son ministère, le roi doit suivre la voie
royale, caractérisée par l'exercice des vertus royales, et en
premier lieu, de la justice.

L'*Institution royale* de Jonas d'Orléans vient chronologiquement après la *Voie royale* de Smaragde. Aucun indice ne
peut être trouvé d'une connaissance de ce traité par Jonas.
D'autres « miroirs des princes » suivront.

Le *De rectoribus christianis* de Sedulius Scottus [2] a été
composé entre 855 et 859 à l'intention de Lothaire II. On
s'y intéresse aussi à la définition du pouvoir royal en tant
que ministère, le roi étant vicaire de Dieu. Le ministère du
roi repose sur l'exercice des vertus royales et le respect des
huit colonnes qui assurent l'équilibre du royaume et sa
prospérité. L'ensemble est nettement inspiré des *Douze
abus du siècle* du Pseudo-Cyprien.

Dans le *De regis persona et regio ministerio* d'Hincmar [3],
écrit probablement en 873, la royauté est, comme chez
Jonas, un ministère confié par Dieu, mais elle n'est pas un
pouvoir absolu : le prince reste soumis aux lois ; il doit être
l'auxiliaire de Dieu et défendre son Église. Hincmar fait,
comme Jonas, un usage abondant de la citation de Gélase
sur les rapports entre le pouvoir royal et l'autorité des pontifes [4]. Cependant, pour lui, rois et évêques sont tout à fait
séparés : chacun est maître dans sa sphère. Ainsi la responsabilité des évêques est-elle plus morale qu'institutionnelle.
Certes, ils confèrent l'onction, qui est le signe de l'élection
divine, mais ils n'ont pas de pouvoir sur le roi sauf si

1. *PL* 102, 933 B.
2. Éd. Hellmann, Munich 1906 ; trad. anglaise par E. Doyle, New
York 1983.
3. *PL* 125, 833-856.
4. *PL* 125, 757 B ; 769 D ; 982 C ; 1049 ; 1057 D-1058 A ; 1071.

celui-ci rompt son serment et devient un tyran. En cas
de nécessité, ils peuvent recourir à l'excommunication et
contraindre à la pénitence publique, ces deux peines n'ayant
pas une portée absolue, mais constituant plutôt une exhortation à la correction.

Bien qu'ils aient pour la plupart une forte connotation
morale, les « miroirs des princes » carolingiens ont donc en
commun une réflexion sur le roi, sur sa place dans la société
chrétienne et sur le pouvoir royal dans ses relations avec
l'Église [1].

2. JONAS D'ORLÉANS
ET LA SPIRITUALITÉ CAROLINGIENNE

Comme l'écrivait Étienne Delaruelle [2], l'*Institution
royale* évite les questions de dogme. Elle revêt plutôt un
caractère pastoral et moral, comme les autres « miroirs des
princes » du IXe siècle. L'aspect démonstratif et pratique y
est prépondérant. Le salut des âmes, et en particulier de celle
du roi, revient sans cesse sous la plume de Jonas dans
l'*Institution royale* [3]. Le salut doit être la préoccupation de
tous ; celui des sujets est le souci du roi, celui du roi est avant
tout le souci des évêques. Exhorter le roi à prendre soin de
son salut est pour ceux-ci une obligation, s'ils veulent éviter
que leur silence ne les mène à la damnation [4].

Pour parvenir au salut, la vie du chrétien, et en particulier
celle du roi, est un combat. C'est là un thème cher aux écrivains carolingiens [5]. Jonas s'en inspire dès l'exorde de son
Admonition où il déclare s'être consacré à la *militia*

---

1. HINCMAR, *De diuortio Lotharii et Tetbergae reginae* (*PL* 125,
757 B).
2. DELARUELLE, *Moralisme*, p. 133.
3. Cf. l'index de mots, p. 300.
4. Particulièrement en *Inst. royale*, 1, l. 27-30.
5. Raban Maur donne ainsi au troisième livre de son traité sur la discipline ecclésiastique le titre de *De agone christiano*.

Christi [1]. Par ce terme, il ne désigne pas les moines, comme le font d'autres écrivains de son temps, mais les clercs en général par opposition à la *militia saecularis*, qui est réservée aux laïcs et au premier d'entre eux, le roi [2]. Saint Hubert, évêque de Liège, acquiert sous la plume de Jonas un caractère combatif : c'est un champion de la foi [3]. Ce combat est essentiellement une lutte contre les vices [4], et les instruments de cette lutte sont les vertus. Il s'agit d'un combat de l'âme, où la piété, la charité, la justice et la miséricorde permettent de gagner la bataille, c'est-à-dire le ciel. Dans ce combat, l'homme intérieur doit soumettre l'homme extérieur à la servitude pour accomplir sa *renouatio* et gagner le ciel [5]. Si la vie du chrétien est un combat, elle est aussi un voyage difficile, une *peregrinatio* [6] à travers une vie fugitive et fragile [7] dans laquelle l'homme ne fait que passer. On retrouve les mêmes termes dans la *Vie de saint Hubert* [8]. Pour illustrer cette pérégrination, Jonas met en continuité les deux mondes : l'homme effectue un voyage « des profondeurs jusqu'aux cimes [9] » ; il effectue ainsi le passage *des vices aux vertus, du visible à l'invisible et de l'éphémère à l'éternel* [10]. C'est là un très beau passage de l'œuvre de Jonas. L'évêque y exalte la conversion des mœurs et la profession de foi chrétienne [11].

---

1. *Inst. royale*, Adm., l. 19.
2. Pour le sens du concept de *militia Christi*, cf. *Conc. Paris* (829), rédaction par Jonas (*MGH Conc.*, p. 632, l. 16. et p. 668, l. 35).
3. « Athleta Domini », JONAS, *Vita secunda s. Hucberti* (*PL* 106, 813).
4. *Inst. royale*, Adm., l. 136 ; 3, l. 2-3.16-17.162-164.
5. *Inst. royale*, Adm., l. 108-111.
6. *Inst. royale*, Adm., l. 95-98.
7. *Inst. royale*, Adm., l. 65-67.104.
8. *Vita secunda s. Hucberti* (*PL* 106, 812 F).
9. *Ibid.*, l. 79.
10. *Ibid.*, l. 124-125.
11. *Ibid.*, l. 115-119.

C'est dans cette perspective d'un combat spirituel que Jonas donne à Pépin les quatre recommandations dans lesquelles É. Delaruelle a vu de simples consignes d'ordre moral et social [1] : le roi doit prendre soin de son âme, s'enrichir de bonnes œuvres, confesser ses péchés à son créateur et avoir toujours en mémoire le jour de sa mort et celui du jugement dernier pour éviter de pécher. C'est ainsi que le chrétien, et plus particulièrement le roi, ouvre son cœur à la parole divine. Jonas use volontiers de symétries : de même qu'il oppose le visible à l'invisible et l'éternel à l'éphémère, il oppose volontiers l'oreille du cœur à celle du corps [2].

Le combat chrétien mène tout naturellement Jonas à insister sur la sainteté personnelle du roi. Cet idéal est exprimé à plusieurs reprises dans l'*Institution royale* [3] et forme la conclusion de l'ouvrage [4]. Par là est offerte une véritable voie royale, pour reprendre le terme utilisé par Smaragde [5]. Cette voie vers Dieu passe par une purification intérieure et une ascèse personnelle. Pour y marcher, l'homme doit prêter l'oreille du cœur aux commandements de Dieu, sonder les profondeurs de son cœur et éviter l'endurcissement [6].

La sainteté personnelle du roi est une vraie profession de foi chrétienne qu'ornent les œuvres et les vertus royales. Ces vertus sont — Jonas le répète à l'envi — la piété et la jus-

---

1. DELARUELLE, *Moralisme,* p. 140. Il convient ici de faire justice à l'évêque d'Orléans, dont la vision spirituelle d'un monde chrétien en marche vers le salut va bien au-delà de simples consignes morales.

2. *Inst. royale,* Adm., l. 41-42 ; 11, l. 115-116.

3. *Inst. royale,* Adm., l. 256-259 ; 3, l. 19-21; 7, l. 41-43.

4. *Inst. royale,* 17. C'est l'apothéose du roi chrétien. Jonas, utilisant un passage de la *Cité de Dieu* (V, 24), conclut sur la notion de l'*imperator felix.*

5. Jonas décrit également cette voie royale en *Inst. royale,* 11, l. 155-159.

6. *Inst. royale,* Adm., l. 38-39 ; 10, l. 28 ; 11, l. 147-148.

tice tempérée par la miséricorde et la charité. Il est vrai que la vision de Jonas n'est pas à proprement parler théologale, mais morale. C'est ainsi qu'il définit la charité par *bona uoluntas*, ce qui en réduit sensiblement l'amplitude théologique[1].

La sainteté du roi doit constituer un exemple pour ses sujets. Ici joue particulièrement la symbolique du miroir, présente essentiellement dans le chapitre 3 : le roi, en se purifiant, est le modèle de ses sujets[2]. Par la parole et l'exemple, il doit inciter aux œuvres de piété, de justice et de miséricorde. Cette idée de l'exemple est à mettre en corrélation avec la responsabilité du roi. On a vu que, comme les évêques sont responsables du salut des rois, ceux-ci sont responsables de celui de leurs sujets.

Ce portrait du roi chrétien se rapproche beaucoup de l'idéal chevaleresque. Chef de la *militia saecularis*, le roi donne l'exemple par sa sainteté. Il est responsable, par ailleurs, de la protection armée de l'Église de Dieu, mais aussi des groupes sans défense que sont les pauvres, les étrangers, les veuves et les orphelins[3]. Si en outre on attribue à Jonas la rédaction des *capitula* contenus dans le manuscrit d'Orléans de l'*Institution royale*[4], cette vision se complète par une légitimation de la guerre et du droit de tuer, que Jonas appuie de nombreuses autorités, notamment saint Augustin ; mais la guerre doit être menée par le souverain dans le cadre de son ministère, pour assurer la protection de l'Église et de ses sujets.

Ces notions, que l'on ne pensait pas rencontrer avant le traité d'Hincmar sur la personne du roi et le ministère

---

1. *Inst. royale*, 9, l. 18-19.
2. *Inst. royale*, 3, l. 11-17.
3. *Inst. royale*, 4, l. 4-6.
4. Cf. *infra*, p. 122.

royal[1], sont à l'origine de l'idéal chevaleresque et de l'idée de croisade[2].

3. L'*INSTITUTION ROYALE* ET L'ECCLÉSIOLOGIE DE JONAS D'ORLÉANS

Le traité de Jonas s'ouvre sur un chapitre fondamental, que l'on trouve également dans les actes de Paris juste après l'exposé des principes de la foi chrétienne[3]. Ce chapitre définit de manière particulièrement condensée la conception que les évêques carolingiens avaient du monde.

1) Une Église universelle

L'ecclésiologie de Jonas, comme celle de nombre de ses contemporains, se fonde sur la pensée augustinienne et plus particulièrement sur la distinction des deux cités, la cité céleste, éternelle, et la cité terrestre qui est transitoire[4]. La première est la seule qui ait une importance réelle ; la seconde est un exil[5], nommé souvent par Jonas, à la suite de saint Augustin, *peregrinatio*. Les chrétiens, qui vivent dans la cité terrestre et doivent en observer les lois selon l'ordre voulu par Dieu, aspirent à la cité céleste, mais ont à vivre

---

1. Hincmar, *De regis persona et regio ministerio* (*PL* 125, 833-856).

2. J. Flori, *L'Idéologie du glaive*, Genève 1983, parle ainsi de préhistoire de la chevalerie.

3. *MGH Conc.* II, p. 610.

4. *Inst. royale*, Adm., l. 95-103.136-137 ; 7, l. 42-44 ; 11, l. 8-12 ; et *Conc. d'Aix* (836), III, 25 (*MGH Conc.* II, p. 723) : « Mais il apparaît que cette Église en exil est gouvernée, dans le moment présent, par deux personnes, comme il a été dit. »

5. Congar, *Ecclésiologie*, p. 66.

ici-bas selon la volonté divine[1]. Il s'agit pour Jonas de réaliser déjà la cité de Dieu sur la terre.

L'Église visible est la partie de la cité de Dieu qui est encore en exil. Comme l'écrit souvent Jonas, elle est universelle : Jonas emploie indifféremment cet adjectif et celui de catholique dans le chapitre premier de l'*Institution royale*[2]. L'*Ecclesia* est régie par la loi divine et préfigure la cité céleste. Elle comprend la totalité des croyants et se confond avec l'empire franc, qui devient ainsi la manifestation politique de l'universalisme chrétien.

On voit par là que le *mundus* de Gélase n'existe plus : il est remplacé par les notions d'*Ecclesia uniuersalis* et de *christianitas*[3]. Les croyants sont les membres d'un corps mystique dont le Christ est la tête[4] et qui comprend l'ensemble du *populus Dei*[5]. On a là un des thèmes essentiels du chapitre premier de l'*Institution royale*, qui s'inspire du canon I, 2 des actes de Paris. Ce canon est placé quasiment au début des actes, au moment où sont exposés les fondements de la chrétienté. Dans un passage de ce canon qui ne se retrouve pas dans l'*Institution royale*, sont opposés le *corpus Christi* et un *corpus diaboli* dans lequel se retrouvent ceux qui se sont séparés du corps du Christ par le péché[6]. Ceux-ci ne peuvent être réintégrés dans l'*Ecclesia* que par la pénitence. D'où l'importance capitale de la pénitence dans l'*Institution royale* et les autres œuvres de

1. M. Pacaut, *La Théocratie, l'Église et le pouvoir au Moyen Age*, Paris 1957, p. 19.

2. *Inst. royale*, 1, l. 1.5 ; en cela, Jonas reprend une expression de Grégoire le Grand, cf. Congar, *Ecclésiologie*, p. 66 et 69.

3. *Inst. royale*, 9, l. 5.28, et 11, l. 54-55.

4. *Inst. royale*, 1, l. 2.6, en référence à *I Cor.* 12, 27, *Rom.* 12, 4 et *Col.* 2, 19.

5. Ce terme apparaît fréquemment dans l'*Inst. royale*, ainsi que ceux de *populus christianus* et de *plebs Christi* (cf. l'index, p. 299).

6. *Conc. Paris* (829), I, 2 (*MGH Conc.* II, p. 609, l. 28-30).

l'évêque d'Orléans[1]. L'homme ne pouvant vivre sans pécher, il faut qu'il fasse un usage assidu de la confession et de la pénitence[2]. Celles-ci sont véritablement pour Jonas le ciment de la chrétienté. Nous verrons plus loin l'importance de ce concept appliqué aux rois et pratiqué sous la forme de la pénitence publique. Jonas pousse à l'usage de celle-ci dans toute sa rigueur[3]. Par elle également, l'épiscopat carolingien affirme sa fonction de médiateur dans l'exclusion ou le retour dans la communauté chrétienne.

Que l'empire franc s'identifie à l'universalisme chrétien a plusieurs conséquences pour Jonas.

L'État est maintenant dans l'Église, et non plus l'inverse. Ainsi, les *personae* qui dirigent celle-là dirigent-elles aussi celui-ci. Il importe donc pour Jonas d'affirmer la prééminence du corps épiscopal. De fait, la chrétienté s'organisant dans une réalité politique, l'empire franc, ce dernier ne se justifie que pour défendre la communauté des chrétiens, le *populus Dei*. En revanche, l'empire franc étant assimilé à la chrétienté, il importe d'en assurer l'unité et la stabilité, car l'empire est l'instrument de l'ordre chrétien. Garantir la stabilité de l'empire revient donc à garantir l'unité de la chrétienté[4]. Jonas, en ce sens, est conservateur. Cela le conduit à montrer avec insistance à Pépin la nécessité de la concorde

1. *Inst. royale*, Adm., l. 70-75 : Jonas précise ici que celui qui s'est éloigné de son créateur par le péché peut le retrouver par la pénitence, mais aussi la distribution d'aumônes. Cette association de l'aumône à la pénitence, qui se développe à l'époque carolingienne, se retrouve dans l'*Inst. des laïcs*, I, 5 (*PL* 106, 130-131). Le thème de la pénitence est également développé dans l'*Inst. des laïcs*, I, 18 (*PL* 106, 157) et I, 19 (*PL* 106, 160).

2. *Inst. royale*, Adm., l. 215-220 ; 12, l. 15-16.103-104.

3. Cf. *Inst. des laïcs*, I, 10 (*PL* 106, 138).

4. Cf. L. HALPHEN, *Charlemagne et l'empire carolingien*, Paris 1968, p. 249 et M. PACAUT, *La Théocratie, op. cit.*, p. 47 ; *Conc. Paris* (829), I, 5 (*MGH Conc.* II, p. 612-613, l. 42 s.) et III, 27 (*ibid.* p. 680, l. 15).

et de l'unanimité entre lui et les autres fils de l'empereur[1]. L'unité et la stabilité de l'empire sont la condition de la *libertas Ecclesiae* que revendiquent les évêques assemblés à Paris en 829[2]. Cette liberté qui seule peut leur permettre l'exercice de leur ministère implique que le roi, ou l'empereur, n'intervienne pas dans les affaires ecclésiastiques, l'inverse aussi étant affirmé[3].

On comprend que, dans cet environnement, il reste peu de place pour la notion de *res publica*. Si le terme reste utilisé à l'époque de Louis le Pieux, c'est essentiellement dans les documents administratifs, beaucoup plus rarement dans les œuvres littéraires[4] ; et il est complètement vidé de son sens originel. La *res publica* occupe maintenant une place bien déterminée au sein de l'*Ecclesia* et correspond à la sphère où le roi — ou l'empereur — exerce sa *potestas*. Cette notion est bien exprimée par Paschase Radbert dans l'*Epitaphium Arsenii*, sous la forme d'une dualité au sein de l'*Ecclesia*, entre l'*ordo disciplinae* qui correspond à l'*intus diuina* et le *status reipublicae* qui correspond à l'*exterius humana*. Le roi dispose de la *res publica* ; c'est là que s'exerce sa *potestas*[5]. C'est donc comme État contenu dans l'*Ecclesia* que le terme de *res publica* doit être compris dans les documents officiels du règne de Louis le Pieux, particu-

---

1. *Inst. royale,* Adm., l. 190-195.197-198 : l'unanimité et la dilection mutuelle des fils de l'empereur garantissent la paix pour le *populus Dei*, qui leur est confié.

2. *Conc. Paris* (829), III, 27 (*MGH Conc.*, p. 680, l. 10-16).

3. *Conc. Paris* (829), *MGH Conc.* II, p. 679.

4. Sur ce concept, cf. Y. SASSIER, « L'utilisation d'un concept romain aux temps Carolingiens. La *respublica* aux IXe et Xe s. », *Médiévales*, 15 (1988), p. 17-29 et L. HALPHEN, « L'idée d'État sous les Carolingiens », *Rev. Hist.*, 185 (1939), p. 59-70.

5. PASCHASE RADBERT, *Epitaphium Arsenii* II (éd. Dümmler, *Abhandlungen der königl. Preuss. Akad. der Wiss. zu Berlin, Phil. Hist. Klasse*, Berlin 1900, t. II, p. 62-63).

lièrement dans les actes du concile de Paris en 829, sous la plume de Jonas d'Orléans [1].

2) Une société d'ordres

On constate donc l'émergence d'une nouvelle réalité, l'*Ecclesia*, que Jonas appelle déjà aussi *christianitas* et qui est l'héritière du principe d'universalité de l'Empire romain. De cette réalité découle providentiellement ce que Jonas définit comme *ordinatio diuina*, comme organisation divine de la société [2]. Celle-ci comporte la notion d'*ordo*, qui est fondamentale pour le haut Moyen Age.

Certes, le mot *ordo* a beaucoup d'autres acceptions à cette époque [3]. Il répond le plus souvent à un souci de classification, de division. Mais, au sens social qui vient d'être précisé, la notion est partout présente dans les œuvres de Jonas. Elle découle en droite ligne de la conception paulinienne de l'ordre [4] voulu par Dieu.

Dans la littérature du haut Moyen Age, l'*Ecclesia* est le plus souvent divisée en deux ordres, celui des prêtres et celui des laïcs. Jonas utilise cette distinction en de nombreuses occasions [5]. Cependant, dans l'*Institution royale*, le terme d'*ordo* revêt en plus une signification différente [6]. Il désigne

---

1. *Conc. Paris* (829), III, 23 (*MGH Conc.* II, p. 677, l. 20) : « Les fonctionnaires de la *res publica*, qui ont la charge de régir, gouverner et juger en votre nom le peuple de Dieu. » L'empereur lui-même oppose les *negotia ecclesiastica* au *status reipublicae* dans le *prooemium* des capitulaires de 818-819 (cf. *MGH Capit.* I., p. 74, l. 32).

2. *Inst. royale*, Adm., l. 193-194.

3. J. F. NIERMEYER, art. « Ordo », *Mediae latinitatis lexicon minus*, Leyde 1984.

4. *Rom.* 13, 1-2.

5. Entre autres dans l'*Inst. royale*, 8, l. 39 ; 9, l. 3.6.

6. *Inst. royale*, 10, l. 65 ; 11, l. 18-20 : « Bien qu'il existe dans l'Évangile des commandements spéciaux qui ne conviennent qu'à ceux qui méprisent le monde et à ceux qui suivent les apôtres, le reste doit

une segmentation de la société elle-même : les moines sont ceux qui méprisent le monde, les prêtres et les évêques ceux qui suivent les apôtres, les laïcs représentent l'ensemble des autres chrétiens. L'origine de cette vue d'ensemble peut être trouvée dans un passage de l'*Institution des laïcs*[1], où Jonas reprend un schéma traditionnel à son époque. Ce schéma se réfère à un passage difficile du livre d'Ézéchiel[2], dont Origène a donné une interprétation symbolique : les trois justes représentent chacun une catégorie d'hommes qui seront sauvés et qui sont en fait leurs héritiers spirituels[3].

Ce thème a été repris par saint Jérôme au IVe siècle[4], mais c'est saint Augustin qui en propose l'exégèse la plus répandue dans tout le Moyen Age. Augustin réunit, dans sa typologie, le verset d'Ézéchiel à deux passages du Nouveau Testament (*Luc* 17, 34-36 et *Matth.* 24, 40-44) selon lesquels le jugement dernier trouvera les humains dans leur lit, au champ ou à la meule. Les trois justes figurent désormais trois catégories (*genera*) d'humains : Noé représente les

cependant être observé avec sincérité par tous les fidèles, c'est-à-dire par chacun dans l'ordre où il s'est consacré au service de Dieu. »

1. *Inst. des laïcs,* II, 1 (éd. O. Dubreucq, p. 215) : « Il y a dans l'Église trois ordres de fidèles : les prêtres, les continents et les gens mariés. Et de même, ailleurs dans l'Évangile, on distingue trois ordres de fidèles : deux personnes se trouvant au lit représentent l'ordre des continents, deux personnes aux champs celui des pasteurs, deux femmes occupées au même moulin symbolisent la vie des gens mariés. »

2. *Éz.* 14, 13-14 et 19, 20 : « Si j'envoyais la peste sur ce pays... et que Noë, Daniel et Job fussent au milieu de ce pays..., ils ne sauveraient ni fils ni fille, mais eux sauveraient leur âme par leur justice. »

3. ORIGÈNE, *Hom. in Ez.,* IV, 1 (*SC* 352, p. 152 et note complémentaire, p. 463 s.). Sur ce problème, cf. G. FOLLIET, « Les trois catégories de chrétiens. Survie d'un thème augustinien », *L'Année théologique augustinienne,* 14 (1954), p. 81-96, et F. CHATILLON, « *Tria genera hominum :* Noë, Daniel, Job », *Revue du Moyen Age latin,* 10 (1954), p. 169 s.

4. JÉRÔME, *In Ezech.,* IV (*PL* 25, 120).

clercs, Daniel les continents et Job ceux qui sont occupés aux affaires du monde [1].

Avec saint Grégoire, *ordo* commence à désigner les différentes catégories de chrétiens [2]. Cette inflexion est importante car elle donne un sens nouveau au thème : la société est divisée en trois ordres de chrétiens : les prêtres, les continents et les gens mariés. On a là une anthropologie biblique, qui ne s'occupe pas directement des réalités sociales ou économiques.

Par ailleurs, la société germanique connaissait une distinction entre trois fonctions sociales, comme le prouve un passage de l'*Histoire des fils de Louis le Pieux* de Nithard. Celui-ci décrit la nation des Saxons comme divisée en *nobiles*, *ingenuiles* et *seruiles* [3]. Ces trois fonctions doivent être rapprochées de la conception tripartie des sociétés indo-européennes exposée par G. Dumézil [4] dans ses travaux. Mais, à partir du milieu du VIIIe siècle, l'Église commence à assumer la division tripartie de la société en la rapprochant de la tradition des trois catégories augustiniennes, devenues avec saint Grégoire les trois ordres de chrétiens [5].

C'est ce rapprochement entre l'anthropologie sociale et l'anthropologie spirituelle qu'effectue Jonas d'Orléans.

---

1. Voir G. FOLLIET, « Les trois catégories de chrétiens à partir de *Lc* 17, 34-36, *Matth.* 24, 40-41 et *Éz.* 14, 14 », *Augustinus Magister*, Paris 1974, p. 631-643, et M. ROUCHE, « De l'Orient à l'Occident. Les origines de la tripartition fonctionnelle et les causes de son adoption par l'Europe chrétienne à la fin du Xe siècle », *IXe Congrès des médiévistes*, Dijon 1978, p. 31-55.

2. GRÉGOIRE LE GRAND, *Moralia*, I, 14-20 et 32, 20 (*CCSL* 143).

3. NITHARD, *Histoire*, IV, 2 (p. 120-121).

4. G. DUMÉZIL, « L'idéologie tripartie des indo-européens », *Latomus*, 31 (1958), p. 7-118, et *Mythe et épopée*, t. 1, Paris 1968.

5. Cf. Y. CONGAR, « Les laïcs et l'ecclésiologie des *ordines* chez les théologiens des XIe et XIIe siècles », dans *I laici nella Societas christiana dei secoli XI et XII*, Actes de la IIIe semaine de la Mendola, 1965, Milan 1968, p. 91.

L'illustration la plus nette de cette opération de synthèse figure dans un passage de la *Vita secunda s. Hucberti*, dans lequel Jonas précise la fonction et la mission attribuées à chacun des trois ordres de chrétiens [1] : l'ordre des laïcs doit se consacrer à la justice et défendre la paix de l'Église par les armes, l'ordre monastique est voué à la prière et l'ordre épiscopal a une vocation de surveillance générale des deux premiers. Ainsi la tripartition spirituelle rejoint-elle avec Jonas la tripartition sociale. Mais à l'évidence Jonas établit une hiérarchie très nette entre les trois groupes de fidèles : l'ordre inférieur est celui des laïcs ; les moines constituent un modèle à imiter mais doivent demeurer hors du siècle ; les évêques enfin dirigent la société.

Dans le passage de l'*Institution royale* que nous avons cité plus haut [2], Jonas présente un ordre différent en citant d'abord les moines, puis les évêques et enfin les laïcs. Cette hiérarchie est plus conforme à la tradition carolingienne, car les moines sont les seuls à disposer d'une règle unifiée dans tout l'empire grâce à l'action réformatrice de Benoît d'Aniane et de Louis le Pieux. Ils constituent ainsi un modèle de perfection à imiter [3], même si leur fonction se réduit à la prière. On voit ainsi que, dans la hiérarchie des mérites, les moines sont les premiers, mais que, dans celle des fonctions, ce sont les évêques que Jonas place au som-

---

1. *Vita secunda*, ASS novembre, t. I, 817 C : « [Louis]...veilla à ce qu'aucun des ordres du royaume qui lui avait été confié ne déviât de sa propre règle, mais que l'ordre des laïcs s'appliquât à la justice et à assurer la paix de la Sainte Église par les armes ; que l'ordre des moines recherchât la paix et se consacrât à la prière ; (...) mais que l'ordre des évêques supervisât (*superintenderet*) les deux précédents, pour les ramener par le zèle et la sagesse de leurs conseils dans le droit chemin, au cas où ils en s'en seraient écartés de par leur volonté ou par nécessité. »

2. *Inst. royale*, 11, l. 18-20.

3. *Inst. des laïcs*, II, 1 (éd. O. Dubreucq, l. 93-94) ; II, 6 (*ibid.*, l. 55-57) ; II, 2 (l. 101-102).

met de la société chrétienne. Qu'il les appelle *doctores*, *prae-positi* ou *episcopi*, leur fonction est la surintendance de cette dernière (*superintendere*).

La tripartition de Jonas n'est cependant pas encore une division socio-économique, comme on la trouvera chez Haymon d'Auxerre[1] ou chez Adalbéron de Laon[2] : il y manque l'ordre des *laboratores*, ceux à qui revient la fonction de la production économique. L'œuvre de Jonas constitue donc une étape importante dans l'élaboration de la théorie des *ordines*, entre la conception spirituelle qui était celle des Pères de l'Église et la division sociologique qui connaîtra un grand succès à partir du XIᵉ siècle.

Jonas ne fait du reste qu'énoncer des idées qu'il estime connues de tous. De fait, on les retrouve, sous des formes un peu différentes, chez Théodulf[3], Raban Maur[4], Paschase Radbert[5], ou Ermold le Noir[6]. Et, de façon tout à fait concrète, on voit l'assistance du concile de Mayence en 813 se diviser en trois sections (*turmas*) correspondant au clergé régulier, au clergé séculier et aux laïcs[7]. La formulation utilisée dans les actes de ce concile est très proche de celle de Jonas. La première section, celle des évêques, est chargée,

---

1. HAYMON D'AUXERRE, *Expositio in Apocalypsin*, I, 1 (*PL* 117, 953 AB) : « Ainsi l'Église est divisée en trois sortes de personnes, les prêtres, les soldats et ceux qui cultivent les champs. »

2. ADALBÉRON DE LAON, *Carmen ad Rotbertum regem*, éd. C. Carozzi, Paris 1979, v. 295-296 (Les classiques de l'Histoire de France au Moyen Age), p. 22-23 : « La maison de Dieu est donc une, elle qui semble triple. Ici-bas, les uns prient, d'autres combattent et d'autres travaillent. »

3. THÉODULF, *De hypocritis* (*PL* 105, 371 B) et *MGH Poet. lat.* I, Berlin 1881, p. 474, v. 93-96.

4. RABAN MAUR, *De clericorum institutione* (*PL* 107, 297-298).

5. PASCHASE RADBERT, *Vita Walae seu Epitaphium Arsenii*, II, 2 (*PL* 120, 1609) et de II, 5 (*PL* 120, 1613 c).

6. ERMOLD LE NOIR, *Poème à Louis le Pieux*, v. 953-956 (éd. H. Faral, Paris 1926, p. 76).

7. *Conc. Mayence* (813), *MGH Conc.* II, p. 259-260.

grâce à la connaissance qu'elle a des Évangiles, des canons et des écrits des Pères, de chercher ce qui peut améliorer le *status* de l'Église de Dieu et être utile au peuple du Christ ; la seconde, celle des abbés et moines, doit, par la lecture de la règle de saint Benoît, tâcher d'améliorer la manière de vivre des moines ; la troisième, celle des comtes et des juges, a vocation, par l'examen des lois du monde, à rendre la justice à tous ceux qui la demandent. Il est remarquable que la procédure suivie à Mayence ressemble à celle du synode d'Aix-la-Chapelle en octobre 802, telle qu'elle nous est décrite par les *Annales de Lorsch* [1].

3) La direction de l'*Ecclesia*

Le monde carolingien se présente donc, selon Jonas, comme une société chrétienne dont les membres sont unis par leur foi. Cette société, qui vise un but unique, le salut général, est dirigée par deux « personnes remarquables », celle du prêtre et celle du roi [2]. Jonas fait alors usage, on l'a dit, de la lettre du pape Gélase à l'empereur Anastase, qui fut citée pendant tout le haut Moyen Age pour justifier les prétentions théocratiques [3]. On est donc bien loin des conceptions de Charlemagne qui était, selon Paulin d'Aquilée, appelé par les évêques réunis à Francfort en 794 *rex et sacerdos* [4] et cumulait la direction des deux sphères de la société. Il s'agissait pour Charlemagne d'une monarchie sacrée, le

1. *MGH SS* I, p. 39.
2. *Inst. royale*, 1, l. 6-8.
3. Gélase, *Ep. ad Anastasium* 8 a (éd. E. Schwartz, « Publizistische Sammlungen zum acacianishen Schisma », *Abhandlungen der Akad. der Wiss. München, Phil. Hist. Abteilung*, 10 (1934), p. 19-24 : « Il y a deux principes par lesquels ce monde est régi : l'autorité sacrée des pontifes et le pouvoir royal. »
4. *Conc. Francfort* (794), Libellus sacrosyllabus (*MGH Conc.* II, p. 142, l. 13) : *Sit rex et sacerdos, sit omnium christianorum moderantissimus gubernator.*

sacre étant la marque de l'élection divine. l'Empire s'était
dilaté par la conquête, l'État était fort, et son souverain était
le chef incontesté de l'*Ecclesia*. L'*Institution royale* nous
présente un tableau tout à fait différent. En utilisant les
termes de Gélase, Jonas introduit une conception dualiste
du gouvernement de l'*Ecclesia*, dans laquelle le rapport de
force joue en faveur de l'autorité des pontifes.

On remarquera que Jonas a modifié quelque peu la citation : le *mundus* de Gélase est ainsi devenu l'*Ecclesia*, et les
deux principes qui dirigent l'Église sont des *personae* qui
sont qualifiées d'« impératrices augustes [1] » par une défor-
mation du texte originel. Ces transformations sont impor-
tantes, la seconde marquant bien la volonté de Jonas de donner aux prêtres le même poids politique qu'à l'empereur
dans la gestion de l'État. Les deux personnes remarquables
se situent du reste dans l'Église, ce qui montre que pour lui,
l'État n'a plus d'existence propre.

Les prêtres sont détenteurs de l'*auctoritas* et l'empereur
n'est crédité que de sa *potestas*. Jonas, en citant Gélase, fait
référence aux notions fondamentales qui avaient présidé à la
constitution du principat et avaient été énoncées par
Auguste lui-même [2]. L'*auctoritas* peut être définie comme
l'autorité morale, transcendante, attachée à l'empereur
romain en tant que personne et institution, la *potestas* carac-
térisant l'exercice des pouvoirs publics. C'est par son *auctoritas* que l'empereur romain était supérieur à tous, et c'est
cette *auctoritas* qui est déniée à l'empereur chrétien par
Jonas. Les deux sphères de pouvoir existent donc toujours,
mais ce sont les pontifes qui détiennent la supériorité
morale.

1. *Inst. royale*, 1, l. 7.12. Les termes de Gélase étaient *imperator
auguste*, car il s'adressait à l'empereur. Il faut noter que la modification
de Jonas était déjà présente dans les actes de Paris.

2. *Res gestae diui Augusti*, éd. J. Gagé, Paris 1935, p. 146 : *auctoritate omnibus praestiti*.

Par ailleurs, le poids de ceux-ci est rendu plus important encore dans la mesure où ils auront à répondre des rois au jour du jugement. Il est vrai que Jonas ne cite pas la suite du texte de Gélase, qui précisait que la primauté des pontifes ne s'exerçait que dans sa sphère propre, le roi restant tout-puissant au temporel.

Comment en est-on arrivé là ? Les idées du pape Gélase étaient pourtant très claires et les deux principes étaient chez lui séparés, le roi étant maître en sa sphère mais ne pouvant intervenir dans le domaine spirituel, le pape restant souverain en cette matière. La séparation était également très nette dans le passage de Fulgence que Jonas cite après le texte de Gélase [1]. L'équivoque n'était donc pas possible. Mais Jonas, quant à lui, va se servir de l'ambiguïté du terme *pontifex*. En effet, pour Gélase comme pour Fulgence, l'autorité du pontife était celle du pape. Celui-ci, en tant que chef de l'*Ecclesia*, était responsable du salut de tous les fidèles, y compris des rois. De là venait le poids prépondérant du pape pour tout ce qui touche au salut. Jonas utilise l'autre acception du mot *pontifex*, celle d'évêque, pour faire glisser les responsabilités originellement attribuées au pape vers les évêques. Ce glissement aboutit à une élévation de la situation de ceux-ci dans l'Église [2], et à une prise en charge plus forte par eux de la responsabilité du salut. Une telle prise en charge est manifestée par l'expression qu'utilise Jonas pour qualifier son propre zèle pastoral [3]. La prééminence des évêques est confirmée par la place — la première — que le chapitre les concernant occupe dans l'*Institution royale* ; il

---

1. FULGENCE, *De veritate praedestinationis et gratiae*, II, 39 (*CCSL* 91, p. 518, l. 944-946).

2. *Inst. royale*, 1, l. 8 : Jonas utilise le terme de *praestantior* qui dépasse largement le sens spirituel que Gélase attibuait au mot *pondus*. On peut parler ici de prééminence des évêques.

3. *Inst. royale*, 1, l. 26 : « Par la voie de l'humble admonition épiscopale ».

précède ceux qui traitent de la royauté, laquelle constitue pourtant l'objet de l'ouvrage.

Jonas omet soigneusement, dans son chapitre premier, de parler de l'autorité du pape. Ce silence est du reste significatif. On peut donc légitimement se demander quelle était l'attitude de Jonas envers la papauté. Il semble qu'elle ait connu une évolution. En effet, lors du concile de 825, Jonas reconnaissait indirectement la primauté romaine en parlant de l'*uniuersalis papa*, détenteur du règne apostolique en tant que successeur de Pierre et vicaire de Dieu pour les hommes [1]. Il précisait également dans son traité sur le culte des images que le souverain pontife devait être respecté par les évêques en tant que père [2]. Cette notion de respect ne s'applique d'ailleurs pas au seul pape, puisque Jonas utilise la même citation de l'*Ecclésiastique* pour exhorter Pépin Ier d'Aquitaine à manifester envers son père le respect dû à ce dernier [3]. C'est là un thème cher à Jonas. Il semble de toute façon que la reconnaissance du primat de la papauté ne valait qu'au plan doctrinal, et non au plan juridictionnel. Par ailleurs, Jonas ne se privait pas de souligner que le pape pouvait se tromper et dévier du droit chemin, tout en précisant que ce n'était pas consciemment mais seulement par ignorance [4]. En revanche, Jonas ne se lassait pas de répéter que

---

1. *Conc. Paris* (825), *MGH Conc.* II, p. 522, l. 10-15 : « Premier parmi les hommes apparaît un juge, que Dieu tout-puissant a daigné établir sur le siège apostolique et donner comme vicaire pour ceux-ci à sa sainte Église. Et, pour cette raison, un nom particulier lui a été reconnu dans le monde entier par cette même sainte Église de Dieu au regard de tous les autres évêques, de sorte qu'on en parle, que l'on mentionne par écrit et qu'on le considère comme le pape universel... »

2. *De cultu imaginum*, III (*PL* 106, 385 B-D) : Jonas y met en garde Claude de Turin de ne pas juger le pape, son père.

3. *Inst. royale*, Adm., l. 164-165 citant *Sir* 3, 14-15.

4. *Conc. Paris* (825), Libellus synodalis (*MGH Conc.* II, p. 482, l. 5-6) : « Par ces paroles, il apparaît clairement que c'est plus par ignorance que par volonté qu'il s'est écarté du droit chemin dans cette circonstance... »

les Églises « nationales » de Gaule et de Germanie étaient toujours restées exemptes d'hérésie et avaient conservé une *orthodoxia* parfaite [1].

Certes, en 825, les formes ont été respectées et l'empereur a demandé au pape l'autorisation d'organiser une assemblée pour débattre du problème des images. Cependant, l'autorité du pape ne s'exerce qu'en matière de doctrine universelle *in sede apostolica* [2], c'est-à-dire à Rome. Jonas revendique le droit et la capacité de l'Église franque, qu'il appelle déjà *Gallicana Ecclesia* [3], d'interpréter correctement la tradition des Pères et d'établir elle-même sa position dans les grandes questions théologiques.

Cette position explique qu'en 829, le concile de Paris, qui traite de tous les aspects importants de la société chrétienne, n'évoque même pas la personne du pape. Celle-ci est maintenant totalement évacuée. Il en fut de même lors du concile d'Aix-la-Chapelle en 836. C'est que l'ecclésiologie de Jonas est fondée sur l'autorité des évêques et non sur le primat du Saint-Siège [4]. Cette conception résulte d'une interprétation collégiale de la responsabilité confiée à Pierre. Celle-ci ne s'applique plus au seul successeur de Pierre, mais à l'ensemble des évêques constitués en *ordo*. On percevait déjà cette orientation dans le *De cultu imaginum* [5], mais elle est encore mieux exprimée dans les actes de 829 et dans l'*Institution royale* [6].

C'est cette conception qui conduisit les évêques rassemblés autour de l'empereur à Worms en 833 à dénier au pape le droit d'intervenir dans la querelle opposant Louis à ses

---

1. *De cultu* (*PL* 106, 309 AB).
2. *Conc. Paris* (825), *MGH Conc.* II, p. 522, l. 11.
3. *De cultu* (*PL* 106, 312 C et 313 C).
4. Cf. CONGAR, *Ecclésiologie*, p. 154.
5. *De cultu* (*PL* 106, 376 A).
6. *Conc. Paris* (829), III, 8 (*MGH Conc.* II, p. 673) ; *Inst. royale*, 2, l. 3.

fils. Il ne faudrait cependant pas attribuer à Jonas une position antiromaine. Son attitude reste toujours respectueuse
vis-à-vis du pape, qui est le père de tous. En fait, l'épiscopa-
lisme de Jonas se fonde avant tout sur sa conception de
l'ordre divin, auquel il croit profondément. Chacun, on l'a
vu, doit rester à sa place dans cet ordre. Celle du pape est à
Rome, et sa primauté doit demeurer au plan de la doctrine
universelle et de l'arbitrage en matière d'hérésie.

En résumé, Jonas présente donc, en quelques lignes du
chapitre premier de l'*Institution royale*, les fondements de
la nouvelle donne politique : l'Église, héritière du principe
d'universalité de l'Empire romain, est dirigée par deux personnes d'égale importance au niveau de l'État, mais d'un
poids moral différent. Les évêques sont détenteurs collégialement de l'*auctoritas* et responsables des rois devant Dieu.
Jonas a conscience de faire partie d'un corps épiscopal qui
n'a à se référer au pape que si des déviations doctrinales ou
des hérésies apparaissent.

4) Une conception ministérielle des pouvoirs

A chacun des trois ordres de la société correspond, dans
l'esprit de Jonas, un ministère. Ce terme est capital : il l'utilise sans cesse, pour qualifier les responsabilités de l'un ou
l'autre corps de la société[1]. Ce ministère comporte deux
aspects essentiels :

– en latin classique, il évoquait une fonction subalterne,
voire domestique. Sous l'Empire, il pouvait être employé
pour qualifier le service des employés des bureaux impériaux. Au haut Moyen Age, il concerne tous ceux qui détiennent une charge publique.

– le terme appartient également au vocabulaire de l'Église:
il y prend le sens de service, d'une tâche confiée par Dieu et

---

1. Cf. l'index de mots, p. 299.

transcendant les intérêts particuliers [1]. Jonas emploie le mot dans les deux sens, suivant l'ordre concerné.

On trouve indifféremment au IXᵉ siècle les termes de *ministerium* et d'*officium*. Jonas semble cependant utiliser le terme de *ministerium* dans un sens spirituel, abstrait, alors qu'il emploie plus volontiers *officium* pour désigner l'aspect pratique de son ministère [2]. Peut-être suit-il en cela l'exemple de saint Grégoire, qui semble attribuer au *ministerium* une dimension spirituelle supérieure à celle de l'*officium*. Ainsi, s'il continue à comporter au temporel un sens de subordination, le mot *ministerium* acquiert au spirituel le sens d'une mission divine. Chaque ordre de la société, selon Jonas, se définit par son nom, qui implique une *dignitas*, et son ministère [3].

5) Le fonctionnement de la société chrétienne

a) Les évêques

Jonas insiste dans les premières lignes du chapitre 2 de l'*Institution royale* pour que le roi Pépin fasse reconnaître « le nom, le pouvoir, l'autorité et la dignité des prêtres [4] ». Cette formulation très compacte est en elle-même un programme : pour Jonas, le nom d'évêque est lui-même porteur de signification : c'est ainsi que, pour définir l'évêque, Jonas employait, dans la *Translation de saint Hubert* le terme de *superspeculator* [5]. Le terme de *speculator* était déjà employé de manière très ancienne pour définir l'idée de la responsa-

---

1. Cf. CONGAR, *Ecclésiologie*, p. 293.
2. *Inst. royale*, Adm., l. 52.
3. Cf. J. BATANY, « Le vocabulaire des fonctions sociales et ecclé-siastiques chez Grégoire le Grand » dans *Grégoire le Grand : Colloque international du CNRS, Chantilly 1982*, Paris 1986, p. 172-73.
4. *Inst. royale*, 2, l. 8-9.
5. *ASS* Novembre, t. I, p. 817 C.

bilité de l'évêque [1], chargé de l'examen des âmes. A l'époque médiévale, on retrouve souvent ce terme dans les œuvres d'Alcuin, notamment dans une lettre qu'il envoya en 793 à l'archevêque Aethelhard : dans cette lettre, il indique que l'évêque, en tant que *superspeculator* doit montrer le chemin à toute l'armée du Christ [2].

Ce nom a plusieurs implications : il fait en premier lieu référence au miroir (*speculum*), par lequel les évêques montrent le chemin à suivre. Par ailleurs, il signifie en lui-même que les évêques, chargés de veiller sur les âmes, occupent une situation plus élevée que les autres membres de l'*Ecclesia* : ils acquièrent un rôle de médiation entre les choses visibles et invisibles. Ce rôle contient en lui-même un devoir d'avertir. Cette idée est présente dès le chapitre premier de l'*Institution royale* : les évêques connaissent la voie à suivre et ont l'obligation de la faire connaître, en cas d'erreur de ceux dont ils répondent, par l'admonition, en vue de procurer le salut [3]. Cette responsabilité leur confère une supériorité morale particulière, que Jonas rappelle dans la Relation des évêques de Worms en 829 et dans son traité des biens ecclésiastiques [4]. Les évêques ne peuvent se taire, sinon au risque de leur propre salut.

---

1. Cf. C. MOHRMANN : « Episkopos/Speculator », dans *Études sur le latin des chrétiens (Storia e letteratura)*, t. IV, Rome 1977, p. 245. Ce symbolisme lié à la métaphore de la sentinelle d'*Éz.* 3, 17 ; 33, 7, se retrouve chez AUGUSTIN, *Cité de Dieu*, I, 9 (*CCSL* 47, p. 16, l. 29 s. et *BA* 33, p. 214 s.) et CÉSAIRE D'ARLES, *Sermons au peuple*, I, 4 (*SC* 175, p. 226) : *speculatores animarum*.
2. Lettre n° 17 (*MGH Ep.* IV, p. 46) : « Celui qui tient le miroir est placé à un endroit très élevé : c'est pourquoi on l'appelle *episcopus*, c'est à dire celui qui tient le miroir d'en-haut [*superspeculator*] et doit déterminer pour toute l'armée du Christ, par un conseil averti, ce qu'elle doit faire ou éviter » ; cf. aussi Lettre n° 253 (*MGH Ep.* IV, p. 409).
3. *Inst. royale*, 1, l. 27-28.
4. *Relatio episcoporum* (829), *MGH Capit.* II, 27) ; *De rebus* (*MGH Conc.* II, p. 723, l. 31-32).

Jonas exprime par ailleurs clairement la place de médiateur qui leur revient dans l'*Institution des laïcs* : « Les évêques sont à l'évidence les médiateurs entre le Seigneur et le peuple, pour l'amour et l'honneur de celui dont ils exercent le ministère [1]. » En fait, Jonas met en rapport le symbole du veilleur, présent dans le nom qu'il donne aux évêques, avec l'origine de leur pouvoir. Le lien est expliqué dans le chapitre 2 de l'*Institution royale* [2] : les évêques sont collégialement les successeurs de Pierre et des apôtres, dont ils exercent le vicariat. Ils ont de plus conscience de constituer un ordre (*ordo*), terme dont nous avons souligné la signification et qui se retrouve à plusieurs reprises dans la Translation de saint Hubert [3] et dans les actes de Paris en 829 [4]. C'est en tant qu'ordre que les évêques exercent collectivement le vicariat de saint Pierre [5].

Cette idée de collégialité est fondée sur *Matthieu* 16, 19 que Jonas cite dans l'*Institution royale* et définit ainsi dans le *De cultu imaginum* : « Les clés du royaume des cieux ont été confiées à un membre très éminent de la sainte Église, saint Pierre, afin que cette dignité se transmette par lui à tous les autres [6]... » La fonction épiscopale est donc une *dignitas* conférée aux évêques en tant que successeurs de Pierre.

1. *Inst. des laïcs*, II, 20 (*PL* 106, 208).

2. *Inst. royale*, 2, l. 3 : « Les évêques, c'est-à-dire les successeurs des apôtres », que l'on trouvait déjà en *Conc. Paris* (829), III, 8 (*MGH Conc.* II, p. 673).

3. *ASS* novembre, t. I, p. 817 C : « episcopalis autem ordo ».

4. *Conc. Paris* (829), I, 20, 21 (*MGH Conc.* II, p. 626) : *Socios ordinis nostri* ; *ibid.* p. 608, l. 7 : *Hos vicarios esse apostolorum et luminaria mundi* ; *ibid.* p. 673 : *Cuius vicem indigni gerimus.*

5. *Inst. royale*, 2, l. 11-12 : « Beato Petro, cuius vicem indigni gerimus ». Cette phrase exprime bien la collégialité de la fonction. Sur cette collégialité, cf. CONGAR, *Ecclésiologie*, p. 142-143, et H. MAROT, « La collégialité et le vocabulaire épiscopal du Vᵉ au VIIᵉ siècle », dans Y. CONGAR, *La Collégialité épiscopale*, Paris 1965, p. 59-94.

6. *Inst. royale*, 2, l. 12-14 et *De cultu imaginum*, III, 1 (*PL* 106, 376 A et D, 377 A).

Les évêques ont un ministère, qui leur est confié par Dieu : le terme est utilisé six fois dans ce sens dans l'*Institution royale*[1]. Ce ministère sacré en fait les détenteurs d'une *auctoritas*. Dans le chapitre 2 de l'*Institution royale*, Jonas rappelle que d'autres *doctores* ont déjà défini l'*auctoritas* épiscopale à une autre occasion : peut-être y a-t-il là une allusion aux débats des conciles réunis en 829[2]. Il se contente ici d'en résumer les traits. Dans sa personne et ses mœurs, l'évêque doit être un exemple pour les fidèles. Il a à diriger spirituellement la société et à instruire ceux qui lui sont soumis. En ce qui concerne les rois, les évêques doivent, nous dit Jonas, prendre soin de leur salut. C'est ainsi que l'on retrouve le mot *salut* à dix-sept reprises dans l'*Institution royale*[3].

Outre l'*auctoritas* qui leur est conférée par leur statut de successeurs des apôtres et la *dignitas* évoquée par leur nom, les évêques disposent d'une *potestas sacerdotalis*. Ce point est tout à fait nouveau, car normalement le terme de *potestas* ne s'appliquait alors qu'au temporel. La *potestas* est revendiquée pour les évêques dans le titre même du chapitre 2 de l'*Institution royale*[4]. Elle est la conséquence du pouvoir de lier et délier qui a été confié par le Christ aux évêques. Jonas demande d'ailleurs au roi Pépin, comme il l'avait déjà demandé à son père en 829[5], de faire connaître et respecter ce pouvoir par les grands et les autres fidèles. Il cite les trois passages classiques de saint Matthieu et de saint

---

1. Cf. l'index de mots, p. 299.

2. *Inst. royale*, 2, l. 40-44.

3. Cf. l'index de mots, p. 300 ; on le retrouve également douze fois dans *Conc. Paris* (829) comme le montre l'index de Werminghoff.

4. *Inst. royale*, 2, l. 1 : *De potestate et auctoritate sacerdotali* ; ce pouvoir est encore souligné à deux reprises dans le même chapitre : l. 7, l. 10.

5. *Conc. Paris* (829), III, 8 (*MGH Conc.* II, p. 673).

Jean[1], pour étayer son affirmation. Il s'agit pour lui d'un pouvoir collégial confié aux *sacerdotes Christi* qui sont les successeurs des apôtres, bien que les clés aient été confiées plus particulièrement à saint Pierre.

Ceux-ci sont les médiateurs, qui ont la *clauis scientiae*[2] et le pouvoir de faire entrer ou d'exclure, en tant que portiers du ciel[3]. Leur pouvoir est précisé et renforcé par un deuxième trait, la *potestas iudicandi,* qu'évoque Jonas en citant les paroles que Rufin prête à Constantin s'adressant aux évêques rassemblés à Nicée[4]. Cette déclaration, rapportée par Rufin dans son *Histoire ecclésiastique,* élevait les évêques à un statut divin et leur donnait le pouvoir de juger empereurs et rois, sans que la réciproque fût possible.

On saisit donc bien le cheminement du raisonnement de Jonas. A partir de la dualité gélasienne, qu'il modifie de son propre chef, à partir aussi du pouvoir des clés et de la pseudo-déclaration de Constantin aux évêques rassemblés à Nicée, il a affirmé la supériorité morale des évêques dans les deux sphères, et forgé une nouvelle notion, celle du pouvoir épiscopal. Cette construction, autorisant une intrusion dans le domaine réservé aux rois, ne pouvait s'exercer qu'aux dépens du pouvoir de ceux-ci.

Aussi sont posées en un chapitre les bases de la suprématie de l'épiscopat : constitué en corps (*ordo*), celui-ci est placé au sommet du gouvernement spirituel (*culmen regiminis*). Il dispose de l'*auctoritas*, mais aussi d'une *potestas* qui lui donne un droit de regard sur l'action du roi, dans l'intérêt même de celui-ci et de son salut. Comment s'exer-

1. *Matth.* 16, 19 et 18, 18 ; *Jn* 20, 22-23.
2. *Conc. Paris* (829), I, 4 (*MGH Conc.* II, p. 612) : « ayant les clés de la science. »
3. *Ibid,* l. 8 : *sacerdotes Christi... quos utique constat janitores caelestis aulae existere.*
4. *Inst. royale,* 2, l. 23-31, citant Rufin, *Hist. Eccl.,* X, 2 (*GCS Eus. Werke,* II, 2, p. 961, l. 10-17).

cent l'un et l'autre pouvoir ? L'autorité, l'*auctoritas*, qui
confère aux évêques une prééminence spirituelle, les inves-
tit d'un devoir de surveiller et de corriger qui se manifeste
d'abord par l'admonition. C'est là l'origine de la responsabilité morale des évêques à l'égard du roi. Ils doivent montrer la voie du salut et, en cas de déviation (*exorbitatio*),
admonester le roi pour le ramener dans le droit chemin [1].

La *potestas* permet aux évêques, en vertu de leur responsabilité morale, d'agir directement dans ce qui relève du roi.
Certes, le vocabulaire n'est pas encore complètement fixé.
On peut cependant, sans trop abuser du sens juridique de ce
terme, lire dans *procurare* une possibilité pour les évêques
d'intervenir, voire de se substituer au roi, dans la perspective du salut de celui-ci. L'expression de *consultum conferre*,
que Jonas utilise pour définir l'intervention épiscopale, a
plus le sens fort de « décision à prendre » que celui de
« conseil à donner ». Il faut la comprendre grâce à l'expression toute proche utilisée par Jonas dans le chapitre 8 de
l'*Institution royale* pour définir le rôle premier du roi :
consultum ferre, c'est-à-dire « légiférer, prendre des
décrets ». Cette quasi-identité place l'intervention des
évêques par rapport au roi sur le même plan que celle du roi
par rapport à ses sujets. On a bien là une *potestas* épiscopale,
qui outrepasse largement l'idée qui en est à l'origine, c'est-
à-dire le pouvoir des clefs.

Ainsi l'autorité des évêques en fait maintenant les
conseillers naturels des rois, dans la perspective du salut de
ceux-ci, tandis que leur *potestas* leur donne une possibilité
d'intervention directe dans les affaires du siècle.

---

1. *Inst. royale*, 1, l. 23-25 : « Et que nos admonitions vigilantes vous
empêchent d'errer... loin de sa volonté, ou loin du ministère qu'il vous
a confié. »

Ajoutons que les évêques, même s'ils sont négligents, doivent être respectés, car leur ministère leur a été confié par le Christ [1]. Cette idée, qui est chère à Jonas, on la trouvait déjà dans l'*Institution des laïcs* [2] : les mœurs des évêques ne sont plus du tout celles des apôtres ; cela n'empêche pas qu'on doit témoigner aux représentants du Christ le respect que leur vaut leur ministère. Ils doivent de même être obéis, à la fois en raison de leur *potestas* [3] — ce que Jonas écrivait déjà dans l'*Institution des laïcs* [4] — et en tant que médiateurs entre Dieu et le peuple [5]. C'est leur *potestas* que les évêques rassemblés à Compiègne en octobre 833 invoquent pour justifier la pénitence infligée à l'empereur [6], et cela presque dans les mêmes termes que Jonas.

b) Le roi

Si les conceptions de Jonas sont tout à fait claires en ce qui concerne le pouvoir et le ministère des évêques, elles le sont beaucoup moins au sujet des rois. Le vocabulaire est plus flou et les arguments utilisés semblent contradictoires.

Tout d'abord, le roi est dans l'Église et non au-dessus de celle-ci. Ce fait apparaît dans toutes les œuvres de Jonas, notamment dans le chapitre 3 de l'*Institution royale* où

---

1. *Inst. royale*, 2, l. 32-36.
2. *Inst. des laïcs* I, 20 ; II, 20.
3. *Inst. royale*, 2, l. 38-40 : « Il y a en vérité beaucoup de préceptes de la Loi et des Évangiles, où l'on prescrit le devoir d'obéir aux prêtres. »
4. *Inst. des laïcs*, II, 21 : « Il existe beaucoup de témoignages du pouvoir (*potestate*) confié aux prêtres par le Seigneur. Que les laïcs sachent donc qu'ils doivent se soumettre à ce pouvoir. »
5. *Inst. des laïcs* II, 20 : « C'est-à-dire les médiateurs entre le Seigneur et le peuple. »
6. *MGH Capit.* II, p. 52, l. 28 : « Nous avons montré le statut particulier et le pouvoir des évêques, et de quelle sentence mérite d'être frappé celui qui néglige d'obéir à leurs avertissements. »

Jonas recommande au roi de ne pas s'élever au-dessus de ses frères [1], mais de se considérer comme l'un d'entre eux. Mais il est déjà présent dans l'*Institution des laïcs*, qui devait comporter, dans la version courte du livre II, un chapitre 30 consacré aux rois, comme le montre la table des chapitres de l'œuvre [2]. Jonas précise même, en utilisant un passage de Fulgence, que le roi est fils de l'Église [3]. Cette idée, ancienne, se lit dans les actes de l'assemblée de Paris en 825 et dans ceux du concile de Paris en 829 [4], où Jonas a joué le rôle que l'on sait. L'écart est grand avec la conception de la royauté selon Charlemagne, lequel se considérait comme roi et prêtre, au sommet des deux sphères de pouvoir.

Cependant, le roi, bien qu'étant un laïc, occupe une position particulière dans la société, de nature quasi cosmique. On le voit notamment dans le chapitre 3 de l'*Institution royale*, dans lequel Jonas cite presque intégralement le neuvième « abus » du Pseudo-Cyprien [5]. Ce texte confère au roi un rôle de régulateur de l'équilibre du monde, selon la tradition irlandaise. Il met en regard la justice du roi qui garantit la paix, l'absence de maladie, la fécondité de la terre, l'absence de tempêtes, et l'injustice du roi qui provoque toutes sortes de calamités, la misère et la ruine du royaume.

---

1. *Inst. royale*, 3, l. 39 ; de même, Jonas, à travers une citation de saint Augustin, rappelle que les rois ne sont que des hommes : *Inst. royale*, 17, l. 24-25.

2. Cf. I. SCHROEDER, « Zur Überlieferung von *De institutione laicali* des Jonas von Orleans », *DAEM* 44 (1988), p. 96.

3. *Inst. royale*, 3, l. 120-121. Cf. aussi *Inst. des laïcs*, II, 19 (*PL* 106, 208 C).

4. *Conc. Paris* (825), *MGH Conc.* II, p. 523 et 525 ; *Conc. Paris* (829), III préf. (*ibid.*, p. 667).

5. *Inst. royale*, 3, l. 57-109, cf. Ps.-CYPRIEN, *De duodecim abusiuis saeculi* (éd. S. Hellmann, Leipzig 1909, p. 1-60). Ce texte que l'on peut dater des années 630-635 a eu une importance capitale au haut Moyen Age et a connu une grande diffusion. Il est tantôt attribué à saint Augustin, tantôt à saint Cyprien ou à Isidore de Séville.

Ce dualisme résulte d'un vieux fond païen que l'on trouvait déjà dans *le Testament de Morand* et les *Sentences du roi Cormac*[1]. Il accorde au roi un pouvoir qui va bien au-delà du concept normal de justice. La conduite du roi est l'élément magique qui assure l'équilibre du monde ou provoque sa chute. Une telle conception est passée dans le monde carolingien, par l'intermédiaire peut-être d'Alcuin et de Cathwulf[2]. Ce dernier, dans une lettre au roi Ethelred de Northumbrie[3], reprend l'idée selon laquelle la conduite vertueuse du roi (appelée ici *bonitas*) garantit la prospérité de la nation ; et il ajoute que le roi doit écraser l'impiété par la puissance de sa piété. Le roi jouit donc d'une fonction à la fois religieuse et cosmique. La justice du roi, qui est plutôt une manière pour lui de conformer sa conduite à sa situation dans le monde, est la condition de l'équilibre de celui-ci et de l'heureuse continuité de la succession dynastique.

Ces idées, que Jonas attribue à saint Cyprien, sont capitales pour lui : il dit lui-même qu'il a voulu que ce passage constitue pour le roi un miroir de ce qu'il devait être, ce qu'il devait faire ou éviter[4]. Il faut du reste noter que le même texte était déjà intégralement cité dans les actes de Paris en 829[5].

La signification du mot *roi* y est particulièrement soulignée. Jonas le définit à son tour en utilisant les *Sentences* et les *Étymologies* d'Isidore de Séville[6]. *Roi* vient d'« action

1. *Testament de Morand*, éd. Thurneysen, *Zeitschrift für celtische Philologie*, 11 (1917), p. 98-106 ; *Instructions du roi Cormac* (éd. Kuno Meyer, Royal Irish Academy, *Todd lecture series*, 15, 1909).

2. CATHWULF, *Epist.* (*MGH Ep.* IV, p. 501-505).

3. ALCUIN, *Epist.* 18 (*MGH Ep.* IV, p. 51).

4. *Inst. royale*, 3, l. 55.

5. *Conc. Paris* (829), II, 1 (*MGH Conc.* II, p. 650-651).

6. *Inst. royale*, 3, l. 1-12 et 138-139 d'après ISID., *Etym.*, I, 29 et IX, 3 et *Sent.*, III, 48.

droite », c'est-à-dire de « rectitude ». S'il agit bien, c'est-à-
dire avec piété, justice et miséricorde, le roi mérite son nom
et le garde. Si ce n'est pas le cas, il le perd et rejoint la cohor-
te des tyrans. Jonas oppose aux trois vertus qui caractérisent
les bons rois les trois vices qui font les mauvais rois :
l'impiété, l'injustice et la cruauté[1]. Tout le chapitre 3 de
l'*Institution royale* tourne autour de cette opposition entre
rex et *tyrannus* qui pose en fait, comme dans le cas de la
monarchie wisigothique, le problème de la légitimité du roi ;
celle-ci est désormais liée à un critère moral. En régnant de
manière injuste, le roi perd sa légitimité. Cette considération
amène Jonas à définir l'origine du pouvoir royal. Ici encore,
le « droit naturel » de l'État n'est pas pris en compte, comme
on le voit dans le chapitre 7 de l'*Institution royale*, où il est
dit d'emblée que « nul d'entre les rois ne doit croire que la
royauté lui est conférée par ses ancêtres, mais il doit croire
avec sincérité qu'elle lui est donnée par Dieu[2] ». On voit
donc que, outre le caractère moral que revêt maintenant la
dignité royale, sa seule légitimité est d'origine divine.

Cependant, aucun privilège particulier ne découle de là.
Le roi a des comptes à rendre à Dieu et il doit agir selon la
volonté divine, rien de plus[3]. Jonas précise certes que la
royauté est conférée par un jugement secret de la
Providence divine, et non par une décision humaine[4]. On
pourrait en déduire que le roi n'a de compte à rendre qu'à
Dieu. Ce ne serait pas conforme à la pensée de Jonas. Le roi
est chrétien, l'institution royale trouve place dans l'Église,
et si la royauté est conférée par Dieu, elle ne revêt pas pour

---

1. *Inst. royale*, 3, l. 7.
2. *Inst. royale*, 7, l. 3-8.
3. *Inst. royale*, 7, l. 41.
4. *Inst. royale*, 5, l. 85-86. Cf. la titulature que Louis le Pieux se
donnait lui-même dans ses actes, et que l'on trouve aussi dans le « capitulaire » de 825 (*MGH Capit.* I, p. 415) conservé dans la collection
d'Anségise.

autant un caractère sacré. C'est pourquoi Jonas, contraire-
ment aux autres auteurs de « miroirs des princes », ne fait
jamais allusion ni au sacre ni à l'onction, qui pourraient
sembler conférer au roi un charisme particulier. Il n'utilise
jamais non plus le terme de « vicaire de Dieu », que
Smaragde employait volontiers pour désigner le roi[1]. Il ne
laisse donc pas de place à une valorisation transcendante de
la personne du roi, qui pourrait conduire ce dernier à empié-
ter sur la direction spirituelle de l'*Ecclesia*. Ainsi le roi n'est-
il plus qualifié du titre de *rector Ecclesiae* comme l'était
Charlemagne[2], mais simplement de fils de l'Église.

La royauté, conférée par Dieu aux bons rois, mais seulement permise aux autres, est donc conditionnelle. Pour la
mériter, son détenteur doit régner avec justice et constituer
un exemple pour le peuple qui lui est confié. Il constitue un
miroir pour l'ensemble de la société chrétienne : il doit donc
« s'appliquer à accomplir le nom de roi non seulement en
lui, mais aussi chez ses sujets[3] ». Il doit donc avoir une
conduite irréprochable et, par son exemple, inciter ses sujets
à reconnaître l'autorité et le pouvoir des prêtres[4], à respecter l'observance du jour du Seigneur[5] et à pratiquer les
vertus essentielles qui sont la piété, la justice et la miséricorde[6].

Si le roi manque à ses devoirs, il attire des catastrophes sur
son royaume et perd tout droit à son titre et à sa légitimité.
De même, sa mauvaise conduite compromet la succession
dynastique, car le mauvais roi prive sa descendance du

---

1. Smaragde, *Via regia* (*PL* 102, 933 B, 958 AB).
2. Cf. *Capitulaire* (769), *MGH Capit.* I, 44 ; *Libri Carolini*, préface
(*MGH Conc.* II, supplément, p. 2) ; *Conc. Mayence* (813), *ibid.*
p. 259.
3. *Inst. royale*, 3, l. 161-162 et l. 11-12.
4. *Inst. royale*, 2, l. 6-8.
5. *Inst. royale*, 16, l. 3-12.
6. *Inst. royale*, 3, l. 17.

trône [1]. Jonas en arrive donc à mettre en cause le principe même de l'hérédité dynastique en soulignant que la royauté est conditionnelle, qu'elle est conférée par Dieu et non par l'homme et n'est transmissible que selon la volonté divine. L'interprétation de cette dernière exige une médiation. Ce sont naturellement, aux yeux de Jonas, les évêques qui sont chargés de celle-ci, en tant que *speculatores Domini*. Le roi doit les respecter, les écouter et leur obéir [2], en tant que fils de l'Église et auditeur de l'admonition [3]. Les évêques ont donc acquis un rôle de conseillers spirituels et d'interprètes de la volonté divine.

Jonas va donc très loin dans la voie de l'affaiblissement du pouvoir royal. Le roi ne détient plus maintenant qu'un ministère, qui lui est confié par Dieu [4]. Ce terme, on l'a vu, évoque tout autant l'idée d'une mission que celle d'une responsabilité administrative. En l'utilisant, Jonas rapproche la fonction du roi de celle des fonctionnaires de l'État et la met au service de l'Église.

Le contenu de ce ministère est résumé dans le début du chapitre 4 de l'*Institution royale* [5] :

– Le roi est chargé de gouverner et de diriger le peuple de Dieu avec équité et justice [6]. Ceci correspond à l'expression *rex a regendo* que Jonas avait employée dans le chapitre précédent [7]. Jonas ne fait qu'énoncer brièvement ce rôle politique du roi, qui lui semble évident. Il le précise quelque peu dans le chapitre 8 de son traité en écrivant que le pouvoir

---

1. *Inst. royale*, 3, l. 93-96 et l. 104-105.
2. *Inst. royale*, 2, l. 34-35 et l. 39-40.
3. *Inst. royale*, 3, l. 120-121 et 14, l. 49-50.
4. *Inst. royale*, 4.
5. *Inst. royale*, 4, l. 2-6.
6. *Inst. royale*, 4, l. 2-3.
7. *Inst. royale*, 3, l. 8.

royal doit promulguer des lois[1]. Ce rôle va de soi pour
Jonas, qui s'intéresse davantage à l'aspect ecclésiologique du
ministère royal qu'à ses attributions administratives.

– La fonction législative, si elle est assurée avec justice,
permet la stabilité du royaume et assure la paix et la concorde au peuple de Dieu[2]. Ce thème est très important pour
Jonas : le roi doit garantir la paix et la concorde au peuple de
Dieu et à l'Église[3]. L'évêque d'Orléans suit en cela les
recommandations du Pseudo-Cyprien.

– Un autre aspect capital du ministère royal est la
défense de l'Église et des serviteurs de Dieu[4]. Cette tâche,
décisive aux yeux de Jonas, avait été mentionnée dès le chapitre 2 de l'*Institution royale* : « Mais ici, il nous faut continuer à parler des rois, au salut desquels le ministère des
prêtres est de veiller avec diligence, et dont les armes et la
protection doivent défendre l'Église du Christ[5]. » L'aspect
militaire est prépondérant : le roi est le chef de la *militia saecularis* et doit défendre l'Église contre ses ennemis de l'extérieur et de l'intérieur. Cette fonction n'est pas nouvelle,
puisqu'Alcuin désignait déjà Charlemagne comme le *defensor Ecclesiae*[6]. Elle se caractérise par la protection armée de
l'*Ecclesia* contre les ennemis de la paix[7] et par la lutte contre
les déviations religieuses, lesquelles doivent être réprimées[8].
L'Église revendique cette protection pour elle-même, mais
aussi pour le peuple de Dieu, car tous deux font partie des

---

1. *Inst. royale*, 8, l. 5 : Jonas emploie l'expression *consultum ferre*,
au sens juridique très précis.
2. *Inst. royale*, 3, l. 14 et 121-122 ; 4, l. 3-4.
3. L'idéal de paix carolingien est résumé par Jonas dans la formule :
« pacem quae Christus est » (*Inst. royale*, 9, l. 20-21).
4. *Inst. royale*, 4, l. 4-5.
5. *Inst. royale*, 2, l. 44-47.
6. ALCUIN, *Epist.*, *MGH Ep.* IV, p. 248 et *MGH Poet. lat.* I, p. 90.
7. *Inst. royale*, Adm. et 9, l. 34-40.
8. *De cultu* (*PL* 106, 305 BC et 310 B).

groupes désarmés. Aussi les rois doivent-ils être les *adiu-*
tores des évêques dans la protection des faibles, dont tradi-
tionnellement le clergé avait aussi la charge. C'est d'ailleurs
l'un des aspects du ministère des prêtres que de dénoncer les
abus et les perturbateurs de la paix qui, dans l'entourage
même du roi, déshonorent la charge qui leur est confiée et
favorisent les desseins des ennemis du nom du Christ[1].

– La fonction royale est avant tout une fonction de correction. Le roi, on l'a vu, doit constituer un exemple pour
ses sujets : il doit donc se corriger lui-même, éviter l'injustice et corriger les abus, s'il en a connaissance[2]. Corriger, cette
orientation apparaît dans l'ensemble des canons du concile
de Paris en 829 et dans la lettre conciliaire qui figure entre le
deuxième et le troisième livre des actes[3]. Il y a là un trait fondamental du programme de l'épiscopat carolingien.

Le roi doit corriger les abus, mais aussi enquêter avec
exactitude et rendre des jugements justes. La même obligation s'impose à ses subordonnés, qui en sont responsables
devant lui[4]. Elle s'applique particulièrement quand elle
concerne les plus démunis, les pauvres et les indigents. Jonas
ne se prive pas à ce sujet d'accumuler les oppositions entre

---

1. *Inst. royale*, 4, l. 4-5 et surtout 4, note 2 : La version du texte présentée par le ms *A* met l'accent sur la protection de l'Église par les
armes. Le recours à la violence, et même la *terror* qu'inspire le roi (cf.
Inst. royale, 4, l. 7) sont donc justifiés quand il s'agit de la protection
de l'*Ecclesia* et de la paix. Une large part du ms d'Orléans est d'ailleurs
consacrée à cette justification de la violence, quand elle sert une cause
juste (*Capitula*, éd. Laehr-Erdmann, p. 120-128 et en particulier
p. 125).

2. *Inst. royale*, 3, l. 10 et 68-70 ; 4, l. 7-14.

3. *MGH Conc.* II, p. 667, l. 29-30 : « Vous avez voulu dans ce
plaid en premier lieu vous employer à corriger, avec l'aide du Seigneur,
ce qui est à corriger en vous, c'est à dire dans votre comportement et
dans votre ministère, et ensuite à chercher à découvrir tout ce qui fait
offense à Dieu dans tous les ordres (*ordinibus*) de votre empire... »

4. *Inst. royale*, 4, l. 7-14 ; l. 20-24 ; 5, l. 43-50.

justice et injustice, équité et iniquité, consolidation du règne et ruine[1], en se fondant sur le fait que la justice du roi assure la légitimité du règne et la transmission dynastique.

Les tâches qui ressortissent au ministère royal appartiennent donc au domaine de la *potestas*. Cependant, Jonas, dans les actes de Paris comme dans l'*Institution royale*, semble attribuer au roi une *auctoritas* dans le cadre de son ministère, quand il s'agit de défendre les intérêts de l'Église[2] ou de réprimer les abus[3]. Certes, la séparation demeure ferme : l'*auctoritas* est le domaine des évêques, la *potestas* celui du roi[4]. Mais le roi paraît bien disposer quelquefois d'une *auctoritas*, quand l'intérêt de l'Église l'exige. Les deux affirmations ne sont nullement incompatibles, comme Jonas l'exprime lui-même en citant les *Sentences* d'Isidore : « Les princes du siècle tiennent quelquefois les sommets du pouvoir dans l'Église pour que, grâce à ce pouvoir, ils puissent renforcer la discipline ecclésiastique. D'ailleurs au sein de l'Église, il ne serait nul besoin de pouvoirs, si ce n'est pour imposer par la crainte de la discipline ce que le prêtre ne peut accomplir par le sermon de la doctrine... Que le pouvoir du prince exerce sur la tête des orgueilleux cette même discipline que l'intérêt de l'Église ne peut faire prévaloir[5]. » On note que Jonas parle ici d'*utilitas Ecclesiae* au lieu d'*humili-*

---

1. *Inst. royale*, 3 et 6 : les citations en sont très nombreuses.
2. *Conc. Paris* (829), I, 36 (*MGH Conc.* II, p. 636, l. 5-8) : ici, les évêques du concile demandent à l'empereur d'empêcher par son *auctoritas* que les évêques et comtes italiens accueillent les clercs fugitifs de Gaule et de Germanie. L'empereur semble donc bien disposer quelquefois d'une autorité morale en matière ecclésiastique.
3. *Inst. royale*, 5, l. 2-3 (titre).
4. *Conc. Paris* (829), III, 7 (*MGH Conc.* II, p. 673, l. 1-2) : noter dans ce passage l'opposition entre l'autorité sacerdotale qui se manifeste par l'admonition, et la *potestas* du roi qui se manifeste par la terreur.
5. *Inst. royale*, 4, l. 57-73 citant ISIDORE DE SÉVILLE, *Sentences*, III, 51, 4-6.

tas, terme employé par Isidore. A l'évidence, il cherche à limiter l'intervention du prince en matière ecclésiastique. Elle doit demeurer l'exception et ne se manifeste que si les besoins de l'Église l'exigent. Ici encore, le roi est l'auxiliaire des évêques et agit à leur demande dans le souci de protéger l'Église et de réprimer les abus [1].

Dans l'ensemble, la royauté se limite pour Jonas à un ministère au service de l'*Ecclesia* et exercé à l'intérieur de celle-ci. Ce ministère comporte plusieurs fonctions : une fonction législative, dans le but d'assurer la paix et la concorde à l'Église et au peuple de Dieu, une fonction militaire de défense de la société chrétienne contre ses ennemis extérieurs et intérieurs, une fonction de justice, et plus généralement de correction des abus, et enfin une fonction de défense des groupes les plus démunis : pauvres, veuves, orphelins et indigents. L'*Institution royale* exprime donc pour la première fois de manière cohérente les bases de ce qui sera plus tard l'idéal chevaleresque.

La conception ministérielle de la royauté mise en place par Jonas enferme le roi dans le cadre de la *potestas*. S'il lui est quelquefois concédé une *auctoritas*, celle-ci n'est pas de même nature que celle des évêques. Elle ne résulte pas d'une délégation divine, elle constitue plutôt une supériorité morale vis-à-vis des sujets, à utiliser rarement et à la demande de l'épiscopat.

c) *Les sujets*

Bien que n'étant pas l'objet du traité, les sujets y apparaissent en arrière-fond, chacun détenant un ministère selon son ordre.

---

1. Ce souci est illustré à de nombreuses reprises dans les actes de Paris : par exemple, *Conc. Paris* (829), I, 52, les évêques font appel à l'autorité de l'empereur pour réprimer la spéculation sur les prix des denrées alimentaires (cf. *Conc. Paris,* 829, I, 52, *MGH Conc.* II, p. 645, l. 20) ; de même au III, 17 (*ibid.* p. 675, l. 31).

Le cinquième chapitre est consacré aux auxiliaires du roi, qui partagent son ministère : ces *ministri* sont en fait « les ducs et les comtes [1] », que Jonas appelle aussi *proceres* [2]. Jonas ne fait qu'évoquer leurs fonctions. Il se contente de signaler qu'ils participent au ministère du roi qui les a désignés. Celui-ci est responsable de leurs actions devant Dieu [3]. Il doit donc les choisir avec soin et ne nommer que des hommes « craignant Dieu et haïssant la cupidité [4] ». En fait leur ministère s'exerce selon les mêmes conditions que le ministère royal, dont il constitue une partie. Jonas en dit peu de choses, hormis que leur fonction essentielle est de rendre la justice, sans acception de personnes, et plus particulièrement de faire justice aux plus défavorisés [5]. Ils doivent également vivre dans la paix et la concorde. Jonas fustige d'ailleurs dans le chapitre 9 de l'*Institution royale* les fonctionnaires palatins qui vivent dans la mésentente et l'intrigue, méditant la perte les uns des autres [6], au lieu de vivre dans la concorde et la charité. Il stigmatise le mauvais exemple qu'ils donnent aux fidèles et le danger qu'ils constituent pour le roi qui les a désignés [7]. Celui-ci a donc l'obligation de surveiller le comportement de ses subordonnés, qui peuvent mettre son salut en péril.

1. *Inst. royale*, 5, l. 76.
2. *Inst. royale*, 2, l. 6.
3. *Inst. royale*, 5, l. 61-62, 77-78, 87-88.
4. *Inst. royale*, 5, l. 11-12, en référence à un passage du neuvième abus du Pseudo-Cyprien cité en 3, l. 71-72.
5. *Inst. royale*, 5, l. 43.
6. *Inst. royale*, 9, l. 47-55.
7. La recherche ancienne voyait dans ce passage un tableau de la cour du roi Pépin d'Aquitaine, qui avait la fâcheuse réputation d'être un foyer d'intrigues. Il n'en est rien, car ce passage existait déjà en *Conc. Paris* (829), II, 6 ; il fait donc plutôt allusion aux manœuvres qui avaient déchiré la cour de de Louis le Pieux en 827-828 et avaient abouti à la destitution des comtes Matfrid d'Orléans et Hugues de Tours.

Le roi et ses *ministres* ont pour tâche de gouverner les sujets et de les juger. Ces derniers forment la plus grande partie du *populus Dei* et se trouvent désignés dans le texte de Jonas par les termes de *subiecti, subditi*, ou même de *pauperes* par rapport au groupe des *potentes* qui les administrent[1]. Il ne faut d'ailleurs pas voir dans ce terme de *pauperes* une catégorie sociale misérable. En effet, pour désigner les membres de celle-ci, Jonas utilise le terme plus précis d'*indigentes*[2].

Jonas affirme dans l'*Institution royale* et dans l'*Institution des laïcs* que les sujets sont les égaux par nature de ceux qui les dirigent[3], reprenant en cela une formulation de saint Grégoire, mais qu'ils sont divers selon l'ordre du mérite. Les hommes sont donc égaux par nature, mais ceci n'implique pas une égalité sociale, seulement une égalité devant la justice et le droit pour tous de faire entendre leur cause devant le roi et ses collaborateurs.

En échange de la sollicitude du roi et de ses auxiliaires à leur égard, les sujets sont également porteurs d'un ministère, comme cela apparaît dans le chapitre 8 de l'*Institution royale*. Ils ont la responsabilité en premier lieu d'obéir à ceux qui les dirigent, car les pouvoirs et l'ordre établi émanent de Dieu[4]. Jonas utilise pour justifier cette obligation un

---

1. Cf. l'index de mots, p. 300.
2. *Inst. royale*, 4, l. 6. Sur les *pauperes*, cf. J. DEVISSE, « *Pauperes* et *paupertas* dans le monde carolingien », *Revue du Nord*, 190 (1966), p. 273-288 ; R. LE JAN-HENNEBICQUE, « *Pauperes* et *paupertas* aux IXe et Xe s », *Revue du Nord*, 197 (1968), p. 169-187 ; et surtout K. BOSL, *Frühformen der Gesellschaft im mittelalterlichen Europa*, München-Wien-Oldenburg 1964, p. 108 s.
3. *Inst. royale*, 5, l. 79-80 : « Ils doivent savoir qu'ils sont là pour reconnaître le peuple du Christ comme leur égal par nature... » ; *Inst. des laïcs*, II, 22 (*PL* 106, 213) : « Tous les hommes sont égaux par nature, mais différents selon l'ordre du mérite ».
4. *Inst. royale*, 8, l. 1-3 : « Tous les sujets doivent se soumettre et obéir humblement et fidèlement au pouvoir royal, qui n'a été institué que par Dieu. »

passage de l'*Épître aux Romains* qui sera cité pendant tout
le Moyen Age[1]. Cette obéissance a pour contrepartie la justice et l'équité. La société de Jonas qui est, on l'a vu, une
société d'ordres, est aussi une société d'ordre. Le ministère
des sujets est donc d'obéir, mais également de prier pour le
salut du roi[2] et de contribuer à ce salut en lui gardant leur
fidélité[3]. Ils doivent enfin apporter au roi un soutien suffisant (*solatium oportunum*) dans l'exercice de son ministère
et une contribution économique (*seruitium*[4]).

Jonas ajoute que les sujets doivent accomplir leurs obligations non seulement en vue de la prospérité du royaume
et du salut du roi, mais aussi pour assurer leur propre salut[5].
Jonas reprend ici encore la métaphore du corps du Christ[6].

4. UNE UTOPIE FRAGILE

On voit donc que l'*Institution royale*, destinée à admonester le roi Pépin d'Aquitaine, contient en fait non seulement un miroir du roi, mais aussi un miroir de la société
chrétienne telle que la conçoit l'épiscopat. Ce dernier se
retrouve d'après Jonas au sommet de l'*Ecclesia* et détient un
ministère fondamental, la surveillance et le salut de tous les
ordres de la société. Celle-ci, en tant que corps du Christ, se

---

1. *Rom.* 13, 2 : « Celui qui s'oppose au pouvoir institué par Dieu se
rebelle contre l'ordre voulu par Dieu » ; cf. W. PARSONS, « The
Influence of Romans XIII on Christian Political Thought, II »,
Theological studies, 2 (1941), p. 325-346 et W. AFFELDT, *Die weltliche
Gewalt in der Paulus Exegese, Rom. 13, 1-7*, Göttingen 1962.
   2. *Inst. royale*, 8, l. 30-40.
   3. *Inst. royale*, 8, l. 16.
   4. *Inst. royale*, 8, l. 14 : « Ils doivent apporter un soutien (*solatium*)
suffisant. » ; l. 45-46 : « Il faut qu'en cela chacun des fidèles cherche
davantage le profit général... », et 3, l. 86-87 : « Les contributions dues
par les peuples. »
   5. *Inst. royale*, 8, l. 41-48.
   6. *Inst. royale*, 8, l. 45.

répartit en membres qui ont chacun leur ministère mais qui sont unis dans un but commun, le salut éternel.

Il faut rapprocher ce tableau de celui que dressait l'empereur Louis le Pieux lui-même, dans son *Ordinatio* de 823-825 [1]. L'empereur y soulignait que son pouvoir royal découlait d'un ministère que lui avait confié la Providence divine, et que celui-ci rassemblait en lui-même les ministères de tous ses sujets, chacun d'entre eux étant investi d'une part de ses responsabilités. Tout en reconnaissant la spécificité du ministère des évêques et en mettant son pouvoir à leur disposition, il n'admettait pas la suprématie de l'épiscopat dans la sphère de la *potestas* qui lui était réservée. L'empereur était à ses yeux au sommet de la société ; les évêques, bien qu'investis de l'autorité morale que leur reconnaissait une certaine lecture du texte de Gélase, étaient ses auxiliaires dans l'exercice de son ministère. L'empereur reconnaissait donc l'*auctoritas* des évêques au spirituel [2], mais rappelait qu'ils devaient être ses auxiliaires dans l'exercice de la royauté. Et lui-même, comme il le rappelait à plusieurs reprises, détenait une *auctoritas* [3], qui s'appliquait même en matière ecclésiastique [4]. Cette autorité et sa prééminence justifiaient qu'il fût l'*admonitor* et non pas l'auditeur de l'admonition comme le roi Pépin selon l'*Institution royale*. A l'inverse, c'est aux évêques que Jonas réserve le rôle d'admoniteurs, en tant qu'ils sont les *speculatores Domini*.

---

1. *MGH Capit.* I, p. 303 s et p. 414-415. Ce capitulaire a été analysé dans un article fondamental d'O. GUILLOT, « Une ordination méconnue... » ; cf. du même auteur, « L'exhortation au partage des responsabilités entre l'empereur, l'épiscopat et les autres sujets vers le milieu du règne de Louis le Pieux », *Prédication et propagande au Moyen Age : Islam, Byzance, Occident*, Paris 1982, p. 87-110.

2. Collection d'Anségise, 4 (*MGH Capit.* I, p. 415, l. 23-37).

3 *MGH Capit.* I, p. 416, l. 5.20.40 ; p. 419, 5 ; p. 420, 45.

4. *MGH Capit.* I, 5 et 6, p. 415-416.

Une idée capitale préside aux deux conceptions qui viennent d'être exposées : c'est celle de la coopération des pouvoirs. Cette idée, qui trouve son origine dans la tradition des Pères de l'Église, connut une fortune particulière à l'époque carolingienne. C'est ce qu'A. Boureau appelle la « brève et fragile utopie d'un ordre clérico-impérial [1] », c'est-à-dire la collaboration harmonieuse des deux principes qui régissent le monde selon Gélase, dans le but de guider le peuple chrétien dans la voie du salut. Cette idée de coopération dans la paix, la concorde et l'unanimité sous-tend l'ensemble des rapports entre l'Église et l'État pendant le règne de Louis le Pieux. Cependant, l'interprétation en est différente selon qu'on se place du point de vue de l'empereur ou de celui des évêques : selon le premier, c'est l'empereur qui supervise cette collaboration, selon les autres, c'est l'épiscopat. Jonas est ici encore un bon représentant de ce dernier. Dans sa nouvelle rédaction de la *Vie de saint Hubert* et dans l'*Institution royale*, il ne cesse d'exalter le rôle de l'épiscopat en tant que guide de la société chrétienne. En fait, les divergences dans l'interprétation de la coopération des deux pouvoirs sont l'expression de l'opposition entre la conception du pouvoir des premiers Carolingiens, selon laquelle la fonction impériale est le sommet de la hiérarchie des ordres chrétiens, et la conception popularisée par l'hagiographie carolingienne selon laquelle la royauté est incluse dans la société chrétienne et doit collaborer au ministère des évêques qui ont la responsabilité des âmes devant Dieu [2].

A la lumière de cette interprétation, il est possible de dégager une évolution dans l'attitude de Louis le Pieux à l'égard de l'Église au cours de son règne. Dans une première

1. A. BOUREAU, *L'Événement sans fin : Récit et christianisme au Moyen Age*, Paris 1993, p. 89.
2. Cf. l'interprétation carolingienne de la *Vie de saint Eustache*, *ibid.* p. 93-95.

phase, il maintient dans une certaine mesure la politique de son père, comme le prouve le programme développé dans le discours qu'il adressa au pape Étienne IV en 816 : le pape et l'empereur sont les chefs du peuple de Dieu et, sous l'autorité de Louis, le clergé doit être soumis à la règle des Pères, les moines à la règle de saint Benoît et les laïcs à la loi[1]. Ce discours affirme l'autorité de l'empereur sur tous et annonce les grands textes réformateurs qui se succèdent de 816 à 818.

Après le partage de 817 et la répression de la révolte de Bernard d'Italie, suivis de la mort de Benoît d'Aniane, la position de l'empereur devint plus faible, ce qui explique en partie la pénitence d'Attigny en 822. L'influence des évêques grandit alors, tandis que ceux-ci deviennent les conseillers les plus proches de l'empereur. Celui-ci, affermi, put alors rétablir son contrôle sur l'élection et le gouvernement du pape. L'affaire des images et le « concile » de Paris en 825 manifestent cette influence des évêques francs aux dépens du pape. C'est dans ce contexte qu'il faut placer l'admonition de 823-825 que nous avons citée : le pouvoir de l'empereur reste fort, mais le dualisme gélasien et la prépondérance spirituelle du ministère des évêques sont reconnus.

Lors du concile de Paris en 829, tout change. L'empereur, dans sa lettre de convocation des quatre conciles qui devaient avoir lieu cette année-là, décrit les troubles qui agitent l'empire dans une liste qui rappelle beaucoup les énumérations du neuvième abus du Pseudo-Cyprien[2]. Il ira jusqu'à confesser que ces maux ont pour origine ses péchés et ses manquements à son ministère[3]. L'empereur reconnaît ses fautes et demande aux évêques de lui signaler les abus qui

---

1. ERMOLD LE NOIR, *Poème sur Louis le Pieux* et *Épîtres au roi Pépin*, éd. E. Faral, Paris 1932, p. 76.
2. *MGH Conc.* II, p. 599-600.
3. *Ibid.*, p. 599, l. 32-35.

mettent l'empire en péril, pour en permettre la correction. Dans les actes de Paris en 829, les évêques fondent leur primauté dans la société chrétienne et érigent en principe la conception ministérielle de la royauté que nous avons exposée. On a là en quelque sorte une réponse au capitulaire de 823-825 et une mise en question du fonctionnement de la société chrétienne. L'*Institution royale*, par rapport aux actes de Paris, ne fait que durcir la position épiscopale et apporter de nouvelles limitations au pouvoir royal.

La dernière phase de l'évolution est représentée par la déposition et la pénitence forcée de l'empereur en 833. Les évêques réunis à Compiègne ont, à cette occasion, tiré les conséquences des conceptions évoquées dans les actes de 829 et dans l'*Institution royale*. Se fondant sur leur qualité de vicaires du Christ, de détenteurs du pouvoir des clefs, et sur l'autorité qui leur a été conférée par le Christ[1], ils déclarent que leur devoir est de ramener sur le bon chemin le prince qui s'est détourné de son ministère[2]. En tant que médecins de l'âme, ils ont admonesté l'empereur qui s'est soumis de lui-même à leur *remediale iudicium*[3]. Sa déposition a eu lieu à la suite d'un juste jugement de Dieu[4]. L'empereur doit ensuite se rendre à Saint-Médard de Soissons où la pénitence lui est imposée dans les formes requises par la pénitence publique[5]. L'épiscopat a fait renaître pour l'occasion la forme la plus dure de la pénitence, tombée depuis longtemps en désuétude. Jonas lui-même en affirmait la nécessité dans l'*Institution des laïcs*. Cette forme de pénitence s'accompagnait pour le pénitent

1. *Episcoporum relatio* (833), *MGH Capit.* III, p. 5, l. 37-40 ; p. 52, l. 28).
2. *Ibid.*, p. 52, l. 45-46.
3. *Ibid.*, p. 53, l. 17 et 36.
4. *Ibid.*, p. 53, l. 3.
5. Cf. A. CHELINI, *L'Aube du Moyen Age : naissance de la chrétienté occidentale*, Paris 1991, p. 406.

d'une impossibilité définitive d'exercer une fonction publique et de porter les armes. Tel était bien le but visé par les évêques responsables de cette pénitence [1]. Cette sanction définitive ne pouvait même pas être annulée par la réconciliation. C'est pourquoi il fallut, pour obtenir la restitution à l'empereur de ses fonctions en 835, que le principal artisan de la pénitence appliquée à l'empereur en 833, l'archevêque Ebbon de Reims, reconnaisse que Louis le Pieux avait été déposé à la suite d'une injustice, de fausses accusations et que sa pénitence n'avait pas été réellement volontaire [2] ni conforme à la tradition ecclésiastique [3].

On saisit donc quelle portée ont pu avoir les positions exprimées à Paris en 829 et dans l'*Institution royale* en 831. Jonas lui-même n'en tirait pas ces conséquences ultimes. Il s'était contenté de poser les bases de la suprématie de l'épiscopat dans la société chrétienne et de son rôle de conseil spirituel de l'empereur. Lui-même ne remit jamais en cause le pouvoir impérial et resta jusqu'au bout le conseiller le plus fidèle de Louis. Il fut d'ailleurs l'un des principaux artisans du procès d'Ebbon en 835 et de la restauration de l'empereur. L'utopie de la coopération clérico-impériale a continué d'exister après ces événements, mais l'empire en est sorti profondément ébranlé.

1. *Relatio Episcoporum* (*MGH Capit.* II, p. 55, l. 30) : « En sorte que nul, après une si grande et telle pénitence ne puisse retouner à la milice du siècle ».

2. Cf. *MGH Conc.* II, p. 696, l. 25-29 ; p. 697, l. 12-15 et l. 38-40.

3. HINCMAR, *Hist. de l'Église de Reims*, II, 20 (*MGH SS* XIII, p. 471 s.). : « On reprocha à Ebbon d'avoir formulé des accusations calomnieuses contre lui [l'empereur] et de l'avoir, contre les règles ecclésiastiques, retranché de l'Église et de la société des chrétiens. »

IV
INTÉRÊT LITTÉRAIRE DU TEXTE

1. LES SOURCES DE L'*INSTITUTION ROYALE*

L'érudition de l'évêque d'Orléans, replacée dans son temps, était très vaste. De nombreux auteurs, latins ou grecs, sont cités dans l'ensemble de ses œuvres. Il est probable que Jonas connaissait la langue grecque, puisque l'empereur l'avait choisi pour une ambassade à Byzance. Par ailleurs, Jonas affirme lui-même que les Pères grecs occupent une place importante dans sa documentation, dans leur langue d'origine[1]. L'énoncé des autorités obéit à un classement, auquel Jonas se conforme en règle générale dans son traité : l'Ancien Testament est cité en premier lieu, suivi du Nouveau Testament et des Pères[2]. Les enseignements de ces derniers sont d'ailleurs selon lui inspirés par le Saint-Esprit[3]. Cependant, c'est la Bible qui est la référence constante de l'évêque d'Orléans. L'Ancien Testament est un peu plus représenté que le Nouveau, si l'on considère l'ensemble des œuvres de Jonas ; la proportion s'inverse dans l'*Institution des laïcs* et le traité sur le culte des images. On ne peut donc pas dire que la culture de Jonas ait été seulement vétérotestamentaire.

Les saintes Écritures

Si l'on excepte celles qui sont contenues dans des textes patristiques, on trouve dans l'*Institution royale* cent cinquante-sept références bibliques. Les références à l'*Ancien Testament* sont, on l'a dit, les plus nombreuses : quatre-vingt-quinze issues de vingt trois textes différents ; sur ces

---

1. *De rebus ecclesiasticis non inuadendis*, III, 24, l. 9-11.
2. *Inst. royale*, 9, l. 8-9 ; 10, l. 3-5 ; 11, l. 166-167.
3. *Inst. royale*, 3, l. 48-49.

quatre-vingt-quinze, on compte vingt-neuf allusions. La plupart des livres de l'Ancien Testament sont représentés, mais Jonas utilise surtout les *Proverbes* (quinze références), les *Psaumes* (onze références), le *Deutéronome* (dix références) et les *Livres des Rois* (dix références).

Les passages les plus décisifs sont les suivants : *Exode*, 18, 21-26 ; *Deutéronome*, 17-20, en particulier 17, 14-15 et ; *II Rois*, 6, 22 ; *Job*, 7-9 ; 29, 14 ; 34, 30 ; *Proverbes*, 20, 8.28 ; 29, 4.14 ; *Ecclésiaste*, 10, 16 ; *Sagesse*, 1, 1 ; 6, 2-9 ; *Isaïe*, 14, 20-21 ; *Daniel*, 5, 18-21 ; *Osée*, 8, 4 ; 13, 11 ; *Amos*, 9, 8. Tous ces textes servent à l'auteur pour exposer une vision théocratique de la royauté, qui se laisse conseiller par le sacerdoce et s'humilie devant Dieu et les interprètes de sa volonté. Il ne faut pas pour autant considérer l'*Institution royale* comme une « politique tirée de l'Ancien Testament [1] ». En fait, Jonas cite l'Ancien Testament surtout pour dresser le cadre général dans lequel faire réfléchir sur la royauté.

C'est davantage le *Nouveau Testament* qui est mis à contribution quand il s'agit d'en préciser l'exercice et de définir notamment les rapports de la royauté et du sacerdoce. On trouve ainsi soixante-deux références à quinze textes différents ; parmi celles-ci, cinquante sont explicites. Le livre le plus souvent mentionné est de loin l'évangile de saint Matthieu (quinze références), puis viennent les épîtres de saint Paul, celles de saint Pierre, et l'évangile de saint Luc. Les textes qui étayent plus directement la doctrine de Jonas sont *Matthieu*, 16, 19 ; 22, 21 ; *Luc*, 10, 16 ; *Jean*, 20, 22-23, qui établissent les bases du pouvoir des évêques ; l'*Épître aux Romains* 13, 1-2, fonde l'enseignement sur l'autorité, qui vient de Dieu, et est complétée par la *Première Épître à Timothée*, 2, 1-4, la *Première Épître de Pierre*, 2, 13-14 et *Tite*, 3, 1.

---

1. REVIRON, *Idées*, p. 114 ; cf. aussi DELARUELLE, *Moralisme*, p. 139, qui émet un jugement très sévère sur Jonas à ce propos.

On constate que les textes qui fondent d'une manière décisive le pouvoir et l'autorité des prêtres sont empruntés au Nouveau Testament. Il en va ainsi de la définition donnée par Jonas de l'*Ecclesia* comme corps du Christ, le roi n'en étant qu'un membre, de la définition des évêques comme les successeurs de saint Pierre, de leur pouvoir de lier et de délier et du respect et de l'obéissance qui leur sont dus. En fait, les deux premiers chapitres, fondamentaux pour Jonas, et le chapitre 8, qui décrit les relations entre le roi et les sujets, ne doivent rien à l'Ancien Testament. En revanche, la description du roi juste et surtout celle des rois injustes qui ont connu un sort terrible et ont perdu pour eux-mêmes et leurs descendants la royauté, est tirée de l'Ancien Testament. Jonas exalte ainsi la justice de Salomon, mais montre avec insistance, dans les chapitres 6 et 10 par exemple, le sort des mauvais rois et l'exemple négatif qu'ils constituent pour les rois de son temps.

Il faut souligner aussi que la société parfaite que décrit longuement Jonas dans le chapitre 11 de l'œuvre n'a rien de vétérotestamentaire. C'est au contraire l'idéal de la vie apostolique qui est ici magnifié ; on oppose sa ferveur et sa foi à la sécheresse de cœur et à l'égoïsme des temps actuels ; et c'est la dilection mutuelle et la charité qui sont rappelées à un roi chrétien. Concluons donc que, bien que l'épiscopat carolingien puise dans l'Ancien Testament une image davidique de la royauté, c'est le Nouveau Testament qui lui fournit le modèle de la *uita apostolica* et alimente sa soif de correction, son espoir de voir renaître le christianisme des premiers temps.

Les références scripturaires de Jonas sont en général exactement repérables. Cependant, on trouve quelques erreurs d'attribution. Par exemple, Jonas confond à l'occasion l'Ecclésiaste et l'Ecclésiastique[1]. Il arrive également qu'il

---

1. *Inst. royale*, 3, l. 42.

forge une composition à partir de deux passages différents ;
dans l'Admonition, par exemple, il mêle deux citations de
saint Matthieu pour en tirer le verset suivant : *Vigilate et
orate, quia nescitis diem neque horam*[1]. En outre il répète
cette contraction de textes, dans les mêmes termes, au chapitre 12 de l'*Institution royale*[2].

Jonas cite tous ces textes de mémoire, comme le montrent
des erreurs d'attribution ou des inexactitudes : *Psaume* 126,
5 (*Inst. royale*, Adm., l. 228 : « confundetur cum loquetur »
au lieu de « confundentur cum loquentur ») ; *Sophonie* 1,
15-16 (*Inst. royale*, Adm., l. 237-239 : texte transformé) ;
Ecclésiastique 32, 1 (*Inst. royale*, 3, l. 43 : « Principes te
constituerunt » au lieu de « rectorem te posuerunt »). Mais
certaines « erreurs » ne sont peut-être pas innocentes : ainsi,
dans une citation des *Proverbes* (20, 28), Jonas substitue le
terme de *iustitia* à celui de *clementia* (*Inst. royale*, 6, l. 5-6),
pour insister sur cette vertu qui lui tient à cœur. Il semble
s'agir là d'une adaptation liée au contexte, car Jonas avait
donné précédemment la version exacte dans son chapitre 3
(l. 47).

On voit donc que Jonas connaît à fond les Écritures. Il les
cite fidèlement, mais n'hésite pas quelquefois à les modifier
en douceur, bien que lui-même s'élève contre ceux qui se
permettent d'ajouter ou de retrancher quoi que ce soit à
l'Évangile, compromettant ainsi leur salut[3]. C'est ainsi qu'il
a reproché à Claude de Turin des interpolations. Lui-même
n'est pas toujours au-dessus de tout reproche en ce domaine[4].

---

1. *Matth.* 26, 41 : « Vigilate et orate ut non intretis in temptationem » ; *Matth.* 25, 13 : « Vigilate itaque quia nescitis diem neque
horam. »
2. *Inst. royale*, 12, l. 98-99.
3. *De cultu* (*PL* 106, 355).
4. *PL* 106, 312 ; 330 ; 331 ; 353 ; 355.

Les sources patristiques

On compte dans l'*Institution royale* vingt-neuf citations patristiques, la plupart dans le traité proprement dit. Vingt et une d'entre elles sont explicites. L'auteur le plus cité est incontestablement Isidore de Séville (huit citations dont deux comportent plusieurs chapitres cités intégralement). Viennent ensuite Origène (cinq citations dont deux fois les mêmes textes), Bède (quatre citations), saint Augustin et saint Césaire d'Arles (trois citations), puis Fulgence de Ruspe. Malgré la place modeste de l'évêque d'Hippone dans ce palmarès, il ne faut pas négliger le poids de la pensée augustinienne, qui imprègne la plupart des écrits de Jonas. Par exemple, le chapitre 17 de l'*Institution royale* reproduit presque intégralement le chapitre 24 du livre V de la *Cité de Dieu*. Y est brossé le portrait idéal du roi chrétien, dans lequel on a voulu voir un « miroir des princes ». Les citations de Gélase, de Fulgence et du Pseudo-Cyprien sont également fondamentales pour l'exposition des conceptions politico-religieuses de Jonas d'Orléans.

Les citations d'*Isidore de Séville* fournissent à Jonas sa définition du nom de roi, et son jugement sur le caractère conditionnel de la royauté et sur la place du roi dans l'*Ecclesia*. C'est dire leur importance. Elles lui sont en général correctement attribuées, sauf en deux occasions : au chapitre 3 de l'*Institution royale*, Jonas fait de saint Grégoire l'auteur d'un passage célèbre des *Sentences* d'Isidore [1], et, au début du même chapitre, il n'identifie pas sa citation. Celle-ci fait d'ailleurs partie d'un mélange de textes dont l'origine exacte n'est pas facile à définir. En effet, le manuscrit de Saint-Pierre donne la leçon « Rex a recte regendo », tandis que celui d'Orléans précise « Rex a recte agendo uocatur [2] » ;

---

1. *Sententiae*, 48, 6-7 ; *Inst. royale*, 3, l. 139.
2. Sur ces manuscrits, cf. *infra*, p. 118-123.

dans la suite du texte, ce dernier manuscrit garde la même version alors que le manuscrit de Saint-Pierre donne « Rex a regendo dicitur », ce qui donne un troisième sens à la phrase. En fait, plusieurs textes d'Isidore sont ici combinés. Pour la définition du tyran, Jonas s'écarte largement d'Isidore : le roi mérite son nom s'il gouverne avec miséricorde et justice ; il devient un tyran, c'est-à-dire un usurpateur, s'il règne dans la cruauté et l'injustice [1]. On retrouve Isidore au chapitre 4 de l'*Institution royale*, dans une citation qui, elle aussi, est notablement transformée [2]. Il s'agissait pour Isidore de montrer que le pouvoir royal est là pour imposer par la terreur ce que l'humilité de l'Église ne peut obtenir par l'exposé de la doctrine. Comme on l'a dit plus haut, Jonas a transformé le mot *humilitas* en *utilitas* [3], ce qui change le sens de la phrase et donne une expression dont Jonas fait par ailleurs grand usage dans ses textes conciliaires en l'associant avec le mot *honor* : « ad Dei (Christi) honorem et Ecclesiae utilitatem [4] ». On change d'ecclésiologie, et il se

---

1. *Inst. royale*, 3, l. 3-4 : « S'il manque à ces vertus, il perd le nom de roi » ; Isid., *Etym.*, livre IX, 3, 4 : « Donc, en agissant avec rectitude (recte), il garde le nom de roi ; en péchant, il le perd » ; *Inst. royale*, 3, l. 4-5 : « De fait, les Anciens appelaient tous les rois tyrans » ; Isid., *Etym.*, IX, 19 : « On parle de tyrans en grec. Il en est de même en latin pour les rois. » Pour les contemporains d'Isidore, le mot *tyrannus* désigne le roi illégitime (cf. IVe Conc. de Tolède, 75, éd. Vives, p. 219-20 ; Ve Conc. de Tolède, 2, éd. Vives, p. 227-228 ; Julien de Tolède, *Hist. Wambae*, 6, 1 ; 7, 3 ; 8, 1 ; 9, 4). Isidore lui-même emploie ce sens du mot *tyrannus* pour désigner Athanagild, Hermenegild et Vitéric (cf. *Hist. Gothorum*, 46.47.49.57, éd. Rodriguez Alonso, Leon 1975). Il est donc étonnant que, dans les *Étymologies*, il méconnaisse le sens d'usurpateur. Jonas ne fait que suivre le texte des *Étymologies*.

2. *Sententiae*, 51, 4.5.6.

3. *Sententiae*, 51, 4 et *Inst. royale*, 4, l. 66 (cf. *supra*, p. 93-94).

4. *Conc. Paris* (829), *MGH Conc.* II, p. 621, l. 8 ; p. 629, l. 10 et l. 23 ; p. 667, l. 31. On voit donc encore ici que le pouvoir royal est, aux yeux de Jonas, au service de l'épiscopat, qui occupe la première place dans l'Empire.

confirme que les modifications que Jonas apporte à ses références sont le plus souvent à l'avantage des évêques. Les autres passages d'Isidore cités par Jonas sont relatifs aux bons et aux mauvais juges ainsi qu'à la responsabilité commune du peuple et du roi dans les péchés de ce dernier : les mauvais rois sont la conséquence des péchés du peuple [1].

Jonas d'Orléans emprunte au pape *Gélase I*er la définition des principes qui règlent la marche politique du monde. Mais il en modifie quelque peu le vocabulaire : ainsi l'*imperator augustus* de Gélase devient-il, chez Jonas et dans les actes de Paris, *imperatrices augustae*, formule qu'on retrouvera dans les actes de 836 [2]. La citation où Gélase expose les deux réalités qui régissent le monde prend une signification différente chez Jonas. Il s'agit ici de deux *personae* qui revêtent un caractère sacré (*imperatrices augustae*), qui était absent de la pensée de Gélase. La citation de Jonas est d'ailleurs très brève et ne reproduit pas la suite du texte de Gélase ; le pape y précisait que la supériorité des pontifes ne s'exerçait qu'en matière religieuse (« religionis ordine »), les évêques étant soumis à l'autorité impériale au temporel (« ordo publicae disciplinae »). Un tel abrègement peut aussi en quelque sorte être considéré comme une manipulation du texte.

Jonas cite intégralement le chapitre 9 du traité des *Douze abus du siècle* du Pseudo-Cyprien composé en Irlande dans les années 620-630 [3], et qui fut souvent utilisé durant le Moyen Age. Ce texte était attribué tantôt à saint Augustin, tantôt à saint Cyprien, voire à saint Patrick ou à Isidore de Séville. Jonas, qui l'attribue à saint Cyprien, respecte le

---

1. *Sententiae*, 48, 6, 7, 9, 11.

2. *MGH Conc.* II, p. 705, l. 19 s. ; JONAS : « Duae sunt imperatrices augustae », cf. GÉLASE : « Duo sunt, imperator auguste » (*PL* 59, 42 et éd. Schwartz, *op. cit.*, n° 10).

3. PS.-CYPRIEN, *De duodecim abusivus saeculi* (éd. Hellmann, Leipzig 1909).

texte, sauf au début où il s'en écarte légèrement, sans doute à cause d'un manuscrit fautif.

De *saint Augustin*, Jonas donne l'intégralité du chapitre de la *Cité de Dieu* qui propose l'idéal de l'empereur chrétien dans le dernier chapitre de l'*Institution royale*, après l'avoir introduit. Cette citation, hormis quelques variantes mineures, est conforme au texte de saint Augustin. Le fait que les paroles de saint Augustin aient été choisies pour clore l'ouvrage montre bien quelle considération Jonas d'Orléans avait pour l'évêque d'Hippone. Il ne s'en cache pas et l'exprime même dans l'introduction de ce même chapitre de l'*Institution royale*, comme aussi dans le *De cultu imaginum*[1]. L'influence de la pensée augustinienne sur Jonas dépasse de beaucoup cette longue citation de la *Cité de Dieu*. Toute l'Admonition lui emprunte en fait son idéal de sainteté et de justice.

Les auteurs païens

Seul *Virgile* est ici à mentionner. Jonas l'évoque dans la pièce de vers qui suit l'Admonition à Pépin, en précisant que ses vers sont bien inférieurs aux siens[2]. En outre, il y a le vers de l'*Énéide* cité dans le chapitre 5 de l'*Institution royale*. Le lieu où l'attention de Jonas a été attirée vers lui est facile à déterminer : ce vers est celui-là même que cite saint Augustin dans la préface de la *Cité de Dieu*[3]. Voilà de quoi confirmer la dépendance de Jonas d'Orléans à l'égard de saint Augustin.

---

1. *Inst. royale*, 17, l. 9-10 et *De cultu* (*PL* 106, 317 B) : « Le plus éloquent des docteurs latins, le défenseur et le protecteur le plus vigoureux de l'Église de Dieu. »
2. *Inst. royale*, Vers, l. 8.
3. *Énéide*, VI, 853, cité en Aug., *Ciu.*, Pr. et I, 6 (*BA* 33, p. 192 et 206) et en *Inst. royale*, 5, l. 59-60.

Sources canoniques

On trouve dans l'*Institution royale* une citation du canon 58 du concile de *Laodicée*, dans la version de l'*Hispana*[1]. On peut donc supposer que Jonas disposait de cette collection canonique, peut-être par l'intermédiaire de la bibliothèque de son prédécesseur, Théodulf, qui était un émigré espagnol.

Jonas et la *Règle* de saint Benoît

Jonas connaît et utilise la *Règle* de saint Benoît, dans son « Admonition » au roi Pépin[2]. On retrouve également l'influence ou l'esprit de la *Règle* dans la première partie de l'Admonition, en particulier dans l'opposition marquée par Jonas entre la *conditio humana* et la *professio christiana*[3], ou dans l'évocation des « choses terrestres passagères et temporaires » que l'on retrouve dans l'Admonition[4]. De même, le premier instrument des bonnes œuvres : « aimer le Seigneur Dieu de tout son cœur, de toutes ses forces ; ensuite son prochain comme soi-même », se retrouve dans l'Admonition qui regroupe dans le même ordre des versets du *Deutéronome* et de l'évangile de saint Matthieu[5]. Cette connaissance de la *Règle* est normale chez un évêque, puisque l'épiscopat avait normalement la charge, sous le règne de Louis le Pieux, de la surveillance des monastères placés sous sa juridiction et de l'application de la stricte

---

1. *Inst. royale*, 13, l. 94-95.
2. *Inst. royale*, Adm., l. 143-145.215-216 : allusions à la *Règle de saint Benoît* (*SC* 181, p. 412 et 460).
3. *Inst. royale*, Adm., l. 115 et l. 128.
4. *Règle de saint Benoît*, 2, 37 (*SC* 181, p. 450) et *Inst. royale*, Adm., l. 112-113 : « fumea caducaque gaudia mundi » ; l. 136-137 : « de transitoriis ad aeterna ».
5. *Règle de saint Benoît* (*SC* 181, p. 456-457) ; *Deut.* 6, 5 et *Matth.* 22, 39.

observance prévue par la réforme de Benoît d'Aniane. Cela
ne suffit pas à faire de Jonas un ancien moine, mais montre
bien l'impact qu'a eu la réforme de Benoît d'Aniane sur les
évêques carolingiens.

En résumé, Jonas n'a pas apporté d'éléments nouveaux à
la réflexion sur les rapports entre l'Église et l'État. Tous ceux
qu'il utilise étaient déjà connus depuis longtemps. Ce qui est
nouveau, par contre, c'est leur juxtaposition en un dossier
cohérent d'autorités justifiant l'entrée en scène et le pouvoir
grandissant de l'épiscopat carolingien aux dépens du pouvoir royal. Ce dossier fut réutilisé par des auteurs plus
célèbres que lui, comme Hincmar de Reims, dont la pensée
lui doit beaucoup.

L'érudition de Jonas est relativement large. Il convient
donc de poser la question difficile de l'origine de cette érudition. Jonas connaît bien la plupart de ses sources et ne les
utilise pas de façon anthologique. Il ne semble pas faire
usage de chaînes, comme le supposaient Reviron et
Delaruelle. Il a pu se servir quelquefois de recueils de *sententiae*, mais sa connaissance de saint Augustin, de saint
Grégoire, d'Isidore ou du Pseudo-Cyprien est manifestement issue des œuvres elles-mêmes, et non de compila-
tions [1]. Il cite certains auteurs de mémoire, et sait reconnaître les emprunts ou les plagiats commis par certains de
ses contemporains [2]. La documentation que Jonas avait à sa

---

1. Jonas renvoie souvent le lecteur à des textes qu'il ne peut pas citer
en entier ; par ex., sur la mystique des nombres, il renvoie globalement
aux *Moralia* de Grégoire (*Inst. des laïcs*, 5, *PL* 106, 131 D) ; pour les
décrétales, il renvoie aux collections : « A celui-ci [le pape
Innocent Ier], je renvoie qui désire s'informer avec zèle et curiosité »
(*Inst. des laïcs*, 7, *PL* 106, 134 A) ; il renvoie aussi à des séries de textes :
« Nous en sommes informés de manière très complète dans les livres de
la Cité de Dieu... et dans le livre des Dialogues du bienheureux
Grégoire à l'étude attentive desquels nous renvoyons le lecteur » (*De
cultu imaginum*, livre I, *PL* 106, 329 B).
   2. Claude de Turin, cité dans *De cultu* (*PL* 106, 312.330.331).

disposition devait donc être notablement plus étendue qu'on ne l'a cru généralement. Si l'on considère l'ensemble de l'œuvre, on peut dire avec Manitius qu'elle dépasse même celle d'Alcuin[1]. Il est, à bien des égards, un bon représentant du renouveau de la culture à l'époque carolingienne.

2. LA MÉTHODE LITTÉRAIRE

L'*Institution royale*, comme la plupart des « miroirs des princes », fait une large place à la compilation et s'apparente au genre des florilèges. Jonas, on s'en est rendu compte, était un homme de dossiers. De plus, comme Théodulf, Smaragde ou encore Hincmar, il fonde toujours ses démonstrations sur l'exposé des *auctoritates*. Il s'agit d'un procédé constant dans la littérature carolingienne, et Jonas l'applique dans tous ses écrits, en particulier dans l'*Institution des laïcs*, où il déclare avoir rassemblé en un bouquet les fleurs des saintes Écritures et les paroles des Pères[2]. Il précise, du reste, dans la suite que les docteurs qui l'ont précédé ont dû s'enfoncer dans la forêt des saintes Écritures pour en tirer les paroles salutaires qui composent les « Institutions canonique et monastique[3] ». Ceci montre bien que, dans l'esprit de Jonas, l'*Institution des laïcs*, qui est elle-même le modèle de l'*Institution royale*, a été composée à l'exemple des « Institutions » promulguées en 816-817. Ce terme d'institution n'a pas le sens que nous lui donnons actuellement ; il signifie plutôt mise en ordre, voire règle, comme l'a souligné Carlo De Clercq[4]. Ce sens correspond

---

1. M. MANITIUS, *Geschichte der lateinischen Literatur des Mittelalters* I, Munich 1911, p. 377.

2. *PL* 106, 123-124.

3. *PL* 106, 124 A.

4. C. DE CLERCQ, *La Législation religieuse franque*, t. II, Louvain-Anvers 1958, p. 8 et 13.

tout à fait au souci de réforme et de reprise en mains de la société que manifeste constamment l'épiscopat carolingien. Ce souci s'applique aussi bien aux laïcs et à l'empereur lui-même qu'aux moines ou aux chanoines.

Jonas veut rendre indiscutable la réforme en la corroborant par l'exposé des autorités. Son raisonnement se coule en effet presque toujours dans la même structure. Il commence par exposer un principe, ou un abus à corriger, puis il présente le dossier des autorités qui y correspond, les reliant les unes aux autres par des petites phrases explicatives ; et il termine son exposé par une conclusion en forme d'exhortation. Seul le chapitre 17, dans l'*Institution royale*, échappe à cette structure, car il est tout entier fait d'une longue citation du chapitre 24 du livre V de la *Cité de Dieu*, précédée seulement d'un court paragraphe introductif.

La méthode de Jonas se caractérise par la mise en ordre d'extraits de ses propres textes, de canons conciliaires et d'autorités qui illustrent son raisonnement. D'où, dans la plupart de ses œuvres, de nombreuses expressions caractéristiques de la compilation. Ce sont le plus souvent des expressions introductives (« constat ergo », « quia constat »), démonstratives (« proinde necesse est », « oportet ut », « necesse est ut »), des renvois internes (« in superioribus capitulis demonstratur », « sicut praemissum est ») ou des formules de conclusion (« his omnibus praelibatis », « quibus uerbis liquido claret »). Ce style de compilation se retrouve tout au long de l'*Institution royale*.

Jonas recourt volontiers aux *topoi* littéraires les plus usuels : la médiocrité de l'auteur, le souci qu'il a de ne pas lasser le lecteur et d'éviter la prolixité, la mention d'une documentation très abondante qu'il ne fait que résumer. L'ensemble de ces procédés ne contribuent pas à alléger le style.

3. Langue et style

Jonas d'Orléans, nous l'avons dit, fut l'un des artisans de ce qu'on a coutume d'appeler la « Renaissance carolingienne ». Il en est un bon représentant, comme Paul Diacre ou Théodulf.

On peut distinguer malgré tout dans l'*Institution royale* deux styles différents, qui correspondent à l'histoire du texte. En effet, pour une large part, cette œuvre est issue des actes du concile de Paris en 829. Des actes, ce sont des documents administratifs, donc écrits dans un style précis, quelquefois lourd et répétitif. Jonas est un homme de dossiers ; c'est selon ce critère qu'il faut interpréter les parties de l'ouvrage issues des actes du concile. Dans ces passages, le style est impersonnel et démonstratif ; il s'agit alors, d'une part, de rédiger des canons qui fixent la position réciproque des deux pouvoirs en place dans la société du temps et, d'autre part, de stigmatiser les abus en vue de les corriger.

Les passages issus de l'*Institution des laïcs* présentent en partie les mêmes caractéristiques, mais le style y est plus personnel. C'est ainsi que l'on voit, au chapitre 11, Jonas décrire avec enthousiasme et nostalgie la dévotion et la ferveur des temps apostoliques [1], s'indigner avec véhémence de la sécheresse de cœur de ses contemporains [2] et s'étonner de ce que les chrétiens attachent plus d'importance au droit des hommes qu'à la loi de Dieu [3]. Le tableau qu'il dresse de son époque dans ce chapitre est du reste très sombre et probablement exagéré. Il en va de même au chapitre 14, dans lequel Jonas s'en prend dans un style direct et familier aux fidèles qui, à l'église, passent leur temps à bavarder, à médire et à empêcher les autres de prier.

1. *Inst. royale*, 11, l. 33-73.
2. *Inst. royale*, 11, l. 74-94.
3. *Inst. royale*, 11, l. 95-100.

Cependant, la partie la plus personnelle reste l'Admonition qui précède le traité. Rédigée avec clarté et élégance, cette pièce respecte les formes traditionnelles du discours adressé aux princes et, à certains égards, s'apparente aux panégyriques de l'Antiquité. On y trouve l'exaltation classique de la lignée du roi, de sa grandeur, de sa beauté et de sa sagesse, ce qui n'empêche pas Jonas d'énumérer finalement la liste des quatre conseils qui lui semblent nécessaires à l'exercice de la fonction royale.

La langue de Jonas est caractéristique de ce type de document, et plus généralement de la littérature carolingienne. L'ensemble est écrit en bon latin, avec à l'occasion une tendance à l'archaïsme et une certaine recherche dans le vocabulaire. Il y a, par exemple, l'utilisation du mot *prosapia* pour désigner la lignée royale [1]. A l'inverse, la langue présente les altérations bien connues du latin carolingien. Ainsi ne manquent pas les propositions complétives introduites par *quia* ou *quoniam*, là où aurait dû être utilisée dans la langue classique une proposition infinitive.

Cependant, en l'absence de manuscrit autographe, il est difficile de faire la part des altérations provenant de Jonas lui-même ou dues aux copistes des manuscrits en notre possession. Que penser de ces fréquentes altérations de voyelles — *neglegens* pour *negligens* — ou de consonnes — *obtime* pour *optime*, *capud* pour *caput* — voire de recompositions archaïsantes comme *obprobria* ou *obprimere* ? On lit aussi d'anciennes graphies comme *dampnatio* au lieu de *damnatio*, *solempnis* au lieu de *sollemnis*, *michi* pour *mihi* ou *nichil* pour *nihil*.

Comme la plupart de ses contemporains, Jonas introduit volontiers une pièce de vers au milieu d'un texte en prose. Ici un poème sert à dédicacer l'ensemble du traité au souverain. La versification en est classique : six distiques élé-

---

1. *Inst. royale*, Adm., l. 7.

giaques qui ne manquent pas d'aisance, et où l'auteur use du *topos* de sa médiocrité comparée au talent et à la renommée de celui qui reste la référence, Virgile. Jonas tente manifestement d'imiter l'auteur de l'*Énéide,* mais avec un succès limité.

V
LES MANUSCRITS

La tradition manuscrite de l'*Institution royale* est relativement réduite. Elle se limite aux trois manuscrits suivants :
- *R* Vatican, *Archivo S. Pietro, lat. D 168* ;
- *A* Paris, B.N., *Nouv. acq. lat. 1632* ;
- *B* Vatican, *Barberini 3033*.

L'examen et la description de ces trois manuscrits permettent d'en donner un classement simple et de reconstituer les étapes de l'élaboration de l'œuvre.

1. Le manuscrit de Saint-Pierre de Rome

Conservé actuellement à la Bibliothèque Apostolique du Vatican, ce manuscrit est celui qu'a utilisé le premier éditeur du texte, Luc d'Achery. Il s'agit d'un volume en parchemin, comptant 78 feuillets numérotés de 1 à 37 et de 58 à 98 par suite d'une erreur de compte, due probablement à Jacques Grimaldi, qui était notaire et sacristain de Saint-Pierre [1]. Au bas du folio 1, on reconnaît les armes du cardinal Giordano Orsini. A la fin du texte de Jonas d'Orléans, au folio 98 r, on peut lire une curieuse inscription hébraïque de quatre lignes écrite en rouge par le même scribe, puis la traduction en latin, effectuée par J. Grimaldi, donnant le texte suivant :

*Significatio haebraice huius annotationis haec est /
1. Amer scripsit Anno Domini Mille quatuor / 2. Liber pipini / 3. Pier Damian Cardinalis de Ursinis / S. R. E. Cardinalis.*

Cette inscription pose un problème paléographique complexe, mais permet la datation précise et l'identification du

---

1. Jacques Grimaldi est l'auteur de l'inventaire des livres de la basilique Saint-Pierre paru en 1598 et de l'index datant de l'année 1603, dans lequel il donne au traité de Jonas le nom de *Liber ad Pippinum regem.*

manuscrit. Elle a d'abord été étudiée par dom Wilmart, puis par Cesare Questa en 1957[1]. En fait, ce manuscrit doit être mis en rapport avec un autre manuscrit de Saint-Pierre, le n° *H 49*, qui est écrit de la même main que le *D 168* ; dans la marge du folio 1 figurent les armes du cardinal Giordano Orsini et au folio 147 v une souscription en lettres hébraïques, dont la traduction est selon Questa : « Scriptum in Constantie die XV Ianuarii anno Domini millesimi CCCCVI ». A la fin du codex (fol. 151 r), on peut lire : « Explitiunt per manus Guiglielmi Hamer de Keiser-sw(er)de », puis une autre inscription hébraïque signifiant « pro monsignor de Ursinis ».

On sait donc que les deux manuscrits ont été copiés par Guillaume Hamer de Kaiserswerth au début du XVe siècle. D'autre part, Questa a donné une autre traduction de l'inscription figurant sur le manuscrit *D 168* : il faut lire en fait « pro domino cardinale de Ursinis / Sancte romane ecclesie Cardinalis ».

Cette interprétation éclaire une partie du problème et supprime la nécessité d'une référence à un Pierre Damien, cardinal Orsini, impossible à trouver sur les listes des XIVe et XVe siècles. En revanche, Giordano Orsini, cardinal en 1405, est précisément venu à Constance en même temps que l'antipape Jean XXIII en octobre 1414, à l'occasion du XVIe concile œcuménique, qui siégea dans cette ville de 1414 à 1418. Le cardinal Giordano Orsini était un grand amateur de livres. Il avait été archiprêtre de Saint-Pierre et sa collection constitue la majeure partie de l'Archivo San Pietro, auquel il a légué sa bibliothèque.

D'autre part, Hamer n'est pas un nom juif et les inscriptions que nous avons citées ne sont pas écrites en hébreu, mais elles sont de simples translittérations de mots latins en

1. C. QUESTA, *De duobus codicibus olim Iordani Ursini Cardinalis hebraice subscriptis* (*Note e discussione erudite*, 6), Rome 1957.

caractères hébraïques, obtenues selon le système juif alle-
mand du XVᵉ siècle. On peut donc raisonnablement en
conclure que le scribe des deux manuscrits n'était pas juif,
mais avait des accointances avec certains juifs allemands des
milieux ashkenazes. Il est difficile de connaître la cause de
ces translittérations : peut-être le scribe voulait-il simplement montrer sa connaissance de l'hébreu pour se valoriser
auprès de son commanditaire.

En résumé, la deuxième partie du manuscrit *D 168* et la
totalité du manuscrit *H 49* ont été écrits par un chrétien,
Hamer de Kaiserswerth, qui fréquentait les milieux juifs
d'Allemagne au début du XVᵉ siècle.

En outre, on remarque au folio 98 r du manuscrit *D 168*
que la première ligne de l'inscription en caractères
hébraïques signifiant « Amer scripsit... quatuor » est suivie
d'une ligne vide. Puisqu'il est exclu que le manuscrit ait été
réalisé en 1004, il peut s'agir soit d'une erreur du scribe
(dans ce cas 1004 vaudrait 1400), soit d'une inscription
incomplète que le copiste aurait oubliée ou n'aurait pas eu
le temps de compléter, dans la ligne libre. Cette hypothèse
est renforcée par le caractère hâtif et imprécis de cette souscription, si on la compare au texte précis de la souscription
figurant au folio 147 v du manuscrit *H 49*. On sait que
celui-ci a été copié en 1406. Le *D 168* a probablement été
rédigé dans les années 1414-1418, date du séjour du cardinal à Constance.

Par ailleurs, un catalogue de Reichenau, datant de la
deuxième moitié du IXᵉ siècle (*Donaueschingen 191*,
fol. 160 v-163 v), mentionne un manuscrit figurant sous le
titre de « Admonitio Ionae episcopi ad Pippinum[1] ». Ce

---

1. G. BECKER, *Catalogi Bibl. Antiq.*, 1885, p. 35, nº 283 et
Mittelalterliche Bibliothekskataloge Deutschlands und der Schweiz,
t. 1, p. 265. Becker attribue ce ms par erreur au *scriptorium* de Saint-
Gall.

titre, peu précis comme c'est bien souvent le cas dans les
catalogues médiévaux, n'est pas forcément le titre original
du manuscrit : il pourrait tout aussi bien avoir été donné par
le copiste de Reichenau à un manuscrit sans titre. Or, le catalogue de Reichenau était depuis le XIVe siècle à la cathédrale
de Constance, à laquelle il appartenait[1] et où Hamer a pu le
consulter. Il n'est donc pas interdit de penser que la copie
d'Hamer, réalisée à Constance comme celle du manuscrit
H 49 au début du XVe siècle, a pu être réalisée d'après le
manuscrit du monastère de Reichenau tout proche.

2. LE MANUSCRIT D'ORLÉANS (*A*)

Conservé actuellement à la Bibliothèque Nationale de
Paris sous le n° 1632 des *Nouvelles Acquisitions Latines*, ce
manuscrit de la cathédrale d'Orléans faisait partie de la collection de Guillaume Prousteau, laquelle a constitué par la
suite le fonds primitif de la Bibliothèque publique
d'Orléans.

Baluze en réalisa une copie en 1717[2]. Ce manuscrit, qui
faisait partie des manuscrits volés par Libri, entra en 1888
dans les collections de la Bibliothèque Nationale[3]. Il a été
décrit par L. Delisle[4]. La dernière édition de l'*Institution
royale,* publiée par J. Reviron, ne signale pas ce manuscrit,
qui avait pourtant été déjà utilisé en 1723 par Louis-

---

1. G. F. HAENEL, *Catalogi librorum manuscriptorum qui in
bibliothecis Galliae, Helvetiae, Belgiae... asservantur,* Leipzig 1830.
2. La copie existe encore sous la cote : Paris, *coll. Baluze 206,*
fol. 227-250.
3. Cf. L. DELISLE, dans *Notices et extraits des manuscrits de la
Bibliothèque Nationale* 31-1 (1884), p. 416.
4. L. DELISLE, *Catalogue des manuscrits des fonds Libri et Barrois,*
Paris 1888, p. 111-115.

François-Joseph de La Barre pour la deuxième édition du *Spicilège* de Luc d'Achery [1].

Le manuscrit, considéré comme perdu par Dümmler et par Manitius [2], se trouvait pourtant toujours à la Bibliothèque Nationale, où il a été redécouvert par C. Erdmann à l'aide des notes de Gerhard Laehr, lequel avait déjà retrouvé en 1930 la copie de Baluze. Erdmann a décrit et largement commenté le manuscrit en 1935, en éditant un certain nombre de textes figurant dans celui-ci [3]. Parallèlement, et à la même époque (été 1930), dom Wilmart, dans son article critiquant l'édition Reviron de l'*Institution royale*, a également redécouvert le manuscrit, en a donné une collation et l'a utilisé pour corriger les graphies fautives de l'édition Reviron [4].

C. Erdmann, J. Scharf et H. H. Anton ont fait une analyse critique de ce manuscrit qui contient cinq chapitres de l'*Institution royale*, mais également, on l'a vu, vingt-quatre chapitres dénués de titre qui présentent des similitudes frappantes avec le traité d'Hincmar sur la personne du roi et le ministère royal. La rédaction de ces *capitula* est antérieure à celle du traité d'Hincmar et ne peut être attribuée à ce dernier. On peut constater par ailleurs que leur méthode de rédaction est très proche de celle des œuvres conciliaires de Jonas d'Orléans et de l'*Institution royale*.

Nous pensons qu'il faut voir dans les *capitula* un dossier d'autorités rassemblées par Jonas d'Orléans pour définir la position de l'empereur Louis par rapport à la guerre, dans le

---

1. *Spicilegium sive collectio aliquot scriptorum qui in Galliae bibliothecis deliterant*, t. I, p. 324-335.

2. *MGH Ep.* V, p. 349-353 et M. MANITIUS, *Geschichte der lateinischen Literatur des Mittelalters* I, Munich 1911, p. 380, note 3.

3. C. ERDMANN, « Ein karolingischer Konzilsbrief und der Fürstenspiegel Hincmars von Reims », *Neues Archiv* 50 (1935), p. 106-134.

4. WILMART, *L'Admonition*, p. 214-233.

cadre de la lutte de celui-ci contre ses fils révoltés en 833. Les *capitula* constituent bien un « miroir des princes », mais d'un contenu particulier, car il traite de la guerre juste, de la nécessité de la fermeté du roi dans la guerre et dans l'exercice de la justice ; et il justifie la peine de mort. Il semble que Hincmar se soit servi pour une large part de ces *capitula*, en les modifiant profondément et en les ordonnant, pour rédiger son propre traité sur la personne du roi et le ministère royal.

Les *capitula* sont suivis d'une lettre à l'empereur Louis des évêques présents à un concile qui n'est pas nommé. J. Scharf place ce concile à Worms en 833, alors que H. H. Anton date la lettre d'après l'année 836. Cette lettre a probablement été rédigée par Jonas d'Orléans.

Enfin, la dernière partie du florilège, composée de vingt chapitres numérotés, présente de nombreuses similitudes avec les actes du concile d'Aix-la-Chapelle en 836 et surtout avec le traité des biens ecclésiastiques que Jonas envoya à Pépin d'Aquitaine à la suite de ce concile. C'est un véritable dossier d'autorités justifiant le respect des biens ecclésiastiques. Comme dom Wilmart l'avait déjà remarqué, il semble bien que le florilège tout entier est l'œuvre de Jonas d'Orléans et constitue un dossier dont la rédaction est liée à la deuxième révolte des fils de Louis le Pieux contre leur père.

3. LE MANUSCRIT DU FONDS BARBERINI (*B*)

Conservé à la Bibliothèque apostolique du Vatican sous la cote *Barberini 3033*, ce manuscrit du XVIIᵉ siècle est signalé pour la première fois par dom Wilmart en 1933, dans sa critique de l'édition Reviron de l'*Institution royale*. Il est défini dans l'inventaire du fonds Barberini réalisé par Pieralisi comme un recueil des « Opuscula quae erant inter

schedas Iosephii Mariae Suaresii alienis manibus exarata [1] ».
Il s'agit bien en effet d'un assemblage de textes de toutes
époques, sans qu'on puisse y trouver un fil directeur.

Le manuscrit comporte un grand nombre d'écritures différentes, toutes du XVIIe siècle, et un nombre important de
feuillets vierges, disséminés un peu partout. Il s'agit donc
bien d'un assemblage d'éléments hétéroclites.

Quoi qu'il en soit, l'écriture d'un correcteur du
XVIIe siècle (B 2) est présente partout sous forme de notes,
de dates, de corrections ou d'identifications. Notons que
l'on peut retrouver cette écriture dans une annotation figurant en haut de la table d'un index de la Bibliothèque vaticane écrit en 1603 [2].

La partie du manuscrit B qui reproduit le traité de Jonas
(fol. 29 r-53 v) est datée par le copiste lui-même
(fol. 43 r) du 22 mars 1625. Celui-ci, pour une raison difficile à déterminer, a reproduit une deuxième fois (fol. 54-
55 v) une partie de la lettre de Jonas au roi Pépin, c'est-à-
dire les folios 29 r et v, 32 r et v du texte qu'il avait
lui-même écrit précédemment.

Le fait qu'il ait également reproduit une notice des
Annales de l'Église d'Orléans (fol. 56 et 57 v) semblerait
indiquer qu'il s'agit d'un bibliothécaire ou d'un biblio-
graphe. Mais cette hypothèse est contredite par le fait que la
copie est entachée de nombreuses erreurs et confusions. Il y
manque également tout un folio, entre les folios 34 et 35,

---

1. *Inventarium codicum manuscriptorum bibliothecae Barberini,*
red. a D. Pieralisi bibliothecario et in tomos viginti tres distributum ;
t. XIII, n° XXX-49 (*Lat.* 3033) ; Pieralisi était bibliothécaire au Vatican
en 1902. Giuseppe Maria Suarez (1633-1667) fut vicaire du cardinal
Carlo Barberini (mort en 1704).

2. *Index omnium singulorum librorum Bibliothecae Sacrosanctae*
Vaticanae Bibliothecae principis Apostolorum, fol. X'-XI. Dans cet
index, le traité de Jonas est défini comme : *a Ionae Aurelianensis epi-*
scopi liber ad Pippinum Regem.

dans le corps du chapitre 3 du traité. *B 2* a refait la pagination de la copie de *B*, a vu cette lacune et a sauté du folio 11 au folio 14 dans sa propre pagination. En outre, il a rectifié un peu partout les fautes de copie ou de latin de *B*. Dans l'ensemble, la copie de ce manuscrit est médiocre.

4. CLASSEMENT DES MANUSCRITS
DE L'*INSTITUTION ROYALE* ET STEMMA

Le classement des manuscrits est relativement simple, mais comporte quelques particularités. En effet, la structure de l'*Institution royale* et l'importance des emprunts qu'elle fait aux actes du concile de Paris[1] impose d'introduire ceux-ci dans le classement des témoins.

En premier lieu, la comparaison de *A* et de *R*, pour les cinq chapitres communs aux deux manuscrits, met en évidence un certain nombre de différences :

– Le titre du chapitre 1 diffère dans *A* et dans *R* : *A* présente l'expression *Ecclesia catholica* qu'on peut assimiler à la variante *Ecclesia uniuersalis* des actes de Paris, alors que *R* se contente de définir l'Église comme *corpus Christi*, puis présente une suite comparable à *A*.

– La deuxième partie du titre du chapitre 1 est identique chez *A* et *R*, mais est écourtée dans les actes de Paris : la responsabilité des prêtres vis-à-vis des rois n'y est pas évoquée. Le titre du chapitre 2 est identique chez *A* et *R*, mais n'existe pas dans les actes de Paris (III, canon 8).

– Le texte de *R* présente dans le chapitre 1 une lacune, qui n'existe pas dans *A*[2]. Il s'agit manifestement d'une erreur de copiste : autrement le texte de *R* serait incompréhensible,

---

1. Cf. *supra*, p. 35-38.
2. *Inst. royale*, 1, l. 7-8 : « sacerdotalis videlicet et regalis tantoque est praestantior... »

puisqu'il lui manquerait l'évocation d'un des deux pouvoirs. Le texte des actes de Paris présente les deux termes
évoquant ces pouvoirs, mais ne parle toujours pas de la responsabilité des prêtres vis-à-vis des rois.

– Au chapitre 3, on trouve deux différences essentielles :

= *A* et les actes de Paris mettent l'accent sur la rectitude ;
dans *R*, c'est l'exercice de la royauté qui fait le roi : *Rex a
recte regendo.*

= Les actes de Paris et *R* présentent un développement de
quelques lignes sur le tyran, qu'on ne retrouve pas dans *A*.

– Dans le chapitre 4, c'est l'inverse : *A* insiste sur le fait
que le roi doit défendre l'Église par les armes, et protéger les
indigents. Les actes de Paris et *R* ne parlent pas de cette obligation.

On constate donc l'existence de deux rédactions du texte
en ce qui concerne les cinq chapitres communs à *A* et à *R*.
Bien que dérivant toutes deux du concile de Paris, elles présentent des leçons différentes dans leur intention.
Cependant, *R* est généralement plus proche du texte des
actes. La majorité des variantes mineures confirme cette
proximité plus grande. *R* met l'accent sur la notion de
royauté et sur le fait qu'un roi injuste perd son nom et
devient un tyran. En outre, *R* qui suit les actes de Paris
conserve au chapitre 2, dans son énumération des attributs
de l'épiscopat, le mot *auctoritas,* qui n'existe pas dans *A*[1].
Jonas d'Orléans souligne ainsi l'*auctoritas* des évêques qui
s'impose aux princes. *A* au contraire reste plus discret sur ce
point et insiste seulement sur la nécessité pour le roi de
défendre l'Église par les armes. Il souligne également que le
premier devoir inféré par la royauté est la rectitude. On
trouve donc ici deux intentions différentes.

---

1. *Inst. royale*, 2, l. 7.

A, on l'a dit, est le dossier préparatoire d'un concile de l'époque de Louis le Pieux. Cependant la partie de l'*Institution royale* présente dans *A* n'a pas à l'origine été écrite à l'intention de cet empereur, puisqu'on y trouve dans le chapitre 3 un paragraphe dédicatoire manifestement destiné à Pépin [1]. En effet, le titre de *Vestra Serenitas* s'applique toujours à celui-ci chez Jonas d'Orléans. En outre, *A* et *R* précisent tous deux : « per uos, proceres ceterique fideles... » alors que les actes de Paris donnent : « per uos filii et proceres [2] ». Ceci montre bien que Jonas a repris une partie de l'*Institution royale,* dédiée à Pépin, dans la rédaction de son florilège. Cependant, en modifiant plus tard son texte à l'intention de Louis le Pieux — à celui-ci il n'était pas besoin de rappeler l'*auctoritas* des évêques —, il a négligé d'en retirer le passage destiné à Pépin. Il faut noter que dans *A*, seuls les chapitres définissant les bases de la royauté et le ministère royal ont été extraits de l'*Institution royale*. L'Admonition n'y figure pas, et les chapitres concernant la piété et les œuvres pas davantage.

En résumé, *A* n'est pas issu directement des actes de Paris, mais d'un manuscrit de l'*Institution royale,* qui n'est pas celui qui est à l'origine de *R*. Sans constituer à proprement parler une nouvelle version du texte, *A* en présente une reformulation en fonction d'un nouveau destinataire, l'empereur Louis. Ce résultat est confirmé par le fait que *A* et *R* proposent déjà le regroupement des canons I, 2 et I, 3 des actes de Paris en un seul chapitre et intègrent la pétition des évêques de Paris (III, canon 8) dans le chapitre 2 de l'*Institution royale*.

Voici donc ce qui peut être tiré de la comparaison de *R* et de *A*. Passons aux rapports entre *R* et *B*. La dépendance du second par rapport au premier paraît évidente. Il en repro-

1. *Inst. royale*, 3, l. 48-56.
2. *Inst. royale*, 2, l. 6-7.

duit notamment la datation fautive à l'année 1004 et l'erreur de foliotation de Grimaldi [1].

On a vu que *R* est rédigé avec un certain soin. Ce n'est pas le cas de *B*. La copie est mauvaise, lacunaire — il y manque, on l'a vu, tout un passage du chapitre 3 de l'*Institution royale* — et comporte de nombreuses erreurs. Elle a manifestement été faite en vue d'une étude, ou d'une édition du texte, comme le prouvent les références bibliographiques qui figurent aux folios 56 à 57 v. La parenté de *B* par rapport à *R* est certaine puisque le correcteur du manuscrit *B* (*B 2*) a indiqué la source de la copie au folio 54 r de la manière suivante : « codice bibliothecae Capituli Basilicae S. Petri in sancto... subsequitur opusculum Petri Damiani Cardinalis Ostiensis de Institutione Regis. »

On sait que dom Luc d'Achery avait eu connaissance de l'existence à Rome des manuscrits de l'*Institution royale* de Jonas et de la *Voie royale* de Smaragde grâce à son ami Émeric Bigot [2]. Luc d'Achery demanda alors à dom Arnaud Boisserie, qui était *socius* du procureur des Mauristes à la Curie romaine, de les transcrire et de lui en envoyer la transcription [3]. Luc d'Achery entretenait une correspondance suivie avec les procureurs généraux qui représentaient la Congrégation de Saint-Maur à Rome [4], et en particulier avec dom Placide Le Simon, qui assura les fonctions de procureur des Mauristes de 1627 à 1661, et avec ses *socii* Callixte Adam, puis dom Arnaud Boisserie. Celui-ci fut *socius* à partir de 1660 et succédait à dom Louis Vairon qui avait assuré

---

1. Voir *supra*, p. 118 et note 1.
2. L. D'ACHERY, *Spicilegium* V, *lectori*, p. 10.
3. Luc d'Achery, en 1661, précise que cette démarche avait eu lieu « il y a près de deux ans ». La lettre, aujourd'hui perdue, devait donc dater de 1660.
4. J. FOHLEN, « Dom Luc d'Achery (1609-1685) et les débuts de l'érudition mauriste », *Revue Mabillon*, 55 (1965), p. 149-175 ; 56 (1966), p. 1-98 ; 57 (1967), p. 17-41 et 56-159.

cette fonction pendant trois ans. Ainsi la copie destinée à Luc d'Achery a-t-elle dû être réalisée vers la fin de l'année 1660.

Dom Wilmart pensait que *B* avait pu être la copie ayant servi à l'édition de Luc d'Achery[1]. Cela semble difficile pour les raisons suivantes :

– le copiste du manuscrit *B* date lui-même une partie de sa copie de l'année 1625, soit trente-six ans avant l'édition de Luc d'Achery ;

– la collation des leçons de la première édition du *Spicilège* montre qu'elles sont différentes de celles du manuscrit *B ;*

– si *B* avait fourni la base de l'édition de Luc d'Achery, le manuscrit ne serait pas conservé dans le fonds *Barberini* de la Vaticane, d'où il n'a pas bougé depuis le XVIIᵉ siècle, mais à la Bibliothèque nationale de Paris avec les textes de Luc d'Achery.

On a vu que le manuscrit *B* est en fait un assemblage d'éléments disparates réunis « inter schedas Josephi Mariae Suaresii ». Ce Suarez, né à la fin du XVIᵉ siècle était bibliothécaire du cardinal Barberini ; celui-ci l'avait fait venir à Rome en 1629. En 1633, il fut nommé à l'évêché de Vaison, où il resta jusqu'en 1666. Cette année-là, il se défit de son évêché en faveur de son frère et revint à Rome, où il devint responsable de la Bibliothèque du Vatican et vicaire de la Basilique Saint-Pierre. Il mourut le 8 décembre 1677. Il faisait partie des correspondants de Luc d'Achery[2]. Or, le manuscrit *B* comporte des papiers dont le dernier fut rédigé en 1676 (fol. 84 v).

Par ailleurs, on sait que, avant 1629, Luc Holstein était bibliothécaire de la Barberine. Il devint ensuite responsable

---

1. WILMART, *L'Admonition*, p. 216, note 4.
2. Il lui écrivit une lettre datée du 2 novembre 1667, conservée à la B.N. (*Fr. 17689, 21*).

de la Bibliothèque vaticane. La partie de *B* concernant l'*Institution royale* a donc peut-être été rédigée sur son ordre, dans le but d'une édition ou d'une étude du texte.

En revanche, *B 2* qui a corrigé le texte de *B* après 1676, est un italien, comme le montrent les commentaires écrits de sa main au folio 93 r du manuscrit. Il a identifié, on l'a dit, les extraits copiés par *B* des annales de Charles de la Saussaye, et a rédigé lui-même une notice sur la vie et les œuvres de Jonas. C'est un bibliothécaire du Vatican, comme le montre son annotation dans l'index de 1603. *B 2* a manifestement rectifié les erreurs de *B* grâce au manuscrit de Saint-Pierre de Rome, et peut-être à l'aide d'une copie du manuscrit *A* ou d'un manuscrit aujourd'hui disparu. Il a probablement travaillé pour les éditeurs de la deuxième édition du *Spicilège* de Luc d'Achery. Pour celle-ci, on a utilisé le manuscrit *A*, dont Baluze avait pris une copie (Paris, B.N., *Baluze 206*). Peut être ce dernier avait-il voulu collationner les deux manuscrits. En tout cas, les corrections ont été écrites après 1662 puisque *B 2* donne le titre de *De institutione regis* à l'œuvre. Or, ce titre a été donné par Labbe en 1662 [1].

En résumé, nous disposons d'un manuscrit tardif (*R*) mais complet — résultant de la copie par le scribe Hamer d'un manuscrit du IXe siècle, qu'on appellera α (c'est le manuscrit de Reichenau) — et d'une copie partielle de l'*Institution royale* réalisée à Orléans dans l'entourage de Jonas (*A*), et représentant une deuxième rédaction du texte. Quant à *B*, il doit être considéré comme un simple dérivé de *R*, mais il présente des corrections réalisées à l'aide d'un autre manuscrit. On peut donc établir le *stemma codicum* suivant :

---

1. Cf. *infra*, p. 132 : *Regis christiani institutio*.

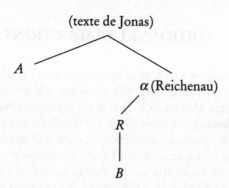

A et *α* étaient probablement contemporains et dérivaient d'une copie de l'exemplaire original remis à Pépin. Cet exemplaire n'est pas conservé.

La tradition manuscrite de l'*Institution royale* est donc très mince, comme le faisait déjà remarquer dom Wilmart[1]. Cependant, l'utilisation des actes de Paris, source essentielle du texte de Jonas, permet de la renforcer considérablement.

1. WILMART, *L'Admonition*, p. 215.

VI
ÉDITIONS ET TRADUCTIONS

L'*Institution royale* resta longtemps dans l'oubli, bien que le dossier d'autorités qu'elle contenait eût été utilisé pendant tout le Moyen Age. Et si le *De cultu imaginum* connut de nombreuses éditions dès le XVIᵉ siècle en raison des problèmes religieux de cette époque, c'est seulement un siècle plus tard qu'on redécouvrit l'*Institution royale*.

Cette redécouverte semble due au hasard, si l'on en croit le premier éditeur, Luc d'Achery [1]. Nous avons vu que son ami Emeric Bigot lui en avait signalé l'existence, et qu'il en demanda une copie au *socius* du procureur des Mauristes à Rome. D'Achery introduisit cette édition dans le tome V de son *Spicilège* en 1661 d'après le manuscrit romain [2].

L'ouvrage fut également édité en 1662 par Philippe Labbe à la suite de la *Géographie royalle présentée au très chrétien roi de France et de Navarre Louys XIV*, sous le titre de *Regis christiani institutio* [3], probablement à partir de la première édition du *Spicilège* de Luc d'Achery.

L'*Institution royale* fut traduite en français la même année par Des Mares sous le titre d'*Instruction d'un roi chrétien par Jonas, évêque d'Orléans, au roi Pépin*. Le titre de cette traduction donne à penser qu'elle fut réalisée sur la base de l'édition de Labbe. Cependant, nous n'avons, pas plus que J. Reviron, pu trouver cette traduction, qui d'après les auteurs de l'*Histoire littéraire* a été éditée à Paris, en 1662 chez Louis Billaine [4].

---

1. L. D'ACHERY, *Spicilegium*, V, *Lectori*, p. 10.
2. *Ibid.*, t. V, 1661, p. 57-104.
3. Paris, chez Jean Henault, 1662. Seule cette édition comporte le texte de Jonas d'Orléans.
4. *Histoire Littéraire de la France*, t. V, p. 27.

Deux éditions et une traduction dans un espace de deux ans montrent bien l'intérêt que l'œuvre de Jonas suscita à ce moment-là. La dédicace de Labbe au roi Louis XIV a probablement aussi une valeur significative, à un moment où l'on réfléchissait sur la nature divine du pouvoir royal. Aux sermons de Jonas d'Orléans font écho les sermons de Bossuet. En 1662, quand l'*Institution royale* de Jonas fut traduite, Bossuet prêchait au Louvre devant Louis XIV. Or, comme le remarque Reviron, il utilise, dans sa *Politique tirée des propres paroles de l'Écriture Sainte*[1], le texte de saint Augustin sur les bons rois, qui constitue le chapitre 17 de l'*Institution royale* de Jonas[2]. Bossuet a-t-il lu Jonas ? Quoi qu'il en soit, la pensée théologique de Bossuet est nourrie des mêmes références bibliques et patristiques que celle de Jonas.

On est donc en droit de penser que l'édition et la traduction de l'*Institution royale* ont trouvé une audience chez les théoriciens de l'absolutisme, comme Bossuet, qui fut du reste chargé de l'éducation du Dauphin. Bossuet rappelle comme Jonas que tout pouvoir vient de Dieu et donc que toute révolte contre les pouvoirs est impie. Il insiste également sur les devoirs des rois, dont le pouvoir n'a d'autre limite que celle de la religion. Ainsi constate-t-on que la pensée de Jonas, à travers huit siècles, retrouva alors une actualité politique.

Le traité de Jonas fut réédité en 1723 pour la nouvelle édition du *Spicilège*, par L. F. J. de La Barre[3]. Ce texte était amendé grâce à la copie que Baluze avait faite du manuscrit

---

1. REVIRON, *Idées*, p. 46 ; J.-B. BOSSUET, *Politique tirée des propres paroles de l'Écriture Sainte*, Paris 1709, éd. J. Le Brun, Droz, 1967.
2. *Cité de Dieu*, V, 24.
3. *Spicilegium sive collectio veterum aliquot scriptorum qui in Galliae Bibliothecis delituerant*, 1723, t. I, p. 324-335.

d'Orléans. C'est cette édition amendée qui fut reproduite par Migne dans la Patrologie[1].

Le texte de la lettre dédicatoire de l'*Institution royale* a été édité séparément par Dümmler, d'après une collation de R. Arnold, un correspondant de Dümmler. Dom Wilmart estimait à bon droit que cette collation n'était pas exempte d'erreurs[2].

En 1930, Jean Reviron réédita le traité d'après une reproduction photographique du manuscrit de Saint-Pierre de Rome, qu'il collationna avec la deuxième édition du *Spicilège*. Cette méthode fut sévèrement critiquée par dom Wilmart, qui publia les rectifications qu'il proposait pour la préface et les quatre premiers chapitres[3]. Le texte fut par la suite repris et traduit par Mlle Odile Boussel dans le cadre d'une thèse de l'École des Chartes en 1964[4]. Plus récemment, une traduction anglaise de l'œuvre a été publiée aux États-Unis par R. W. Dyson, avec une brève introduction[5].

Tous les éditeurs du texte ont conservé le titre traditionnel de l'œuvre : *De institutione regia*. Cependant, ce titre n'est pas originel. En effet, c'est Luc d'Achery qui l'a proposé, comme il le dit lui-même dans sa préface, en parallèle à celui du *De institutione laicali*[6], alors que le manuscrit

---

1. *PL* 106, 279-306.
2. *MGH Ep.* V (1899), p. 346-355 ; WILMART, *L'Admonition*, p. 216, note 1.
3. WILMART, *L'Admonition*, et REVIRON, *Idées* (Cf. la bibliographie, p. 144).
4. O. BOUSSEL, *Le* De institutione regia *de Jonas d'Orléans, Un miroir des princes au IXe siècle* (Thèse de l'École des Chartes), 1964 ; compte-rendu dans *Positions des thèses de l'École des Chartes pour l'année 1964*, Paris 1964, p. 29-31.
5. R. W. DYSON, *A Ninth-Century Political Tract : The* De institutione regia *of Jonas of Orleans*, New York 1983.
6. *Spicilegium*, 1e éd., préface, p. 5.

dont il disposait n'en portait pas. Il faut noter que c'est également Luc d'Achery qui, dans la première édition du *Spicilège*, avait attribué le titre d'*Institution des laïcs* au traité adressé à Matfrid.

Dom Wilmart a proposé de donner au traité le titre qui figure dans le catalogue de Reichenau, dont nous avons déjà parlé : *Admonitio Ionae episcopi ad Pippinum*. Ce titre a l'avantage d'être à peu près contemporain de la composition de l'œuvre. Cependant, deux objections s'opposent à un tel choix :

– le titre ne s'applique qu'à la lettre dédicatoire de l'œuvre ; il ne correspond pas à l'ensemble du traité ;

– le titre donné à Reichenau n'est probablement pas le titre original de l'œuvre, car il est trop imprécis. D'autre part, si un tel titre avait figuré sur le manuscrit lui-même, le copiste Hamer de Kaiserswerth n'aurait pas manqué de le recopier. En effet, la transcription du manuscrit est très soignée, et la présence des gloses en caractères hébraïques, que nous avons citées, est un autre exemple du soin apporté par le scribe à la réalisation de sa copie. Le titre de Reichenau a probablement été donné après coup par un bibliothécaire incertain du titre original. Il n'y a aucun moyen de connaître celui-ci. Nous avons donc gardé pour désigner l'ensemble de l'œuvre le titre de Luc d'Achery, qui est devenu d'usage courant.

Cependant, il faut remarquer que le manuscrit *B* fait une différence entre la lettre dédicatoire et le traité lui-même ; au folio 29 r, une main qui n'est pas celle de *B*, mais en est sûrement contemporaine, donne le titre suivant :

« Ionae Episcopi Aurelianensis / Ad / Pippinum Regem Ludovici Pii Augusti Filium / Admonitio et Opusculum de munere Regio ».

Ce titre a l'avantage de différencier la lettre dédicatoire et le traité, et d'utiliser les termes dont Jonas use lui-même pour désigner les deux parties de son œuvre [1] : *admonitio* et *opusculum*. Certes, ce titre est très tardif et ne correspond pas à une tradition sûre, mais nous préférons le conserver en tête de notre édition, puisque c'est le seul titre figurant dans un quelconque des manuscrits de l'œuvre. Cependant, la plupart du temps, nous utilisons le titre d'*Institution royale*, sous lequel le traité est généralement connu.

---

1. *Inst. royale*, Adm., l. 34 et présentation du traité, à la fin de la table des chapitres : « Sequitur opusculum... » (Chapitres, l. 40).

VII
PRINCIPES D'ÉTABLISSEMENT DU TEXTE

1. LES DIVISIONS DU TEXTE

Elles ne sont connues que par le manuscrit de Saint-Pierre de Rome, mais elles existaient sous cette forme dans le texte original, comme Jonas le dit lui-même à la fin de l'Admonition [1].

L'*Institution royale* est introduite, nous l'avons dit, par une lettre dédicatoire ou « Admonition » adressée par Jonas à Pépin Ier, roi d'Aquitaine. Ce texte est suivi d'une pièce comprenant douze vers et de la table des chapitres du traité. Ce dernier se compose de dix-sept chapitres de taille inégale, le troisième et le onzième étant les plus longs.

Dans le manuscrit d'Orléans, les trois premières pièces manquent : seuls demeurent les chapitres 1, 2, 3, 4 et 6 du traité, mais sans numérotation. Cependant, comme dans *R* et *B*, chaque chapitre est précédé de son titre. Pour ce qui est du déroulement de l'ensemble du texte, nous le conservons tel qu'il se présente dans les manuscrits *R* et *B* ; ceux-ci suivent le plan original.

2. ORTHOGRAPHE ET PONCTUATION

Chaque manuscrit présente des particularités orthographiques. Ainsi *A* comporte des « ç » cédillés, *B* en met souvent alors que son modèle n'en comporte pas. *A* et *B 2* connaissent les diphtongues : *ae* ou *oe* (dans *mundanae* par exemple). *A* donne les formes *capud, ammonitio, damnatio, opprimere, contemnere* alors que *R* donne *caput, admonitio,*

---

1. *Inst. royale,* Adm., l. 251-253 : « ... in sequentibus... congesta capitulatim ponuntur ».

dampnatio, *obprimere*, *contempnere*. Par contre les termes utilisés par *L* ou *C* sont le plus souvent conformes au latin classique. *R* donne systématiquement *hii* pour *hi*, *ymmo* pour *immo*, *nichil* pour *nihil*, *michi* pour *mihi*. Nous n'avons pas tenu compte de ces variantes pour l'établissement du texte.

Ne disposant pas d'un manuscrit original, il a fallu renoncer à retrouver la ponctuation carolingienne. La ponctuation de *A* n'est pas toujours conforme au sens, celles de *R* et de *B* sont totalement anarchiques. Nous avons donc pris le parti de présenter une ponctuation conforme au sens du texte.

Puisque le texte critique est édité à l'IRHT, nous n'avons signalé en note que quelques variantes ayant une implication importante pour le sens.

BIBLIOGRAPHIE

I. Œuvres de Jonas d'Orléans

De cultu imaginum = *De cultu*. La lettre dédicatoire a été éditée par Dümmler (*MGH Ep*. V, p. 353-355), le reste du texte est en *PL* 106, 305-388.

De rebus ecclesiasticis non inuadendis = *De rebus* (*MGH Conc*. II, p. 724-767 à la suite des actes du concile d'Aix).

Institution des laïcs = *Inst. des laïcs*. La lettre dédicatoire est en *MGH Ep*. 5, p. 346-347, les chap. 1 à 16 du livre II dans la thèse d'O. Dubreucq (Lille 1986) et la capitulation en *DAEM* 44 (1988), p. 93-97. L'ensemble du texte figure dans *PL* 106, 121-278.

Institution royale = *Inst. royale* (la présente édition sous le titre : *Le Métier de roi*). La première partie constitue l'« Admonition au roi Pépin » (= Adm.).

Vita secunda sancti Hucberti (*ASS* novembre, t. I, p. 806-818).

II. Études et travaux

AMANN (E.), art. « Jonas, évêque d'Orléans », *Dictionnaire de Théologie Catholique*, 8 (1925), col. 1504-1508.

AMELUNG (K.), *Leben und Schriften des Bischofs Jonas von Orleans* (Diss., Leipzig 1888), Dresde 1888 (= AMELUNG, *Leben und Schriften*).

ANTON (H. H), *Fürstenspiegel und Herrscherethos in der Karolingerzeit* (*Bonner Historische Forschungen*, 32), Bonn 1968.

—, « Pseudo-Cyprian, *De duodecim abusivis saeculi* und sein Einfluss auf den Kontinent, insbesondere auf die karolingischen Fürstenspiegel », dans *Die Iren und Europa im früheren Mittelalter* (*Veröffentlichungen des Europa Zentrums Tübingen : Kulturwissenschaftliche Reihe*), Stuttgart 1982, p. 568-617.

—, « Zum politischen Konzept karolingischer Synoden und zur karolingischen Brüdergemeinschaft », *Historisches Jahrbuch*, 99 (1979), p. 55-132.

ARQUILLIÈRE (H. X.), *L'Augustinisme politique : essai sur la formation des théories politiques du Moyen Age* (*L'Église et l'État au Moyen Age*, 2), 2ᵉ éd., Paris 1955.

—, « Réflexions sur l'essence de l'augustinisme politique », dans *Augustinus Magister. Congrès international augustinien, Paris, 21-24 septembre 1954, Communication*, Paris 1954, p. 991-1001.

BELL (D. M.), *L'Idéal éthique de la royauté en France au Moyen Age d'après quelques moralistes de ce temps*, Genève, Paris 1962.

BLUM (W.), *Byzantinische Fürstenspiegel : Agapetos, Theophylakt von Ochrid, Thomas Magister* (*Bibliothek der griechichen Literatur ; Bd. 14, Abteilung : Byzantinistik*), Stuttgart 1981.

BOOZ (E.), *Fürstenspiegel des Mittelalters bis zur Scholastik* (Diss.), Freiburg 1913.

BORN (L. K.), « The *Specula Principis* of the Carolingian Age », *Revue belge de philosophie et d'histoire*, 12 (1933), p. 583-612.

BOSL (K.), *Frühformen der Gesellschaft im mittelalterlichen Europa*, München-Wien-Oldenburg 1964.

BOUSSEL (O.), *L'*Institutio regia *de Jonas d'Orléans, un miroir des princes du IXe siècle* (Thèse), Paris 1964, 2 vol. (résumé dans *Position des thèses de l'École des Chartes,* 1964, p. 29-31).

BOWERS (M. F.), *The Liber Manualis of Dhuoda. Advice of a Ninth Century Mother for Her Son* (Diss., Catholic University of America), Washington (DC), 1977.

BRADLEY (Sister R.), « Backgrounds of the Title *Speculum* in Medieval Literature », *Speculum,* 29 (1954), p. 100-115.

BRUNHÖLZL (F.), *Histoire de la littérature latine du Moyen Age, t. I : De Cassiodore à la fin de la renaissance carolingienne,* vol. 2 : *L'époque carolingienne* (trad. mise à jour de l'éd. all. de 1975), Brepols 1991, p. 155-159.

CONGAR (Y.), *L'Ecclésiologie du haut Moyen Age,* Paris 1968 (= CONGAR, *Ecclésiologie*).

CHELINI (J.), *L'Aube du Moyen Age (La vie religieuse des laïcs dans l'Europe carolingienne),* Paris 1991.

DARRICAU (R.), art. « Miroir des princes », *Dictionnaire de Spiritualité (= DSp),* 10 (1979), col. 1303-1312.

DELARUELLE (E.), « En relisant le *De institutione regia* de Jonas d'Orléans : l'entrée en scène de l'épiscopat carolingien », dans *Mélanges d'histoire du Moyen Age dédiés à Louis Halphen,* Paris 1951, p. 185-192.

—, « Jonas d'Orléans et le moralisme carolingien », *Bulletin de littérature ecclésiastique,* 3 (1954), p. 129-143 et 222-228 (= DELARUELLE, *Moralisme*).

DHUODA, *Educare nel medioevo per la formazione di mio figlio : manuale (Di fronte e attraverso,* 116), trad. Gabriella Zanoletti d'après l'éd. française ; Introd.. Simona Gavinelli, Milan 1982.

DHUODA, *Manuel pour mon fils (SC* 225 bis), Introd., texte critique, notes par P. Riché ; trad. B. de Vregille et C. Mondésert, 2e éd., Paris 1991.

DUBREUCQ (A.), *Le* De institutione regia *de Jonas d'Orléans* (Thèse de doctorat de l'Université de Paris IV), édition, traduction, commentaire, Paris 1992 (= DUBREUCQ, *Regia*).

DUBREUCQ (O.), *Le* De institutione laicali *de Jonas d'Orléans : éd., trad., comment. du livre 2, chap. 1 à 16* (Thèse de troisième cycle de l'Université de Lille III), Lille 1986, 4 vol.

FOLZ (R.), *L'Idée d'empire en Occident du Ve au XIVe siècle*, Paris 1953.

GARCIA MARTINEZ (A.), « El primer tradado politico-religioso del siglo IX », *Crisis : revista espanola de filosofia*, 4 (1957), p. 239-264.

GUILLOT (O.), « L'exhortation au partage des responsabilités entre l'empereur, l'épiscopat et les autres sujets vers le milieu du règne de Louis le Pieux », dans *Prédication et propagande au Moyen Age : Islam, Byzance, Occident*, Paris 1982, p. 87-110.

—, « Une *ordinatio* méconnue : le capitulaire de 823-825 », dans *Charlemagne's Heir*, Oxford 1990, p. 455-486.

—, RIGAUDIERE (A.), SASSIER (Y.), *Pouvoirs et institutions dans la France médiévale : Des origines à l'époque féodale*, t. I, Paris 1994.

HADOT (P.), art.« Fürstenspiegel », *Reallexikon für Antike und Christentum*, 8 (1972), col. 555-632.

HANNICK (C.), art. « Fürstenspiegel », *Lexikon des Mittelalters*, 4 (1989), col. 1040-1058.

Histoire littéraire de la France, par des religieux bénédictins de la congrégation de Saint-Maur, art. « Jonas d'Orléans », t. V, Paris 1740, p. 20-31.

HUGEDE (N.), *La Métaphore du miroir dans les Épîtres de saint Paul aux Corinthiens* (*Bibliothèque théologique*), Delachaux et Niestlé, Paris 1957.

« Ionas episcopus Aurelianensis » (notice), dans *Repertorium fontium historiae medii aevi*, primum ab

Augusto Potthast digestum, nunc cura collegii historico-rum e pluribus nationibus emendatum et auctum, t. 6, Rome 1990, p. 431-433.

JEHL (R.), « Die Geschichte des Lasterschemas und seiner Funktion von der Väterzeit bis zur karolingischen Erneuerung », *Franziskanische Studien*, 64 (1982), p. 331 s.

KLINKENBERG (H. M.), « Über karolingische Fürstenspie-gel », *Geschichte in Wissenschaft und Unterricht*, 7 (1956), p. 82-98.

LAEHR (G.), ERDMANN, (C.), « Ein karolingischer Konzilsbrief und der Fürstenspiegel Hincmars von Reims », *Neues Archiv*, 50 (1935), p. 106-134.

LA SAUSSAYE (C.), *s.v.* « Jonas d'Orléans », *Annales Ecclesiae Aurelianensis*, Paris 1615, p. 313-316.

LE CLANCHE (Y.-M.), *La position de Jonas d'Orléans vis-à-vis de l'empereur Louis le Pieux : un évêque loyaliste ou subversif ?* (Mémoire de maîtrise sous la dir. d'O. Guillot, Université Catholique d'Angers ; Institut d'histoire), Angers 1988.

LECLERCQ (J.), « Un maître spirituel : Smaragde de Saint-Mihiel », dans *Deux témoins du IXe siècle*, t. II, Paris 1965, p. 58-83.

MATHON (G.), art. « Jonas d'Orléans », *Catholicisme*, 6 (1966), col. 946-948.

MAYEUR (J.-M.) *et al.*, *Histoire du christianisme des origines à nos jours*, t. IV : DAGRON (G.) *et al.*, *Évêques, moines et empereurs (610-1054)*, Desclée 1993.

NAZ (R.), art. « Jonas d'Orléans », *Dictionnaire de droit canonique*, 6 (1957), p. 186-187.

NITHARD, *Histoire des fils de Louis le Pieux*, éd. Lauer, Paris 1926 (= NITHARD, *Histoire*).

PACAUT (M.), *La Théocratie. L'Église et le pouvoir au Moyen Age*, Paris 1957.

QUAGLIONI (D.), « Il modello del principe cristiano : Gli *Specula principum* fra medio evo e prima eta moderna », dans *Modelli nella storia del pensiero politico*, I, éd. V. I. Comparato, Florence 1987.

RÄDLE (F.), *Studien zu Smaragd von Saint-Mihiel* (*Medium Aevum*, 29), München 1974.

REVIRON (J.), *Les Idées politico-religieuses d'un évêque du IXᵉ siècle : Jonas d'Orléans et son De Institutione regia : étude et texte critique* (*L'Église et l'État au Moyen Age*, 1), Paris 1930 (= REVIRON, *Idées*).

RICHÉ (P.), *Écoles et enseignement dans le haut Moyen-Age*, 2ᵉ éd., Paris 1989.

—, « Sources pédagogiques et traités d'éducation », dans *Les Entrées dans la vie : initiations et apprentissages, 12ᵉ congrès de la Société des historiens médiévistes de l'enseignement supérieur public*, Presses universitaires de Nancy, Nancy 1981.

ROCHAIS (H. M.), art. « Florilèges spirituels », *DSp* 5 (1964), col. 435-465.

SALMON (A.), « Notice sur les manuscrits de la bibliothèque du tribunal de Beauvais, avec appendice sur un traité de Jonas, évêque d'Orléans », *Revue des Bibliothèques*, 8 (1898), p. 362 s.

SAVIGNI (R.), *Giona di Orleans. Una ecclesiologia carolingia*, Bologne 1989.

—, « Uso della scrittura e societas christiana carolingia : Giona di Orleans », *Annali di storia dell'esegesi*, 8 (1991), p. 631-655.

SCHADE (H.), art. « Jonas d'Orléans », *Lexikon für Theologie und Kirche*, 5 (1960), col. 946-948.

SCHARF (J.), « Studien zu Smaragdus und Jonas », *Deutsches Archiv für Erforschung des Mittelalters*, 17 (1961), p. 333-384 (= SCHARF, *Studien*).

SCHMIDT (M.), art. « Miroir », *DSp* 10 (1979), col. 1290-1303.

SCHMIDT (W. A.), *Verfassungslehren im IX. Jahrhundert :
die Fürstenspiegel und politische Schriften des Jonas von
Orleans, Hinkmar von Rheims, Sedulius Scottus,
Servatus Lupus und Agobard von Lyon* (Diss.), Mayence
1961.

TEXTE

ET

TRADUCTION

IONAE EPISCOPI AVRELIANENSIS AD PIPPINVM REGEM LVDOVICI PII AVGVSTI FILIVM ADMONITIO ET OPVSCVLVM DE MVNERE REGIO

\<ADMONITIO\>

Domino nobilissimo, prosapia, pulchritudine atque sapientia praestantissimo, Pippino regi gloriosissimo, Ionas, minimus famulorum Christi famulus, praesentis futuraeque uitae optans beatitudinem.

Quod tantum temporis effluxit, ex quo ignarus extiti tantae prudentiae uestrae erga regium honorem, tantae deuotionis erga diuinum cultum, tantae uoluntatis erga diuinum timorem et amorem, tantae etiam humilitatis erga sacerdotale ministerium, quam uobis nuper gratia Christi administrante inesse didici, nulli alii nisi meae adscribo hebitudini. Nec immerito, quippe cum uestrae potestati, in cuius regno ortus et altus litterisque admodum imbutus comaque capi-

---

1. Jonas utilise le terme de *potestas*, c'est-à-dire « pouvoir royal », par opposition à l'*auctoritas*, qui relève du domaine spirituel.

DE JONAS, ÉVÊQUE D'ORLÉANS, AU ROI PÉPIN, FILS DE L'AUGUSTE LOUIS LE PIEUX ADMONITION ET OPUSCULE DE LA CHARGE ROYALE.

ADMONITION

Au très noble seigneur, très remarquable par son lignage, par sa beauté et sa sagesse, au très glorieux roi Pépin, Jonas, tout petit serviteur des serviteurs du Christ, souhaitant le bonheur pour la vie présente et à venir.

Que tant de temps se soit écoulé sans que je me rende compte d'un tel discernement de votre part dans la charge royale, d'une telle dévotion à l'égard du culte divin, d'un tel zèle dans la crainte et l'amour de Dieu, de tant d'humilité envers le ministère sacerdotal — qualités dont j'ai appris récemment, avec l'aide de la grâce du Christ, qu'elles étaient vôtres —, je ne l'attribue à rien d'autre qu'à ma stupidité. Et non sans raison, puisque j'ai dû en quelque sorte m'en remettre de droit et avec fidélité à votre pouvoir [1] — dans le royaume duquel je suis né et ai été élevé [2], où j'ai été entiè-

---

2. Ces indications constituent les seules données que l'on possède sur l'origine géographique de Jonas (cf. l'introduction, p. 9).

tis deposita, Christi militiae sum mancipatus, iure fideli-
20 terque debui obsecundare ei quoquomodo, utpote uerendo
et delitescendo potiusque subterfugiendo, propter blasphemias et obprobria atque mendatia quorumdam prauorum
hominum, qui meam extremitatem apud serenitatem uestram astu diabolico, odio et inuidia pleno, persaepe diffa-
25 mauerunt, me corpore non animo subtraxerim, non atten-
dens illud, quod Dominus in consolationem eorum,
quorum uita maliuolorum ore decerpitur, per Isaiam prophetam loquitur dicens : *Ne timeatis obprobria hominum
neque blasphemias eorum metuatis, quoniam sicut ignis, sic*
30 *deuorabit eos uermis et sicut uestimentum sic comedet eos
tinea. Salus autem mea in sempiternum erit et iustitia mea in
generationes generationum* [a].

Non igitur praesumerem uestrae quippiam celsitudini
admonitionis gratia scribere, nisi fretus extitissem de uestra
35 cernua sublimitate et experimento didicissem ea, quae ad
amorem et timorem Dei animarumque salutem pertinent,
uos feruenter uelle discere et libenter audire ; quoniam
memores illius sententiae, qua dicitur : *Qui obdurat aurem*

---

a. Is. 51, 7-8

---

1. Il s'agit ici probablement de la tonsure cléricale. Jonas, suivant en
cela saint Augustin, voit dans les *milites Christi* les serviteurs de Dieu
en général, et non les seuls moines, par opposition à la *militia saecularis*, qui désigne les laïcs. Jonas se désigne d'ailleurs volontiers comme le
serviteur de Dieu (*famulus Christi*, cf. *supra* l. 3).

2. *Plenus* est normalement suivi du génitif, mais l'ablatif se rencontre
déjà dans la langue classique (cf. CICÉRON, *Verr.*, 4, 126 ; CÉSAR, *De
bello Gall.*, 1, 74).

3. *Extremitas* : substantif formé, comme *extremum*, à partir d'*exter* ;
extremitas a plutôt un sens géographique (« extrémité, bout, fin ») alors
qu'*extremum* possède, outre son sens premier de « le plus éloigné vers
l'extérieur », un sens figuré de « situation désespérée, extrémités ». Du
Cange donne à *extremitas* le sens de « signe d'infériorité ». Si on admettait le sens d'éloignement géographique, la signification de la phrase

rement formé aux lettres et où, ayant reçu la tonsure, je me suis consacré au service du Christ [1] — mais que je m'y suis soustrait par le corps mais non par l'esprit, par crainte et en me cachant, ou plutôt en me dérobant devant les calomnies, les opprobres et les mensonges de certains hommes tortueux qui, avec une fourberie diabolique, pleine de haine et de jalousie [2], ont très souvent dénigré ma petitesse [3] auprès de Votre Sérénité, sans prêter attention à ce que dit le Seigneur par l'intermédiaire du prophète Isaïe pour consoler ceux dont la vie est fauchée par les propos des hommes malveillants [4] : « Ne craignez pas les opprobres des hommes et ne craignez pas leurs mensonges, car ainsi que le feu, la vermine les dévorera, et ainsi qu'un vêtement, la mite les mangera. Mais mon salut durera à jamais, et ma justice pour les générations des générations [a] [5]. »

Je ne me serais pas permis d'écrire quoi que ce fût à Votre Altesse [6] pour l'admonester, si je n'avais pas eu confiance dans la magnanimité de Votre Grandeur, et si je n'avais pas connu par l'expérience votre désir d'apprendre avec ferveur et d'écouter avec joie tout ce qui touche à l'amour et à la crainte de Dieu, ainsi qu'au salut des âmes ; car, vous souvenant de cette phrase par laquelle il est dit : « Celui qui

serait tout autre, puisque le diocèse d'Orléans, dont Jonas était l'évêque au moment de cet écrit, était situé à la lisière du royaume d'Aquitaine. Il faut cependant retenir le sens de « petitesse », puisque Jonas l'utilise aussi dans la préface de l'*Inst. des laïcs* : « Tuae super strenuitatis litteras suscepi, quibus meam extremitatem commonefecisti » (*PL* 106, 121).

4. Jonas évoque ici les intrigues fomentées contre lui à la cour de Pépin et les circonstances de sa fuite du royaume d'Aquitaine en 817 (cf. l'introduction, p. 12). Il signale un peu plus haut (l. 11) qu'un laps de temps considérable s'est déroulé depuis cette époque.

5. *Is.* 51, 7-8 : « Nolite timere obprobrium hominum et blasphemias eorum ne metuatis. »

6. *Celsitudo Vestra* : titre honorifique attribué dans le haut Moyen Age à l'empereur, cf. MARCULF, *Form.*, lib. 1, n° 16.

suam, ne audiat legem, oratio eius execrabilis erit [b], regium
40 fastum deponitis creatorique uestro famulatum exhibetis et
ad eius salutifera praecepta aurem cordis et corporis subpo-
nitis.

Licet enim illo donante, a quo est *omne datum optimum
et omne donum perfectum* [c], quid uobis agendum quidue
45 cauendum sit, adprime noueritis et ad id exsequendum plu-
rimos famulatores Christi consultores in promptu habeatis,
tamen, quia pars illorum fidelissima ex isto et illorum colle-
gio me adscisco et deinceps totis nisibus adscisci exopto,
non absurdum debet uideri, nec subsiciuum haberi exiguum
50 admonitionis munusculum, quod ex modico pectoris mei
thesauro uobis, domino meo, porrigere praesumo.

Proinde, mi domine rex serenissime, officii mei memor et
salutis uestrae, quam plurimum cupio, fidelis atque indissi-
mulatus debitor existens, moneo humiliter celsitudinem
55 uestram, ut sedulo perpendatis, qualiter tempora mundi
perpete cursu praeterlabantur et quod eius gaudia omnibus
mortalibus luctu finiantur, seu quod honor et amor illius,
pompa atque dulcedo, omnibus amaritudinem generet ;
necnon et illud, quod omnis filius Adam uermis sit et
60 putredo et quod, secundum illud quod uoce dominica
primo parenti nostro dicitur, *puluis sit et in puluerem cito
redigatur* [d], unde scribit quidam :

     « Brachia non retrahunt fortes nec purpura reges,
          Sed quicumque uenit puluere, puluis erit. »
65 Quia ergo constat tam labilem, tam fragilem existere hanc
uitam, morborum diuersorum generibus et multifariarum

---

b. Prov. 28, 9   c. Jac. 1, 17   d. Cf. Gen. 3, 19

---

1. Amalgame de *Prov.* 28, 9 : « Qui declinat aures suas » et de *Deut.*
15, 7 : « Non obdurabis cor tuum... », cités de mémoire par Jonas.

2. Jonas emprunte cette notion au prologue de la *Règle de saint
Benoît*, 1 : « Inclina aurem cordis tui » (*SC* 181, p. 412), dans lequel elle

endurcit son oreille [1] pour ne pas entendre la loi, sa prière sera exécrable [b] », vous renoncez à la fierté royale, vous montrez votre allégeance à votre créateur et vous prêtez l'oreille du cœur [2] et celle du corps à ses commandements salutaires.

En effet, bien que vous sachiez avant toute chose, par la grâce de celui « par qui tout don est excellent et toute donation parfaite [c] », ce que vous devez faire ou éviter, et bien que vous ayez à votre disposition pour ce faire un très grand nombre de conseillers et de serviteurs du Christ, mais étant le plus fidèle d'entre eux, je me joins à leur collège et, par conséquent, je désire de toutes mes forces y être associé ; il ne faut donc pas considérer comme absurde ni secondaire le tout petit et modeste cadeau de mon admonition, tiré du pauvre trésor de mon cœur.

Ainsi donc, mon seigneur, ô roi sérénissime, me souvenant de ma fonction, et débiteur fidèle et sincère de votre salut, que je désire au plus haut point, j'engage humblement Votre Altesse à méditer avec attention la manière dont les instants du monde s'échappent en une course sans fin ; la manière dont ses joies s'achèvent dans la douleur pour tous les mortels ; ou encore la manière dont les honneurs et l'amour de ceux-ci, la pompe et les plaisirs, engendrent pour tous l'amertume ; et aussi, le fait que tout fils d'Adam est vermine et pourriture et, selon ce que dit la voix du Seigneur à notre premier père, qu'« il est poussière et retournera vite à la poussière [d] », comme quelqu'un l'a écrit :
« Leurs bras ne retiennent pas les forts, ni la pourpre les rois,
Mais qui vient de la poussière sera poussière [3]. »
Ainsi donc, puisqu'il est reconnu que cette vie se montre si fugitive et si fragile, accordée aux mortels pleine de mala-

---

est en liaison avec celle d'admonition. Cf. aussi GRÉGOIRE LE GRAND, *Homélies sur les Évangiles*, 18 (*MGH Ep.* I, p. 251 s.). Jonas y revient plus loin et plus en détail dans le chap. 11, l. 115 s.

3. FORTUNAT, *Carmina* IX, 2, 47-49 (*MGH Auct. Ant.* IV, 1, p. 207).

calamitatum miseriis plenam mortalibus adtributam, debet
unusquisque, dum ei uiuere conceditur, adtendere, ne aliquo torpore depressus, aut qualibet incuria ac securitate
70   inlectus, tempora indulta poenitentiae in uacuum deducat,
sed magis propheticis et euangelicis atque apostolicis salutariter prouocatus eloquiis, creatorem suum, a quo peccando recessit, poenitendo requirere studeat eumque per
dignam poenitentiae satisfactionem et elemosinarum largi-
75   tionem sibi propitium facere satagat, iuxta illud propheticum : *Quaerite Dominum, dum inueniri potest. Inuocate
eum, dum prope est. Derelinquat impius uiam suam et uir
iniquus cogitationes suas et reuertatur ad Dominum et mise-
rebitur ei et ad Deum nostrum, quoniam multus est ad
80   ignoscendum* e. Et illud : *Date Domino Deo uestro gloriam
antequam contenebrescat, et antequam offendant pedes uestri ad montes caliginosos* f. Et illud euangelicum : *Ambulate
dum lucem habetis, ne tenebrae uos comprehendant* g. Et
illud : *Vigilate et orate, quia nescitis diem neque horam* h. Et
85   illud apostoli : *Ecce nunc tempus acceptabile, ecce nunc dies
salutis* i. Et multa his similia, quae latius propheticus et euangelicus atque apostolicus exsequitur stilus.

Hiis itaque salutiferis exhortamentis quisque fidelis
admonitus et de imis ad superna erectus totaque fiducia et
90   spe in creatorem suum suspensus proculdubio cauet, ne non
mundo ruente ruat, sed potius Christo redemptori suo, qui
ruere nescit, totis nisibus adhaeret, dicens gratulabundus
cum psalmographo : *Mihi autem adhaerere Deo bonum est,
ponere in Domino Deo spem meam* j.

e. Is. 55, 6-7   f. Jér. 13, 16   g. Jn 12, 35   h. Matth. 26, 41 et 25, 13
i. II Cor. 6, 2   j. Ps. 72, 28

---

1. Jonas unit en une seule référence *Matth*. 26, 41 : « Vigilate et orate
ut non intretis in temptationem » et *Matth*. 25, 13 : « Vigilate itaque
quia nescitis diem neque horam. »

dies diverses dans leur nature et de calamités variées dans leurs misères, chacun doit, tant que la vie lui est accordée, veiller à ce que, écrasé par quelque torpeur, ou séduit d'une manière quelconque par l'indolence et l'insouciance, il ne dissipe en vain les moments réservés à la pénitence ; mais il doit plutôt veiller à ce que, incité de façon salutaire par les paroles prophétiques, évangéliques et apostoliques, il s'attache à rechercher par la pénitence son créateur, dont il s'est éloigné par le péché, et s'applique à se le rendre propice par la digne réparation de la pénitence et la distribution d'aumônes, conformément à cette parole prophétique : « Cherchez le Seigneur, tant qu'il peut être trouvé. Invoquez-le tant qu'il est proche. Que l'impie délaisse sa voie et l'homme inique ses pensées ; qu'il revienne vers le Seigneur et celui-ci aura pitié de lui, vers notre Dieu car il est généreux en pardon [e]. » Et celle-ci : « Rendez gloire au Seigneur votre Dieu avant que ne viennent les ténèbres, et avant que vos pieds ne se heurtent aux sombres montagnes [f]. » Et cette parole évangélique : « Marchez tant que vous avez la lumière, de peur que les ténèbres ne vous saisissent [g]. » Et celle-ci : « Veillez et priez, car vous ne connaissez ni le jour ni l'heure [h][1]. » Et cette parole de l'Apôtre : « Voici maintenant le moment favorable, voici maintenant le jour du salut [i]. » Et beaucoup d'autres paroles, semblables à celles-là, sont exposées plus en détail sous la plume du prophète, de l'évangéliste et de l'apôtre.

C'est ainsi que, mis en garde par ces exhortations salutaires, élevé depuis les profondeurs jusqu'aux cimes et soutenu par une confiance et une espérance totales dans son créateur, chacun des fidèles évite sans aucun doute de s'effondrer, alors que le monde s'effondre ; il se tient plutôt de toutes ses forces aux côtés du Christ, son rédempteur, qui ne peut s'effondrer, et dit, reconnaissant, avec le psalmiste : « Oui, il est bon pour moi de me tenir aux côtés de Dieu, de placer mon espérance dans le Seigneur Dieu [j]. »

95   Sed et hoc nihilominus unicuique uitandum est, ne terram
plus diligat quam caelum, sed neque hanc peregrinationem
aerumnis oppletam pro patria diligat sciatque se hic pere-
grinum et aduenam, alibi ciuem et domesticum futurum
esse debere. Vnde propheta Dauid : *Quoniam aduena ego*
100   *sum apud te et peregrinus sicut omnes patres mei* [k], et apostolus : *Scimus enim, quoniam si terrestris domus nostra*
huius habitationis dissoluatur, quod aedificationem habe-
mus, domum non manufactam, aeternam in caelis [l].

Igitur, quia uniuscuiusque fragile luteumque habitaculum
105   quo peregrinatur cito est soluendum, summopere cauendum est, ne propter illius amorem et incentiua desideria
uanasque ac noxias delectationes anima, quae est caelestis
origo, pereat in aeternum, sed ita exterior homo obnoxius
corruptioni subiciatur seruituti, ut interior de die in diem
110   renouatus ad aeternam gloriam feliciter capescendam prae-
paretur. Satius quippe unicuique mortalium fuerat non subsistere, quam propter delectationes carnales et fumea caducaque gaudia mundi a felicitate paradisi sanctorumque
angelorum et hominum consortio extorrem fieri.

115   Verum quia conditio humana et cursus istius mundi ita se
habet, oportet ut isdem mundus eiusque diuitiae non in
desiderio, sed in usu teneantur iuxta illud apostoli : *Qui*

k. Ps. 38, 13   l. II Cor. 5, 1

---

1. Allusion aux thèmes augustiniens des deux cités et de l'Église en
exil : cf. *Conf.*, 12, 15, 21 (éd. Labriolle, *CUF*, II, p. 343 et *BA* 14,
p. 374) et *Cité de Dieu*, 19, 17 (*BA* 37, p. 130-131). Ce dernier thème
est repris par GRÉGOIRE LE GRAND, *Moralia*, 15, 57, 68 (*SC* 221,
p. 118).

2. Cf. *Éphés.* 2, 19 : « Ergo iam non estis hospites et aduenae, sed
estis ciues sanctorum et domestici Dei. »

3. Jonas emprunte à saint Grégoire cette opposition entre l'homme
intérieur et l'homme extérieur (cf. la synthèse de C. DAGENS, *Saint*

Chacun n'en doit pas moins se garder d'aimer la terre plus que le ciel, mais aussi d'aimer cette pérégrination faite de tribulations au lieu de sa patrie [1] ; chacun doit savoir qu'il doit être ici un voyageur et un hôte de passage, et devenir ailleurs un citoyen et un habitant [2]. Comme le dit le prophète David : « Car je suis un étranger auprès de toi, et un hôte de passage comme tous mes pères [k] » ; et l'Apôtre : « Nous savons en effet que si notre demeure terrestre, celle de l'habitation d'ici-bas, est détruite, nous avons une construction, une demeure qui n'est pas faite de main d'homme, éternelle, dans les cieux [l]. »

Ainsi donc, puisque la fragile demeure d'argile de chaque homme, dans laquelle il ne fait que passer, est destinée à être sitôt anéantie, il faut éviter avec le plus grand soin que, par amour pour elle, pour des désirs effrénés et des plaisirs vains et pernicieux, l'âme qui est d'origine céleste périsse à jamais ; mais il faut veiller à ce que l'homme extérieur, voué à la corruption, soit soumis à la servitude, de sorte que l'homme intérieur, rénové de jour en jour [3] soit préparé à se saisir joyeusement de la gloire éternelle. Certes, il serait préférable pour chacun des mortels de ne point subsister, plutôt que d'être banni de la félicité du paradis et de la communauté des saints, des anges et des hommes, à cause des plaisirs charnels et des joies fumeuses et éphémères du monde [4].

En vérité, puisque telle est la condition humaine et le cours de ce monde, il faut que celui-ci et ses richesses ne soient pas considérés par ces mêmes mortels comme objets de désir, mais pour leur usage, selon cette parole de l'Apôtre :

Grégoire le Grand : culture et expérience chrétiennes, Paris 1977, p. 133-244). Jonas associe à ces notions le concept de *renouatio,* thème fondamental de l'époque carolingienne, cf. W. ULLMANN, *The Carolingian Renaissance and the Idea of Kingship*, Londres 1966, p. 6.

4. Cf. BENOÎT, *Reg.*, 2, 33 (*SC* 181, p. 450).

utuntur hoc mundo tamquam non utantur [m] sciaturque
quod amicitia illius, teste apostolo Iacobo, inimica sit Dei,
120 ita dicentis : *Quicumque uoluerit amicus esse saeculi huius,
inimicus Dei constituitur* [n].

Quibus uerbis liquido colligitur, quod nulli amico Dei
amicitia huius mundi amplectenda sit et quod semper ami-
cis Dei inimicus fuerit. Miserabilis plane et ualde dolenda
125 res est, quando quis inimici sui amicitiae iungitur et pro
noxia mortiferaque amicitia aeternum et immortalem ami-
cum, creatorem uidelicet suum, amittit. Quapropter summopere omnibus, qui christiana professione censentur, uigi-
landum et procurandum est, ne differant de die in diem ad
130 Deum conuersionem facere, neque uana se spe deludant,
promittentes sibi aut propter iuuentutem aut propter sani-
tatem corporis longinquam uitam, scientes quod mors nulli
aetati parcat et quod omnibus finis dies sui incertus sit. Ergo
spreto antiquo hoste, spretoque mundo, qui in maligno
135 positus est [o], spretisque eius diuitiis atque calcatis, quotidie
de uitiis ad uirtutes, de uisibilibus ad inuisibilia, de transitoriis ad aeterna salutiferum transitum faciant, quatenus,
finito labentis huius uitae excursu, ad eum perueniant a quo,
cum non essent, sunt creati, cum perissent, sunt recreati
140 eiusque fide salutariter insigniti et ab eo percipiant ea quae
*nec oculus uidit, nec auris audiuit, nec in cor hominis ascen-
derunt, quae praeparauit Deus diligentibus* [p].

----

m. I Cor. 7, 31   n. Jac. 4, 4   o. Cf. I Jn. 5, 19   p. I Cor. 2, 9

----

1. Cf. *Sacram. Gelas.* : « Cunctis qui christiana professione censentur », cité dans A. BLAISE, *Le vocabulaire chrétien des principaux
thèmes liturgiques*, Turnhout 1966, p. 524.
2. *I Cor.* 2, 9 : « Quod oculus non uidit nec auris audiuit nec in cor
hominis ascendit quae praeparauit Deus his qui diligunt illum ». Cette

« Ceux qui usent de ce monde, qu'ils soient comme s'ils n'en usaient pas [m] », et qu'on sache que l'amitié de ce monde-là est ennemie de Dieu, comme en témoigne l'apôtre Jacques, parlant ainsi : « Quiconque veut être l'ami de ce siècle, se fait l'ennemi de Dieu [n]. »

On conclut nettement de ces paroles qu'il ne faut à aucun ami de Dieu embrasser l'amitié de ce monde et que celui qui le fait a toujours été l'ennemi des amis de Dieu. C'est une chose très triste et bien déplorable lorsque quelqu'un a des liens d'amitié avec son ennemi et qu'il perd un ami éternel et immortel, à savoir son créateur, pour une amitié nuisible et fatale. C'est pourquoi tous ceux qui sont comptés au nombre des chrétiens par leur profession de foi chrétienne [1] doivent s'efforcer de veiller et de travailler à ne pas différer de jour en jour leur conversion à Dieu, et à ne pas se leurrer non plus d'un vain espoir en se promettant une longue vie du fait de leur jeunesse ou de la santé de leur corps, sachant que la mort n'épargne aucun âge et que pour tous le jour de leur fin est incertain. Ainsi après avoir rejeté l'antique ennemi, et le monde qui gît sous l'empire du Malin [o], après avoir rejeté ses richesses et les avoir foulées aux pieds, qu'ils fassent chaque jour le passage salutaire des vices aux vertus, du visible à l'invisible, de l'éphémère à l'éternel, de sorte qu'au terme du parcours de cette vie transitoire ils parviennent à Celui par qui, alors qu'ils n'existaient pas, ils ont été créés, par qui, alors qu'ils étaient morts, ils ont été recréés et marqués pour leur salut du sceau de sa foi, et qu'ils apprennent de lui « ce que l'œil n'a pas vu, ce que l'oreille n'a pas entendu et ce qui n'est pas monté au cœur de l'homme, tout ce que Dieu a préparé pour ceux qui l'aiment [p] [2]. »

référence, déjà présente dans la *Règle* de saint Benoît (4, 77), ainsi que le thème du passage du visible à l'invisible, se retrouvent fréquemment chez saint Grégoire (cf. C. DAGENS, *Saint Grégoire*, p. 216-219).

Hiis ita per accessum exsecutis ad te, rex bone, rex pul-
cherrime, specialiter sermo mediocritatis meae rursus diri-
145 gitur. Obsecro itaque et per Dominum supplico, ut ea, quae
paulo supra generaliter dicta sunt, uestra excellentia specialiter sibi adsumere dignetur. Humiliter etiam uestrae man-
suetudini suggero, ut *Dominum Deum tuum,* sicut se dili-
gendum cultoribus suis praecepit, *ex toto uidelicet corde, ex*
150 *tota anima et ex tota uirtute semper diligas* q, eiusque amori
nihil praeponas. Porro quod proximum uestrum, sicut uos-
metipsos diligere r debeatis, admonitione mea non indigetis,
quia igitur quantum orthodoxum uirum piumque caesarem
dominum nostrum, genitorem uestrum dilexeritis, eique in
155 omnibus fideliter et humiliter subiecti fueritis eiusque
dehonorationem aegre tuleritis, omnibus nobiliter, immo
memorabiliter, manifestastis.

Internis enim precibus Deum exoro uosque humiliter
admoneo, ut semper in eadem dilectione sincerissime,
160 Domino uobis opem ferente, permaneatis et nullatenus uos,
qualibet occasione aut cuiuslibet hortatu, ab eius amore
disiungatis neque eum in aliquo contristetis, quia, testante
Scriptura Diuina inter caetera quibus de patre diligendo et
amando filium instruit hoc iubet, ut *filius incontristet*

---

q. Deut. 6, 5   r. Cf. Matth. 22, 39

1. Cf. Prologue de la *Règle* de saint Benoît : « Ad te ergo nunc mihi
sermo dirigitur » (*SC* 181, p. 412, l. 6).
2. *Deut.* 6, 5 : « Diliges Dominum Deum tuum ex toto corde tuo et
ex tota anima tua, et ex tota fortitudine tua. »
3. Cf. Benoît, *Reg.,* IV, 21 (*SC* 181, p. 458) : « Nihil amori Christi
praeponere ».
4. Cf. *Matth.* 22, 39 : « Diliges proximum tuum sicut te ipsum. »
5. Allusion aux événements de l'été 830 : Pépin et son frère Louis le
Germanique s'étaient réconciliés avec leur père par l'entremise d'un
moine nommé Gombaud (Nithard, *Histoire des fils de Louis le Pieux,*
éd. P. Lauer, Paris 1926, p. 12).

Ceci étant ainsi exposé par cette approche, c'est à toi en particulier, ô bon roi, très beau roi, que s'adresse à nouveau le propos de ma médiocrité [1]. C'est pourquoi je prie et je supplie au nom du Seigneur Votre Excellence de daigner admettre pour elle-même en particulier ce qui a été dit un peu plus haut d'une manière générale. Je suggère même humblement à Votre Clémence de toujours « aimer le Seigneur ton Dieu » comme il doit être aimé par ses adorateurs selon ses propres prescriptions, c'est-à-dire « de tout ton cœur, de tout ton être et de toute ta force [q 2] », et de ne rien préférer à son amour [3]. De plus vous n'avez pas besoin que je vous rappelle que vous devez aimer votre prochain comme vous-même [r 4], parce que vous avez montré aux yeux de tous avec noblesse, que dis-je, de manière mémorable [5], à quel point vous aimiez cet homme orthodoxe, le pieux César, notre maître, votre père, que vous lui étiez fidèlement et humblement soumis en toutes choses, et à quel point vous avez mal supporté le déshonneur [6] qui lui a été infligé.

De fait, par des prières intérieures, j'implore Dieu et vous exhorte humblement à persévérer toujours, très sincèrement, dans la même dilection, avec l'aide du Seigneur, à ne point vous séparer de l'amour de celui-ci en quelque occasion ou sur quelque conseil et à ne l'affliger d'aucune manière [7]. Car, par son témoignage, l'Écriture divine, entre autres passages où elle enseigne que le fils doit aimer et chérir son père, ordonne que le fils « n'afflige pas son père

---

6. Le sens du terme *dehonoratio* est très controversé : on peut y voir le sens de manquement à l'honneur dû au père ou le sens plus fort déprivation de l'*honor*, c'est-à-dire pour Louis le Pieux de son titre d'empereur (cf. n. 2, p. 47). Jonas joue ici sur ces deux sens.

7. Pendant l'automne 831, Pépin refusa de se rendre à une assemblée convoquée par son père à Thionville. Jonas le met donc en garde contre tout nouveau signe d'insoumission.

165   *patrem in uita sua* [s]. Quantum denique pater a filio diligi et
honorari debeat, Dominus specialiter demonstrat, cum in
prima tabula de cultu et dilectione sua mandata dedisset, in
secunda primum praeceptum de patre honorando dedit, ita
inquiens : *Honora patrem tuum et matrem, ut sis longaeuus*
170   *super terram, quam dominus Deus tuus daturus est tibi* [t].

Multa quidem sunt legalia et euangelica atque apostolica
a Domino promulgata praecepta, quibus pater a filio diligi
et honorari praecepitur, quae, quia uestrae sapientiae nota
sunt, idcirco omittuntur hic. Pro certo autem sciendum est
175   quia quisquis patrem honorat, Deum qui omnium pater est,
honorat et qui eum dehonorat, illi proculdubio iniuriam
ingerit, quia omnium pater est et a filiis patrem honoran-
dum sancit. Quid uero dispendii, quid malorum, quid moe-
roris, quid oppressionis, quidue miseriarum simultates et
180   discordiae, quae praeterito anno, sicut uestra excellentia
nouit, emerserunt, populo Dei inflixerunt ; regnum hoc
miserabiliter expertum est et tripudium diabolo suisque
membris magnum factum est.

Sed quia, ut credo, Dominus seruorum suorum precibus
185   pulsatus, et patri uestro propter sua pia religiosaque facta
uobisque et fratribus uestris, dominis nostris, propter
mutuam dilectionem firmandam euidenter propitius factus,
ne sanguis populi christiani uobis commissi, quem diabolus
plurimum sitiebat, ciuiliter et plus quam ciuiliter fundere-
190   tur, bellum, quod astu diabolico intentabatur, auertit, oportet, immo necesse est, ut uos et fratres uestri, eriles nostri, in
mutua dilectione indissolubiliter consistatis patrique uestro

---

s. Cf. Sir. 3, 14   t. Ex. 20, 12

---

1. Cf. *Sir.* 3, 14 : « Fili suscipe senectam patris tui et ne contristes
eum in uita illius. »
2. Jonas fait ici allusion à la révolte des fils de l'empereur en 830.

durant sa vie [s] [1] ». Enfin le Seigneur montre tout spécialement à quel point le père doit être aimé et honoré par son
fils : alors que dans la première table il avait donné les commandements concernant le culte et l'amour qu'on doit lui
porter, il a donné sur la seconde comme premier précepte le
devoir d'honorer son père, disant ainsi : « Honore ton père
et ta mère, afin que tes jours se prolongent sur la terre que
le Seigneur ton Dieu va te donner [t]. »

Certes, il existe beaucoup de préceptes de la Loi, des
Évangiles et des apôtres, qui ont été promulgués par le
Seigneur, dans lesquels il est prescrit au fils d'aimer et honorer son père, et qui sont omis ici, car ils sont connus de Votre
Sagesse. Mais il faut savoir avec certitude que quiconque
honore son père honore Dieu, qui est le père de tous, et que
celui qui le déshonore, fait sans aucun doute outrage à Dieu,
parce qu'il est le père de tous et qu'il prescrit qu'un père doit
être honoré par ses fils. Que de dommages, que de maux,
que de tristesse, que d'oppression et que de misères ont
infligés au peuple de Dieu, comme le sait Votre Excellence,
les rivalités et les discordes qui se sont élevées l'année dernière ; ce royaume a été éprouvé de manière misérable et une
grande joie a été faite au diable et à ses serviteurs [2].

Mais, à mon avis, c'est parce que le Seigneur a été touché
par les prières de ses serviteurs, et que votre père, par ses
actes de piété et de dévotion, et vous-même et vos frères, nos
maîtres, par le renforcement de votre dilection mutuelle,
avez à l'évidence gagné sa faveur, qu'il a détourné la guerre
que la fourberie diabolique avait engagée, afin que le sang du
peuple chrétien, qui vous a été confié, et dont le diable avait
soif au plus haut point, ne fût pas répandu entre concitoyens
et même au-delà [3]. Il convient, ou plutôt il faut que vous et
vos frères, nos seigneurs, demeuriez indissolublement unis

3. Cf. Lucain, *De bello ciuili* (*Pharsale*), I, 1.

iuxta paternam reuerentiam et diuinam ordinationem atque praeceptionem unanimiter congruam subiectionem impen-
195 datis et debitum honorem conseruetis et indissimulatum amorem exhibeatis, qualiter illo uobisque iure ei parentibus temporaliter principante, et populus uobis commissus quiete et pacifice uiuere et uos pro officio uobis a Deo commisso strenue fideliterque administrato, cum Christo in
200 perpetuum feliciter mereamini regnare.

Quatuor itaque extant, domine mi rex, quae dictu breuia, actu uero, Christi gratia adiuuante, facilia et obseruantibus ualde proficua, quae a uestra sollertia et libenter audiri et inhianter cupio adimpleri.

205 Primum, ut quotidie unusquisque potius animae quam corpori consulat, animae suae quoddam et, ut ita dixerim, magnum peculiare adquirat, quod in aeternum possideat, quoniam, sicut euangelico instruimur oraculo, de omnibus uitae nostrae temporibus, annis uidelicet, mensibus, diebus
210 atque horis, ex quo Deus discretionem boni et mali nobis tribuit, bonae operationis fructum a uinea nostra, id est anima, exacturus est [u].

Secundum, ut quotidie excepta illa, quam sacerdotibus ad consilium salutis suae capiendum Deumque sibi propitian-
215 dum facit, de omnibus peccatis suis creatori suo confessionem faciat et peccata sua ante se constituat, dicens cum pro-

u. Cf. Matth. 21, 33-41

---

1. Allusion à la parabole de la vigne, qui représente le peuple de Dieu, et des vignerons homicides rapportée par les trois évangiles synoptiques. Le symbolisme de la vigne s'étend à l'âme humaine. Jonas développe ce thème beaucoup plus longuement dans l'*Inst. des laïcs*, III, 13 (*PL* 106, 257 D) : « Nous devons cultiver par des soins continuels la vigne, qui représente métaphoriquement (*tropologice*) notre âme — cette vigne que notre Seigneur a délivré de l'Égypte de ce monde en la faisant passer par la mer Rouge, c'est-à-dire le baptême —..., afin

dans une dilection mutuelle, et que vous accordiez unani-
mement à votre père la soumission qui convient, conformément au respect paternel, ainsi qu'à l'ordre et au précepte
divins ; il faut que vous conserviez l'honneur qui lui est dû
et lui témoigniez un amour manifeste, afin que, votre père
exerçant le règne temporel et vous lui obéissant selon le
droit, vous méritiez pour le peuple qui vous a été confié une
vie paisible et pacifique, et pour vous, en échange d'une
administration courageuse et fidèle de la fonction que Dieu
vous a confiée, un règne à jamais heureux avec le Christ.

C'est pourquoi, ô Seigneur mon roi, quatre points se
dégagent qui sont rapides à exposer, voire faciles à réaliser
avec l'aide de la grâce du Christ, au grand profit de ceux qui
les observent ; je désire de vos bonnes dispositions qu'ils
soient écoutés avec plaisir et accomplis avec impatience.

Premièrement : Que chacun, tous les jours, s'occupe
davantage de son âme que de son corps, et enrichisse son
âme de quelque chose, d'un grand pécule, dirais-je, qu'il
possède pour l'éternité ; car, comme nous l'apprend la
parole évangélique, pour tous les moments de notre vie,
c'est-à-dire les années, les mois, les jours et les heures,
puisque Dieu nous a donné la capacité de distinguer le bien
du mal, il lèvera l'impôt des bonnes œuvres sur le fruit de
notre vigne, c'est-à-dire de notre âme [u][1].

En second lieu : Que tous les jours — en dehors de celle
qu'il fait aux prêtres pour prendre conseil sur son salut et
pour se concilier la faveur de Dieu — chacun fasse à son
créateur une confession de tous ses péchés [2] et qu'il les place
devant lui, disant avec le prophète : « Car je reconnais mon

---

que, quand viendra son Seigneur, nous soyons toujours disposés à lui
rendre les dignes fruits de nos bonnes œuvres. »

2. Cf. Benoît, *Reg.*, 4, 57 (*SC* 181, p. 460-461) : « ... confesser
chaque jour à Dieu dans la prière... ses fautes passées ».

pheta : *Quoniam iniquitatem meam ego cognosco et pecca-*
tum meum contra me est semper ᵛ. Cum enim quis peccata
sua Deo confitendo coram se ponit, tunc salubriter atque
220 ueraciter illum uersiculum Deo decantat, quo dicitur :
Auerte faciem tuam a peccatis meis et omnes iniquitates
meas dele ʷ, et multa quae de hac confessione in diuinis eloquiis continentur.

Tertium, ut diem mortis suae quotidie ante oculos sibi
225 ponat, ut anima sua irrisionem inimicorum suorum,
quando pulsata fuerit, ut a corpore egrediatur non erubescat, sed
bonis operibus ditata, illud in ea adimpleatur quod dicitur :
Non confundetur cum loquetur inimicis suis in porta ˣ.
Quantum enim illa dies et illa hora tremenda sit, die et nocte
230 uigilanter perpendendum est. Propter hoc monet Scriptura :
Fili, in omnibus operibus tuis memorare nouissima tua, et in
aeternum non peccabis ʸ. Verum si eamdem horam sedula
meditatione ruminare studuissemus et, quia ineuitabilis et
ineluctabilis est, quantum sit tremenda perpendere curasse-
235 mus, aut raro aut numquam peccare praesumeremus.

Quartum, ut diem tremendi examinis, quae a propheta
dicitur : *Dies irae, dies tribulationis et angustiae, dies cala-*
mitatis et miseriae, dies nebulae et turbinis, dies tubae et
clangoris ᶻ et caetera, quae de ea prolixius in diuinis eloquiis
240 scribuntur, quando adstabimus ante tribunal Christi et reddituri sumus rationem de hiis, quae per corpus gessimus,
siue bona siue mala, remota omni mortifera securitate et

---

v. Ps. 50, 5   w. Ps. 50, 11   x. Ps 126, 5   y. Sir. 7, 40   z. Soph. 1,
15-16

---

1. Cf. BENOÎT, *Reg.*, 4, 47 (*SC* 181, p. 460) : « Mortem cotidie ante
oculos suspectam habere ». Ce conseil résume le chap. III, 12 de l'*Inst.*
des laïcs , qui cite également *Sir.* 7, 40.

2. Cf. *Reg.*, IV, 44 : « Diem iudicii timere » et *Inst. des laïcs*, III, 17 :
« De die iudicii ».

iniquité et j'ai toujours mon péché en face de moi [v]. » En effet, quand un homme place ses péchés devant lui en se confessant à Dieu, il récite alors à Dieu de façon salutaire et avec véracité ce petit verset où il est dit : « Détourne ton visage de mes péchés et efface toutes mes iniquités [w] », et beaucoup d'autres qui concernent cette confession et se trouvent dans les paroles divines.

Troisièmement : Que chacun, tous les jours, se représente le jour de sa mort [1], pour que son âme n'ait pas à rougir de la moquerie de ses ennemis lorsqu'elle aura été poussée hors du corps, mais plutôt qu'enrichie de ses bonnes œuvres, il s'effectue en elle ce qui est dit : « Il ne perdra pas la face quand à la porte il parlera à ses ennemis [x]. » En effet, il faut mesurer jour et nuit avec vigilance à quel point ce jour et cette heure sont redoutables. Pour cette raison, l'Écriture nous prévient ainsi : « Fils, en toutes tes actions, souviens-toi de ta fin et jamais tu ne pécheras [y]. » Il est vrai que, si nous nous appliquions à ruminer en une méditation consciencieuse sur cette même heure et, puisqu'elle est inévitable et inéluctable, si nous prenions le soin de mesurer à quel point elle est redoutable, nous n'oserions que rarement ou même jamais pécher.

Quatrièmement : Nous devons toujours nous représenter et examiner en pensée le jour du jugement redoutable [2], que le prophète appelle « jour de colère, jour de détresse et d'angoisse, jour de désastre et de désolation, jour de nuages et de sombres nuées, jour de sonneries de trompette et de clameur [z] [3] », et tout ce qui est écrit plus en détail à ce sujet dans les paroles divines, le jour où nous nous tiendrons devant le tribunal du Christ [4] et où nous devrons rendre compte des actions, bonnes ou mauvaises, que nous avons accomplies durant notre vie physique, une fois écartés toute

3. *Soph.* 1, 15-16 : « Dies irae dies illa, dies — miseriae, dies tenebrarum et caliginis — clangoris ».
4. Cf. *Rom.* 14, 10.

corporis qualibet delectatione, semper prae oculis habea-
mus et mente tractemus, et ita nos Domino adiuuante prae-
245   paremus, ut cum illo uentum fuerit, non cum reprobis
dampnari in aeternum, sed potius cum electis benedici et
perpetuum regnum cum eis mereamur sortiri.

Restant praeterea plura, quae uestrae celsitudini caritate
dictante scribenda forent, ni ueritus fuissem et modum epis-
250   tolarem excedere et uestrae dignationi, quoquo modo oneri
esse. Quae quia hic praetermittuntur, in sequentibus ex oraculis diuinis et sanctorum patrum dictis congesta capitulatim ponuntur. Quae si legere aut ab alio uobis, Domino
adminiculante, legi uolueritis, quantum profutura fient,
255   satis dici non potest.

Sancta et indiuidua Trinitas te, bone rex, interius exteriusque custodiat et ab hostium uisibilium et inuisibilium
insidiis muniat atque defendat et post hanc peregrinationem
sanctorum regum consortem efficiat.

---

1. Cette opposition entre élus et réprouvés se retrouve fréquemment
chez saint Grégoire, auquel Jonas l'a empruntée, par exemple dans
Moralia, XI, 9 (*SC* 212, p. 54) ou *Moralia,* XIII, 32 (*ibid.* p. 291).

2. Ce passage montre bien que l'Admonition est inséparable du
traité lui-même ; elle en constitue la lettre dédicatoire.

insouciance ou quelque plaisir du corps. Ainsi, avec l'aide du Seigneur, nous devons nous préparer, afin de mériter, lorsque ce jour sera venu, de ne pas être damnés pour l'éternité avec les réprouvés, mais plutôt d'être bénis avec les élus [1] et d'être choisis avec eux pour le royaume éternel.

En outre, il reste beaucoup d'autres choses que la charité m'aurait commandé d'écrire à Votre Altesse, si je n'avais craint d'excéder la mesure épistolaire et de lasser Votre Grâce. Ces points, passés sous silence ici, sont exposés dans ce qui suit à partir des sentences divines et des paroles des saints pères, et rassemblés en chapitres [2]. Si vous vouliez les lire ou vous les faire lire par quelqu'un d'autre, avec l'aide du Seigneur, on ne saurait assez dire combien ils vous seraient profitables.

Que la sainte et indivisible Trinité te garde, ô bon roi, à l'intérieur comme à l'extérieur, qu'elle te fortifie et te défende contre les pièges des ennemis visibles et invisibles, et qu'après cette pérégrination, elle te fasse partager la compagnie des saints rois [3].

3. La formule est reprise preque mot à mot à la fin du *De rebus ecclesiasticis non inuadendis*, rédigé par Jonas en 836 à l'intention du même roi Pépin (*MGH Conc.* II, p. 767, l. 19-21).

INCIPIVNT VERSVS BREVITER DIGESTI
ET AD DOMNVM PIPINVM REGEM
FIDELITER DIRECTI

1   Rex pie, sume, precor, munus quod defero paruum,
        Vt tibi saepe libens munera grata feram.
    Verum si uestris fuerit conspectibus aptum,
        Aptius et propere nostra Thalia dabit.
5   Nam potiora ferunt docti satis arte Maronis,
        His quia cura manet, ars quibus ampla cluit.
    Qui quondam metricis ludebam promptius odis,
        Corpore nunc quasso nil nisi flere libet.
    Sit Deus ipse tibi tutor fautorque per aeuum,
10   Per quem regnare te tuus omnis amat.
    Culmina regnandi teneas sic cautus in aruis,
        Vt sis post mortem mansor in arce poli.

1. En général, Thalie est plutôt considérée comme la muse de la comédie et non de la poésie. Cependant l'attribution aux Muses de différentes formes d'art est tardive et variable selon les auteurs. A l'époque carolingienne, Thalie est fréquemment invoquée dans les poèmes dédiés aux rois : cf. ERMOLD LE NOIR, *Poème sur Louis le Pieux et épîtres au roi Pépin*, éd. E. Faral, Paris 1932, p. 193, 203, 205.

2. Il s'agit de Virgile, dont Jonas essaie d'imiter le style.

3. *R* donne « promptus modis », que *B* corrige en « promptius odis », seule leçon respectant l'équilibre du vers.

4. Cf. BOÈCE, *De consolatione philosophiae*, I, 1 (éd. Fortescue, Hildesheim 1976, p. 1, v. 1-2).

DÉBUT DES VERS COMPOSÉS BRIÈVEMENT
ET ADRESSÉS EN GAGE DE FIDÉLITÉ
AU SEIGNEUR ROI PÉPIN.

O roi pieux, accepte, je t'en prie, le modeste présent que
[je te remets,
Afin que j'aie souvent le plaisir de te présenter des
[cadeaux qui t'agréent.
En vérité, s'il plaît à vos regards,
Plus plaisant et plus empressé en sera le don de notre
[Thalie [1].
En fait, ceux qui sont assez instruits de l'art de Maro [2] en
[produisent de meilleurs,
Car le soin en est réservé à ceux dont on connaît le
[talent magnifique.
Moi qui jadis m'adonnais avec plus d'aisance aux odes
[métriques [3],
Maintenant, le corps tremblant, je ne sais plus que
[pleurer [4].
Que Dieu lui-même te protège et te soutienne au long de
[ta vie,
Lui grâce à qui tout ton peuple aime ton règne.
Puisses-tu occuper sur terre [5] les sommets dans ton règne,
Avec une prudence telle que tu sois l'hôte, après la
[mort, de la citadelle céleste.

5. Littéralement : dans les champs, dans les sillons.

INCIPIVNT CAPITVLA SEQVENTIS OPVSCVLI

I. Quod ecclesia corpus Christi sit et in ea duae sint principaliter eximiae personae et quod pro regibus sacerdotes sint Deo rationem reddituri.

5   II. De potestate et auctoritate sacerdotali.

III. Quid sit rex quid esse quidue debeat cauere.

IV. Quid sit proprie ministerium regis.

V. De periculo regis et quod bene agentes remunerare, male uero agentes sua auctoritate comprimere causamque
10 pauperum ad se ingredi debeat facere.

VI. Quod aequitas iudicii stabilimentum regni et iniustitia sit eius euersio.

VII. Quod regnum non ab hominibus, sed a Deo, in cuius manu omnia regna consistunt, detur.

15 VIII. Quod potestati regali, quae non nisi a Deo ordinata est, humiliter atque fideliter cuncti parere debeant subiecti.

IX. Quod ubi caritas non est, nulla bona inesse possint.

X. De transgressoribus praeceptorum Dei.

XI. Quod multi professionem christianam uerbis tantum
20 teneant, sed operibus negligant.

XII. Quod grauius puniantur qui fidem Christi perceperunt et in malis uitam finierunt quam illi qui sine fide mortui sunt et tamen bona opera egerunt.

XIII. Quod ad ecclesiam orandi gratia frequenter conueni-
25 ri debeat et caetera.

XIV. Quod in ecclesia Christi non sit otiosis turpibusque fabulis uacandum et quod qui haec faciunt non solum sibi peccata non minuant, sed etiam maiora accumulent.

---

1. La numérotation des chapitres de *R* est inexacte : il a oublié le chapitre V et l'a remplacé par le VI, ce qui décale l'ensemble d'un numéro à chaque fois, jusqu'au n° XVI mentionné deux fois. *B* a copié la foliotation de *R*, qui ne correspond à rien chez lui : « VII *pro* VI, VIII *pro* VII, ... *usque ad* XVI *pro* XV ».

DÉBUT DES CHAPITRES DE L'OPUSCULE SUIVANT [1]

I. L'Église est le corps du Christ, et il existe en elle deux personnes principalement remarquables ; et les prêtres auront des comptes à rendre à Dieu pour les rois.

II. Du pouvoir et de l'autorité du prêtre.

III Ce qu'est le roi, ce qu'il doit être et ce qu'il doit éviter.

IV. Ce qui est le propre du ministère royal.

V. Du danger que court le roi et de son devoir de récompenser ceux qui agissent bien, [d'user de son autorité contre ceux qui agissent mal [2]] et de faire entrer à son audience la cause des pauvres.

VI. L'équité du jugement est la consolidation de la royauté et l'injustice sa ruine.

VII. La royauté n'est pas donnée par les hommes, mais par Dieu, dans la main de qui se tiennent tous les royaumes.

VIII. Tous les sujets doivent se soumettre et obéir humblement et fidèlement au pouvoir royal, qui n'a été institué que par Dieu.

IX. Là où la charité n'est pas, aucun bien ne peut exister.

X. De ceux qui transgressent les commandements de Dieu.

XI. Beaucoup de gens professent la foi chrétienne seulement en paroles, mais la négligent dans leurs œuvres.

XII. Ceux qui ont reçu la foi du Christ et ont fini leur vie dans le mal sont punis plus sévèrement que ceux qui sont morts sans la foi, mais qui ont fait de bonnes œuvres.

XIII. Il faut se réunir fréquemment à l'église pour prier, et autres choses.

XIV. Dans l'église du Christ, il ne faut pas passer son temps à écouter des récits distrayants et honteux ; ceux qui le font, loin de diminuer leurs péchés, en accumulent encore de plus grands.

---

2. Le passage « remunerare — agentes » manque dans les mss, mais peut être restitué d'après le titre figurant en tête du chap. 5.

XV. Quod et in aliis competentibus locis, si locus basilicae
30 procul fuerit, oratio ad Deum et confessio peccatorum fieri
possit et debeat.

XVI. De obseruatione diei dominici et perceptione corporis et sanguinis Domini nostri Ihesu Christi.

XVII.   Qui imperatorum, uel regum ueraciter felices dici
35 possint et debeant.

EXPLICIVNT CAPITVLA

40   SEQVITVR OPVSCVLVM SCRIPTIS PERMODICVM
ORACVLIS TAMEN DIVINIS PERGRAVIDVM SVISQVE
SECTATORIBVS SESEQVE LEGERE VOLENTIBVS
PROFVTVRVM.

XV. Si l'église est éloignée, on peut et on doit prier Dieu
et confesser ses péchés dans d'autres lieux appropriés.
XVI. De l'observance du jour du Seigneur et de la réception du corps et du sang de notre Seigneur Jésus-Christ.
XVII. Quels sont les empereurs ou les rois qui peuvent et
doivent être appelés heureux.

FIN DES CHAPITRES

VIENT ENSUITE UN OPUSCULE PAUVRE
EN RÉVÉLATIONS ÉCRITES, MAIS POURTANT RICHE
EN PAROLES DIVINES, ET UTILE À CEUX QUI EN
SONT LES PARTISANS ET DÉSIRENT LE LIRE.

<PRIMVM CAPITVLVM>

Quod Ecclesia catholica corpus Christi sit et in ea duae sint principaliter eximiae personae et quod pro regibus sacerdotes Deo sint rationem reddituri

5   Sciendum omnibus fidelibus est quia uniuersalis ecclesia corpus est Christi et eius caput isdem est Christus[a] et in ea duae principaliter extant eximiae personae, sacerdotalis uidelicet et regalis tantoque est praestantior sacerdotalis, quanto pro ipsis regibus Deo est rationem redditura. Vnde
10   Gelasius Romanae ecclesiae uenerabilis pontifex ad Anastasium imperatorem scribens : « Duae sunt, inquit, imperatrices augustae, quibus principaliter hic regitur mundus : auctoritas sacra pontificum et regalis potestas. In quibus tanto est grauius pondus sacerdotum, quanto etiam pro
15   ipsis regibus hominum in diuino sunt examine rationem reddituri. » Fulgentius quoque in libro de ueritate praedestinationis et gratiae ita scribit : « Quantum pertinet ad huius temporis uitam, in Ecclesia nemo pontifice potior et in saeculo christiano imperatore nemo celsior inuenitur. »
20   Quia ergo tantae auctoritatis, immo tanti discriminis est ministerium sacerdotum, ut de ipsis etiam regibus Deo sint rationem reddituri, oportet, immo necesse est, ut de uestra salute semper simus solliciti uosque ne a uoluntate Dei,

---

a. Cf. I Cor. 12, 27 et Col. 2, 19

---

1. Cf. *partim, Conc. Paris* (829), I, 2-3 (*MGH Conc.* II, p. 610-611).
2. GÉLASE, *Epist. 8a ad Anastasium imperatorem*, PL 59, 42 et éd. Schwartz, *AGH Akad. München*, Munich 1934, n° 10 : « Duo sunt, imperator auguste,... » La modification de Jonas en « imperatrices augustae » existait déjà dans *Conc. Paris* (829), *MGH Conc.* II, p. 610.

CHAPITRE PREMIER [1]

L'Église catholique est le corps du Christ, et il existe en elle deux personnes principalement remarquables ; et les prêtres auront des comptes à rendre à Dieu pour les rois

Tous les fidèles doivent savoir que l'Église universelle est le corps du Christ, que sa tête est le Christ lui-même [a], et qu'en elle existent deux personnes principalement remarquables, à savoir la personne du prêtre et celle du roi. Celle du prêtre est d'autant plus éminente que, pour les rois eux-mêmes, elle aura à répondre devant Dieu. D'où les propos de Gélase, pontife vénérable de l'Église de Rome, écrivant à l'empereur Anastase : « Il y a, dit-il, deux impératrices augustes par lesquelles le monde est principalement dirigé : l'autorité sacrée des pontifes et le pouvoir royal. Mais la charge des pontifes est d'autant plus lourde qu'ils auront aussi des comptes à rendre pour les rois des hommes eux-mêmes au jugement divin [2]. » Fulgence également, dans son livre *De la vérité de la prédestination et de la grâce*, écrit ainsi : « Pour tout ce qui concerne la vie temporelle, nul dans l'Église n'est supérieur au pontife, et nul dans le siècle n'est supérieur à l'empereur chrétien [3]. »

Ainsi donc, puisque le ministère sacerdotal [4] détient une telle autorité, et même un tel poids de décision que pour les rois eux-mêmes ils auront à répondre à Dieu, il convient, que dis-je, il est nécessaire que nous soyons toujours préoccupés de votre salut, et que nos admonitions vigilantes vous

---

3. FULGENCE DE RUSPE, *De ueritate praedestinationis et gratiae,* II, 39 (éd. J. Fraipont, *CCSL* 91, p. 516).

4. Il s'agit du ministère des évêques, auxquels Jonas applique la citation de Gélase.

quod absit, aut a ministerio quod uobis commisit erretis,
25 uigilanter admoneamus. Et si, quod absit, ab eo aliquo-
modo exorbitaueritis, pontificali studio humiliter admonendo,
et salubriter procurando, oportunum consultum saluti uestrae conferamus, ut non de silentio taciturnitatis nostrae
damnemur, sed magis de sollertissima cura et admonitione
30 salutifera, remunerari a Christo mereamur.

empêchent d'errer — Dieu vous en préserve —, loin de sa volonté, ou loin du ministère qu'il vous a confié. Et si, Dieu vous en préserve, vous dériviez de celui-ci d'une manière ou d'une autre, alors, par la voie de l'humble admonition épiscopale et par une intervention salutaire, nous prendrions les mesures nécessaires à votre salut, afin qu'une inaction silencieuse ne nous fasse pas condamner, mais plutôt que l'extrême diligence de nos soins et notre admonition salutaire nous fassent mériter la récompense du Christ.

\<SECVNDVM CAPITVLVM\>

De potestate et auctoritate sacerdotali

Quod potestas et auctoritas soluendi et ligandi sacerdotibus, id est successoribus apostolorum, a Christo sit adtributa, euangelica patenter declarat lectio, quod et uestrae
5 sapientiae non ignorat plenitudo. Vnde excellentiam uestram suppliciter conuenimus, ut, per uos, proceres ceterique
fideles uestri nomen, potestatem, uigorem et auctoritatem
atque dignitatem sacerdotalem cognoscant, ne eam igno-
rantes animarum quoquo modo suarum periculum subeant.
10   Qualis igitur sit potestas et auctoritas sacerdotalis, ex uerbis Domini facile animaduertitur, quibus beato Petro, cuius
uicem indigni gerimus, ait : *Quodcumque ligaueris super*
terram, erit ligatum et in caelo et quodcumque solueris super
terram, erit solutum et in caelis [a]. Et alibi discipulis genera-
15 liter dicitur : *Quaecumque ligaueritis super terram erunt*
ligata et in caelis et quaecumque solueritis super terram
erunt soluta et in caelis [b]. Et alibi : *Accipite Spiritum*
Sanctum : quorum remiseritis peccata remittuntur eis et
quorum retinueritis retenta sunt [c]. Et multa his similia, quae
20 textus euangelicus uberius euidenter depromit.

Illud quoque ad memoriam, immo ad exemplum eis redu-
cendum est, quod in ecclesiastica historia Constantinus
imperator episcopis ait : « Deus constituit uos sacerdotes et

---

a. Matth. 16, 19   b. Matth. 18, 18   c. Jn 20, 22-23

1. Cf. *partim Conc. Paris* (829), III, 8 (*MGH Conc.* II, p. 673) et *Inst.*
des laïcs, II, 20-21 (*PL* 106, 209-212).

DEUXIÈME CHAPITRE [1]

Du pouvoir et de l'autorité du prêtre

Que l'autorité et le pouvoir de lier et délier ont été accordés par le Christ aux prêtres — qui sont les successeurs des apôtres —, c'est ce que démontre à l'évidence la lecture de l'Évangile, et que la plénitude de votre sagesse n'ignore pas non plus. C'est pourquoi nous supplions Votre Excellence afin que, par votre intermédiaire, les grands et tous vos autres fidèles apprennent à connaître le nom, le pouvoir, la force, l'autorité [2] et la dignité sacerdotales, de peur que l'ignorance de ceci ne mette leur âme en danger de quelque manière.

Ainsi, la nature du pouvoir et de l'autorité du prêtre se reconnaît facilement dans les paroles du Seigneur, disant à saint Pierre, dont nous sommes les indignes successeurs : « Tout ce que tu lieras sur la terre sera lié aussi au ciel, et tout ce que tu délieras sur la terre sera aussi délié aux cieux [a]. » Et ailleurs, il est dit aux disciples en général : « Toutes les choses que vous lierez sur terre seront liées dans les cieux et toutes celles que vous délierez sur la terre seront déliées dans les cieux [b]. » Et ailleurs : « Recevez l'Esprit-Saint ; ceux à qui vous remettrez les péchés, ils leur seront remis. Ceux à qui vous les retiendrez, ils leur seront retenus [c]. » Et il y a beaucoup d'autres paroles semblables à celles là, que le texte évangélique expose clairement et en abondance.

Il faut aussi rappeler pour mémoire, ou plutôt pour l'exemple, ce que l'empereur Constantin, dans l'*Histoire ecclésiastique*, dit aux évêques : « Dieu vous a constitués

---

2. « Et auctoritatem » *RBC* : *om. A*. Cette omission s'explique par le fait que le ms d'Orléans présente une version du texte différente, destinée non plus à Pépin, mais à Louis le Pieux.

potestatem dedit de nobis quoque iudicandi et ideo nos a
25 uobis recte iudicamur. Vos autem non potestis ab hominibus iudicari, propter quod Dei solius inter uos expectate
iudicium, ut uestra iurgia quaecumque sunt, ad illum diuinum reseruentur examen. Vos etenim nobis a Deo dati estis
dii et conueniens non est ut homo iudicet deos, sed ille solus
30 de quo scriptum est : *Deus stetit in sinagoga deorum, in
medio autem deos diiudicat* [d]. »

Licet enim sacerdotes moderno tempore in multis sint
neglegentes, non sunt tamen uituperandi ac despiciendi, sed
propter illum cuius ministerium gerunt, audiendi et
35 congruo honore uenerandi. Post apostolos enim ad ipsos
haec Domini sententia dirigitur : *Qui uos audit, me audit, et
qui uos spernit, me spernit* [e]. Adtendendum quod Christi
sacerdotum spretio ad iniuriam Christi pertineat, plura sunt
quippe legalia et euangelica praecepta, quibus sacerdotibus
40 obtemperari debere praecipitur. Qualis porro uita et actio
sacerdotum esse debeat, quales ipsi esse, qualiter ad culmen
regiminis uenire, qualiter uiuere, qualiter subiectos dictis et
exemplis debeant docere, alibi a sanctis et uenerabilibus
doctoribus satis expressum est. Hic autem de regibus quo-
45 rum saluti ministerium sacerdotum solerter prospicere,
quorumque armis et protectione Ecclesia Christi debet
tueri, prosequendum est.

d. Ps. 81, 1   e. Lc 10, 16

1. RUFIN D'AQUILÉE, *Eusebii historia ecclesiastica translata et conti-
nuata*, lib. 10, c. 2 (*PL* 21, 468 et éd. Mommsen, *GCS Eus. Werke*, II,
2, p. 961, l. 10-17). Ce passage célèbre, qui fait partie des deux livres
ajoutés par Rufin à *l'Histoire ecclésiastique* d'Eusèbe de Césarée, est
repris dans GRÉGOIRE LE GRAND, *Registrum epistularum*, V, 36 (éd.
D. Norberg, *CCSL* 140, p. 306, l. 55-57). La citation finale est presque
conforme à la Vulgate (*Ps.* 81, 1), mais celle-ci donne « ... Deus deiudi-
cat ». La leçon « deos diiudicat » est celle de très anciens psautiers latins
(cf. R. WEBER, *Le psautier romain et les autres psautiers latins*, Rome
1953, p. 205).

prêtres, et il vous a donné le pouvoir de nous juger aussi ; c'est pourquoi c'est à bon droit que nous sommes jugés par vous. Quant à vous, vous ne pouvez pas être jugés par les hommes : pour cette raison, n'attendez entre vous de jugement que de Dieu de sorte que vos querelles, quelles qu'elles soient, soient réservées à ce jugement divin. En effet, vous êtes des dieux, donnés à nous par Dieu, et il ne convient pas que l'homme juge les dieux, mais celui-là seul, dont il est écrit : 'Dieu s'est dressé dans l'assemblée divine et, au milieu d'eux, il juge les dieux d 1.' »

En effet, bien que les prêtres de l'époque actuelle soient négligents sur bien des points, il ne faut pas pour autant les critiquer ou les mépriser 2 ; mais, pour Lui, dont ils remplissent le ministère, il faut les écouter et les vénérer avec l'honneur qui convient. En effet, après les apôtres, c'est à eux que cette parole du Seigneur est adressée : « Qui vous écoute m'écoute, et qui vous repousse me repousse e. » Il faut rappeler que mépriser les prêtres du Christ revient à outrager le Christ. Il y a en vérité beaucoup de préceptes de la Loi et des Évangiles, où l'on prescrit le devoir d'obéir aux prêtres. Cependant, de saints et vénérables docteurs ont suffisamment exprimé ailleurs quelles doivent être la vie et l'action des prêtres, ce qu'ils doivent eux-mêmes être, comment ils doivent venir au sommet du gouvernement des âmes 3, comment ils doivent vivre et instruire les sujets par la parole et par l'exemple. Mais ici, il nous faut continuer à parler des rois, au salut desquels le ministère des prêtres est de veiller avec diligence, et dont les armes et la protection doivent défendre l'Église du Christ.

2. Cf. *II Cor.* 6, 3 : « Ut non uituperetur ministerium nostrum ».
3. Cf. *Sacram. greg.*, c. 216 (éd. Lietzmann, Münster 1958) et Benoît, *Reg.* II, 34.37 (*SC* 181, p. 450).

<Tertivm capitvlvm>

Quid sit rex, quid esse quidue debeat cauere

Rex a recte agendo uocatur. Si enim pie et iuste et misericorditer regit, merito rex appellatur ; si his caruerit, nomen regis amittit. Antiqui autem omnes reges tyrannos uocabant. Sed postea pie et iuste et misericorditer regentes regis nomen sunt adepti. Impie uero iniuste crudeliterque principantibus non regis, sed tyrannicum aptatum est nomen.

Quia ergo rex a regendo dicitur, primo ei studendum est, ut semet ipsum suamque domum, Christi adiuuante gratia, ab operibus nequam emaculet bonisque operibus exuberare faciat, ut ab ea caeteri subiecti bonum exemplum semper capiant. Ipse etiam salutiferis Christi praeceptis fideliter atque obedienter obsecundet et recte agendo eos, quibus temporaliter imperat, in pace et concordia atque caritate caeterorumque bonorum operum exhibitione, quantum sibi diuinitus datur, consistere faciat et dictis atque exemplis ad opus pietatis et iustitiae et misericordiae sollerter excitet, adtendens, quod pro his Deo rationem redditurus sit, quatenus, ita agendo, sanctorum regum, qui Deo sincere

---

1. Cf. *Conc. Paris* (829), II, 1 (*MGH Conc.* II, p. 649-651).

2. Cf. Isidore, *Etym.*, lib. I, chap. 29, par. 3 : « reges a regendo, id est a recte agendo » et lib. IX, chap. 3, par. 4, 6, 19, 20 (éd. Reydellet, *Isidore de Séville : Étymologies, livre IX*, Paris 1984, p. 131). Isidore dit « a regendo, id est a recte agendo », mais jamais « a recte regendo ». La leçon de *A* est sans doute la leçon originale. C'est également celle de *Conc. Paris* (829), *MGH Conc.* II, p. 649, reprise par *Conc. Aix* (836), *MGH Conc.* II, p. 715, mais de toute manière Jonas semble restituer le texte de tête et le tronque légèrement. Il faut donc traduire : « Le roi tire son nom d'*action droite*, c'est-à-dire de rectitude. » Sur les origines antiques de cette notion et son usage patristique, cf. H. H. Anton, *Fürstenspiegel und Herrscherethos in der Karolingerzeit*, Bonn 1968, p. 384 s.

Troisième chapitre [1]

Ce qu'est le roi, ce qu'il doit être
et ce qu'il doit éviter

Le roi tire son nom du fait d'agir droitement [2]. Si en effet il règne avec piété, justice et miséricorde, c'est à juste titre qu'on l'appelle roi ; s'il manque à ces vertus, il perd le nom de roi. De fait, les Anciens appelaient tous les rois tyrans [3]. Mais, par la suite, ceux qui régnèrent avec piété, justice et miséricorde ont obtenu le nom de roi. Sans aucun doute, ce n'est pas le nom de roi, mais celui de tyran qui est adapté à ceux qui gouvernent dans l'impiété, l'injustice et la cruauté [4].

Donc, puisque c'est le fait de régner qui donne son nom au roi, il lui faut d'abord s'appliquer, avec l'aide de la grâce du Christ, à se purifier, et à purifier sa maison des œuvres mauvaises, et à la faire abonder en bonnes œuvres, afin que tous les autres sujets en reçoivent toujours le bon exemple. De plus, que lui-même se conforme avec fidélité et obéissance aux préceptes salutaires du Christ et, en agissant avec rectitude, qu'il fasse demeurer ceux sur qui il exerce le pouvoir temporel dans la paix et la concorde, dans la charité et la manifestation de toutes les autres bonnes œuvres, pour autant que la volonté divine le lui accorde. Et que, par la parole et l'exemple, il incite avec habileté aux œuvres de piété, de justice et de miséricorde, en prenant garde au fait qu'il aura à en rendre compte à Dieu, afin, en agissant ainsi,

---

3. Cf. Isidore, *Etym.*, IX, c. 3, par. 19 (éd. Reydellet, p. 131) : « Tiranni grece dicuntur. Idem latine et reges. »

4. Le passage « Antiqui — nomen » n'existe pas dans *A*. L'opposition entre *rex* et *tyrannus* se rencontre bien avant Isidore, cf. Augustin, *De ciu. Dei*, V, 19 (*BA* 33, p. 732) et Grégoire le Grand, *Moralia*, XII, 38 (*SC* 212, p. 208).

20 seruiendo placuerunt, post hanc peregrinationem consors efficiatur.

De rege autem, qualis esse uel quid cauere debeat, ita in Deuteronomio legitur : *Cum ingressus fueris terram, quam Dominus Deus tuus dabit tibi et possederis eam habitaue-*
25 *risque in illa et dixeris : constituam super me regem, sicut habent omnes per circuitum nationes, eum constitues quem Dominus Deus tuus elegerit de numero fratrum tuorum* [a], et post pauca : *Non habebit uxores plurimas, quae inliciant animum eius neque argenti et auri inmensa pondera.*
30 *Postquam autem sederit in solio regni sui, describat sibi Deuteronomium legis huius in uolumine, accipiens exemplar a sacerdotibus leuiticae tribus et habebit secum legetque illud omnibus diebus uitae suae, ut discat timere Dominum Deum suum et custodire uerba et caerimonias eius, quae lege*
35 *praecepta sunt. Nec extolletur cor eius in superbiam super fratres suos neque declinet in partem dextram uel sinistram, ut longo tempore regnet ipse et filii eius super Israhel* [b]. Adtende quod timor Dei et custodia praeceptorum eius et humilitas quae non patitur eum extollere super fratres suos
40 et iustitiae rectitudo non solum regem, sed et filios eius longo faciet regnare tempore.

Vt ergo princeps extollentiam cauere debeat, Ecclesiastes admonens ait : *Principem te constituerunt ? Noli extolli, sed esto in illis quasi unus ex ipsis* [c] ; in Prouerbiis : *Rex qui iudi-*
45 *cat in ueritate pauperes, thronus eius in aeternum firmabi-tur* [d]. Item : *Misericordia et ueritas custodiunt regem et robo-ratur clementia thronus eius* [e].

---

a. Deut. 17, 14-15   b. Deut. 17, 17-20 ; cf. Prov. 4, 27   c. Sir. 32, 1
d. Prov. 29, 14   e. Prov. 20, 28

---

1. *Sir.* 32, 1 : il s'agit en fait de la présidence du banquet ; le texte de la Vulgate dit : « Rectorem te posuerunt ? (On t'a établi président ?). » La citation est d'ailleurs du Siracide (Ecclésiastique) et non de l'Ecclésiaste.

de devenir après cette pérégrination le compagnon des saints rois qui ont plu à Dieu en le servant avec sincérité.

En outre, voici ce qu'on lit dans le Deutéronome au sujet du roi, de ce qu'il doit être et de ce qu'il doit éviter : « Lorsque tu seras entré dans le pays que le Seigneur ton Dieu te donnera, quand tu en auras pris possession et que tu y habiteras, et quand tu diras : 'Je veux établir un roi au-dessus de moi, comme toutes les nations qui m'entourent', c'est celui que le Seigneur ton Dieu aura choisi parmi tes frères [a] que tu établiras à ta tête », et un peu plus loin : « Il ne devra pas non plus avoir un grand nombre de femmes qui dévoieront son cœur, non plus que beaucoup de lingots d'or et d'argent. Et quand il sera assis sur le trône de sa royauté, il mettra par écrit pour lui-même le Deutéronome de cette loi dans un livre, après en avoir reçu un exemplaire de la main des prêtres de la tribu de Lévi. Il restera auprès de lui, et il le lira tous les jours de sa vie, pour apprendre à craindre le Seigneur son Dieu, et à observer ses paroles et les cérémonies prescrites par la Loi. Ainsi, son cœur ne s'élèvera pas au-dessus de ses frères et il ne s'écartera du commandement ni à droite, ni à gauche, afin de prolonger, pour lui et ses fils, les jours de sa royauté au sein d'Israël [b]. » Prends garde au fait que la crainte de Dieu, l'observance de ses commandements, l'humilité qui ne souffre pas qu'un homme s'élève au-dessus de ses frères, et la rectitude de la justice, prolongent non seulement le règne du roi, mais aussi celui de ses fils.

C'est donc contre l'orgueil que l'Ecclésiaste met en garde le prince, en disant : « On t'a établi prince [1] ? Ne t'exalte pas, avec les autres comporte toi comme l'un d'eux [c]. » Et dans les Proverbes : « Un roi qui rend justice aux pauvres en toute vérité, voit son trône affermi pour toujours [d]. » De même : « Bienveillance et vérité garderont le roi, son trône s'affermit par la clémence [e]. »

Verum quia sanctorum, qui cum Domino regnant, documenta, Sancti Spiritus munere prolata, in cordibus audito-
50 rum plus ualere quam nostrae exiguitatis uerba non dubitamus, idcirco pauca de uerbis beati Cipriani martyris Christi huic opusculo paruitatis nostrae quaedam inseruimus, quae uestrae serenitati prae manibus habenda et saepe legenda atque tractanda offerimus, quatenus in eius uerbis, quasi in
55 quodam speculo, quid esse, quid agere quidue cauere debeatis, iugiter uos contemplemini. Cuius uerba sunt haec :
« Nonus, inquiens, abusionis gradus est rex iniquus ; etenim regem non iniquum, sed correctorem iniquorum esse oportet ; unde in semetipso nominis sui dignitatem custodire
60 debet. Nomen enim regis intellectualiter hoc retinet, ut subiectis omnibus rectoris officium procuret. Sed qualiter alios corrigere poterit, qui proprios mores, ne iniqui sint, non corrigit ? Quoniam iustitia regis exaltatur solium et ueritate solidantur gubernacula populorum[f]. Iustitia uero
65 regis est neminem iniuste per potentiam obprimere, sine acceptione personarum[g] inter uirum et proximum suum iudicare, aduenis et pupillis et uiduis[h] defensorem esse, furta cohibere, adulteria punire, iniquos non exaltare, inpudicos et istriones non nutrire, impios de terra perdere, parricidas et periurantes uiuere non sinere, ecclesias defendere, pauperes elemosinis alere, iustos super regni negotia constituere, senes et sapientes et sobrios consiliarios habere,

---

f. Cf. Ps. 88, 17 et Prov. 16, 12   g. Cf. I Pierre 1, 17   h. Cf. Deut. 24, 20 ; 26, 12 ; Jér. 7, 6

---

1. Pour la plupart des auteurs carolingiens, c'est Dieu qui inspire les Pères de l'Église et les canons des conciles par l'intermédiaire du Saint-Esprit (cf. aussi JONAS, De cultu, I, PL 106, 321). Il est la source de toute connaissance. D'où l'usage du terme auctoritates.

2. C'est l'idée même du manuel, que l'on retrouve chez DHUODA, Manuel pour mon fils, SC 225 bis, p. 66-68.

Mais, nous ne doutons pas que les enseignements des saints qui règnent avec le Seigneur, enseignements transmis par la faveur du Saint-Esprit [1], ont davantage de valeur dans le cœur des auditeurs que les paroles de notre infime personne. C'est pourquoi nous avons inséré dans cet opuscule de notre petitesse certaines paroles, en petit nombre, du martyr du Christ saint Cyprien, que nous offrons à Votre Sérénité pour qu'elle les ait sous la main [2], qu'elle les lise souvent et les étudie, afin que dans ses paroles comme dans une sorte de miroir vous contempliez en permanence ce que vous devez être, ce que vous devez faire ou éviter [3]. Voici ses paroles : « Le neuvième degré d'abus, dit-il, est le roi injuste ; en effet, il convient que le roi ne soit pas injuste, mais qu'il soit au contraire le correcteur des injustes. C'est pourquoi il doit dans sa propre personne veiller à maintenir la dignité de son nom. En effet, le nom de roi comporte dans sa signification même le fait que la charge qu'il exerce est la direction de tous les sujets. Mais comment pourra-t-il corriger les autres, celui qui ne corrige pas sa propre conduite pour éviter qu'elle soit injuste ? Car la justice du roi élève le trône et la vérité renforce le gouvernement des peuples [f]. En vérité, la justice du roi c'est de ne pas se servir de son pouvoir pour opprimer quiconque, c'est de juger sans acception de personne [g] entre un homme et son prochain, c'est d'être le défenseur des étrangers, des orphelins et des veuves [h], d'empêcher les vols, de punir les adultères, de ne pas glorifier les injustes, de ne pas entretenir des impudiques et des bouffons, d'éliminer de la terre les impies, de ne pas laisser vivre les parricides et les parjures, de défendre les églises, de sustenter les pauvres par des aumônes, de nommer des gens justes aux affaires du royaume, d'avoir des conseillers âgés,

---

3. L'idée du miroir en tant que révélateur de la conduite morale à tenir se retrouve chez d'autres auteurs carolingiens (Cf. DHUODA, *Manuel...*, p. 114-116 ; ALCUIN, *De uirtutibus et uitiis*, PL 101, 616 CD).

magorum et ariolorum[i] phitonissarumque superstitionibus
non intendere, iracundiam differre, patriam fortiter et iuste
75 contra aduersarios defendere, per omnia in Deo uiuere,
prosperitatibus non eleuare animum, cuncta aduersa patienter ferre, fidem catholicam in Deum habere, filios suos non
sinere impie agere, certis horis orationibus insistere, ante
horas congruas non gustare cibum. *Vae enim terrae, cuius*
80 *rex est puer et cuius principes mane comedunt*[j]. Haec regni
prosperitatem in praesenti faciunt et regem ad caelestia
regna meliora perducunt.

« Qui uero secundum hanc legem non dispensat, multas
nimirum aduersitates imperii tolerat. Idcirco enim saepe pax
85 populorum rumpitur et offendicula etiam de regno susci-
tantur, terrarum quoque fructus diminuuntur, et seruitia
populorum praepediuntur. Multi etiam dolores prosperitatem regni inficiunt, carorum et liberorum mortes tristitiam
conferunt, hostium incursus prouincias undique uastant,
90 bestiae armentorum et pecorum greges dilacerant, tempe-
states ueris et hiemis terrarum fecunditatem et maris mini-
steria prohibent et aliquando fulminum ictus segetes et
arborum flores et pampinos exurunt. Super omnia uero
regis iniustitia non solum praesentis imperii faciem fuscat,
95 sed etiam filios suos et nepotes, ne post se regni hereditatem
teneant, obscurat. Propter piaculum enim Salomonis,
regnum domus Israhel Dominus de manibus filiorum eius
dispersit et propter meritum Dauid regis lucernam de semi-
ne eius semper in Hierusalem reliquit[k].

i. Cf. IV Rois 23, 24   j. Eccl. 10, 16   k. Cf. III Rois 11, 31-32

1. « Magorum — intendere » *om. A.*

sages et sobres, de ne pas prêter attention aux superstitions des mages, des devins [i] ou des voyantes [1], de différer sa colère, de défendre sa patrie avec courage et loyauté contre ses adversaires, de vivre en Dieu en toutes choses, de ne pas se glorifier des succès, de supporter avec patience toutes les infortunes, de professer en Dieu la foi catholique, de ne pas laisser ses fils agir de façon impie, de s'adonner à la prière à des heures déterminées, de ne pas prendre de nourriture avant les heures convenables. Car 'malheur au pays dont le roi est un enfant et dont les princes festoient dès le matin [j].' Voilà ce qui fait la prospérité d'un royaume dans le moment présent, et ce qui conduit le roi aux royaumes célestes, qui sont meilleurs.

« De fait, celui qui n'administre pas son royaume selon cette loi permet assurément que surviennent de nombreuses difficultés pour son gouvernement. En effet, c'est souvent pour cette raison que la paix est rompue entre les peuples et même que surgissent des obstacles au sein du royaume, que les produits de la terre également diminuent et que les services dus par les peuples sont entravés. Qui plus est, beaucoup de souffrances ternissent la prospérité du royaume, la mort des êtres chers et des enfants apporte la tristesse, les incursions des ennemis dévastent entièrement les provinces et mettent en pièces les troupeaux de gros et petit bétail ; des tempêtes en été et en hiver gênent la fécondité des terres et les métiers de la mer, et parfois les coups de la foudre détruisent les moissons et les fleurs des arbres ainsi que le pampre de la vigne. Mais, par dessus tout, l'injustice du roi ne fait pas qu'assombrir le visage de l'empire actuel, mais elle porte aussi son ombre sur les fils et les petits-fils du roi, de sorte qu'ils n'aient pas après lui l'héritage du royaume. C'est en effet à cause de l'impiété de Salomon que le Seigneur ôta le gouvernement de la maison d'Israël des mains de ses fils ; et c'est à cause de son mérite que le roi David laissa à jamais derrière lui la lumière de sa descendance à Jérusalem [k].

100   « Ecce quantum iustitia regis saeculo ualet, intuentibus
       perspicue patet. Pax populorum est tutamentum patriae,
       immunitas plebis, munimentum gentis, cura languorum,
       gaudium hominum, temperies aeris, serenitas maris, terrae
       fecunditas, solatium pauperum, hereditas filiorum et sibi-
105   metipsi spes futurae beatitudinis. Attamen sciat quod, sicut
       in throno hominum primus constitutus est, sic et in poenis,
       si iustitiam non fecerit, primatum habiturus est. Omnes
       namque quoscumque peccatores sub se in praesenti habuit,
       supra se modo in illa futura poena habebit. »

110   Fulgentius in libro de ueritate praedestinationis et gra-
       tiae : « Clementissimus, inquit, imperator non ideo est uas
       misericordiae praeparatum in gloriam[1], quia apicem terreni
       principatus accepit. Sed si imperiali culmine recta fide uiuat
       et, uera cordis humilitate praeditus, culmen regiae dignita-
115   tis sanctae religioni se subiciat ; si magis in timore seruire
       Deo, quam in tumore dominari populo delectetur ; si in eo
       lenitas iracundiam mitiget, ornet benignitas potestatem ; si
       se magis diligendum quam metuendum cunctis exhibeat, si
       subiectis salubriter consulat ; si iustitiam sic teneat, ut mise-
120   ricordiam non relinquat ; si prae omnibus ita se sanctae
       matris ecclesiae catholicae meminerit filium, ut eius paci
       atque tranquillitati per uniuersum mundum prodesse faciat
       principatum. Magis enim christianum regitur ac propagatur

l. Cf. Rom. 9, 23

1. Dans ce passage, la justice du roi va bien au-delà du sens classique
du mot *iustitia* : le roi y acquiert non seulement un rôle de régulation
générale du monde et de la société, mais aussi l'entière responsabilité de
toute perturbation de leur équilibre. Cette conception est d'origine
irlandaise : cf. le *Testament de Morand*, éd. Thurneysen, *Zeitschrift für
celtische Philologie*, 11(1917), p. 98-106.

2. Tous les mss donnent la leçon « primatus », sauf *A1* qui corrige en
« primatum », qui correspond au texte du Pseudo-Cyprien (cf. note
suivante). Cette dernière leçon est la seule possible grammaticalement.

« Voici maintenant qu'il apparaît clairement aux regards à quel point la justice du roi fortifie son siècle : elle est la paix des peuples, le rempart de la patrie, la sauvegarde du peuple, la forteresse de la nation, la guérison des maladies, la joie des hommes, la clémence de l'air, la sérénité de la mer, la fécondité de la terre, la consolation du pauvre, la succession pour ses fils, et, pour lui-même, l'espérance du bonheur à venir [1]. Mais il faut qu'il sache que, si sur le trône il est établi comme le premier des hommes, de même il aura la première place [2] dans les tourments s'il n'exerce pas la justice. En effet, tous les pécheurs qui sont dans le moment présent au-dessous de lui seront dans la même mesure au-dessus de lui dans ces tourments futurs [3]. »

Fulgence, dans le livre *De la vérité de la prédestination et de la grâce* : « Ce n'est pas, dit-il, parce qu'un empereur très clément a reçu l'insigne du principat terrestre qu'il est pour autant un vase de miséricorde destiné à la gloire [1]. Il ne le sera que s'il vit au sommet de l'empire dans la droiture de la foi, et si, pourvu d'une véritable humilité du cœur, il subordonne à la sainte religion le sommet de sa dignité royale ; s'il se plaît davantage à servir Dieu dans la crainte qu'à exercer avec orgueil sa domination sur le peuple ; si en lui la douceur tempère la colère et si la bonté est l'ornement de son pouvoir ; s'il inspire à tous l'amour plus que la crainte et s'il prend soin du salut de ses sujets ; s'il maintient si bien la justice qu'il ne délaisse pas la miséricorde ; si devant tous il se souvient qu'il est le fils de notre sainte mère, l'Église catholique, de sorte qu'il fasse du principat l'instrument de la paix et de la tranquillité de celle-ci par tout l'univers. En effet, le gouvernement et l'expansion d'un empire chrétien sont

L'erreur doit donc être attribuée à Jonas lui-même ou au manuscrit du Pseudo-Cyprien dont il disposait.

3. Ps.-Cyprien, *De duodecim abusiuis saeculi*, éd. Hellmann, Leipzig 1909, p. 51.

imperium, dum ecclesiastico statui per omnem terram
125 consulitur, quam cum in parte quacumque terrarum pro
temporali securitate pugnatur. »

Isidorus : « Qui recte utitur regni potestate, ita se prae-
stare omnibus debet, ut, quanto magis honoris celsitudine
claret, tanto semet ipsum mente humiliet, praeponens sibi
130 exemplum humilitatis Dauid, qui de suis meritis non
tumuit, sed humiliter sese deiciens dicit : *Vilis incedam et
uilis apparebo ante Deum, qui elegit me* [m]. » Item Isidorus :
« Qui intra saeculum bene temporaliter imperat, sine fine in
perpetuum regnat et de gloria huius saeculi ad aeternam
135 transmeat gloriam. Qui uero praue regnum exercent, post
uestem fulgentem et lumina lapillorum, nudi et miseri ad
inferna torquendi descendunt. Reges a recte agendo uocati
sunt ideoque recte faciendo regis nomen tenetur, peccando
amittitur. » Gregorius in Moralibus : « Nam et uiros sanc-
140 tos proinde reges uocari in sacris eloquiis, eo quod recte
agant sensusque proprios bene regant et motus resistentes
sibi rationabili discretione componant. Recte igitur illi reges
uocantur, qui tam semet ipsos quam subiectos bene regendo pacificare nouerunt. Quidam ipsum nomen regiminis ad
145 inmanitatem transuertunt crudelitatis dumque ad culmen
potestatis uenerunt, in apostasiam confestim labuntur tantoque se tumore cordis extollunt, ut cunctos subditos in sui
comparatione dispiciant eosque, quibus praeesse contigit,
non agnoscant. » Et paulo post : « Dum mundi reges subli-

m. II Sam. 6, 21-22

1. FULGENCE, *De ueritate praedestinationis et gratiae* II, c. 22,
par. 39 (*CCSL* 91, 2, p. 517).

2. ISIDORE, *Sententiae*, III, 49, 1 (*PL* 83, 720).

3. ISIDORE, *ibid.*, III, 48, 6-7 (*PL* 83, 719).

4. ISIDORE, *ibid.*, III, 48, 7-8 (*PL* 83, 719). Jonas fait erreur en attri-
buant ce passage à Grégoire. Reviron pensait qu'il pouvait avoir sous
les yeux un manuscrit comportant une référence aux *Morales* de

mieux assurés par le souci de la situation de l'Église sur toute la terre que par un combat pour la sécurité temporelle en une quelconque partie de celle-ci [1]. »

Isidore : « Celui qui fait un juste usage du pouvoir royal doit se distinguer de tous de la manière suivante : il brille d'autant plus par la grandeur de son rang qu'il s'humilie davantage lui-même en son cœur, en se proposant comme modèle l'exemple de l'humilité de David, qui ne s'est pas enorgueilli de ses mérites, mais dit en s'abaissant avec humilité : 'Je m'avancerai en homme vil, et vil j'apparaîtrai devant Dieu qui m'a choisi [m] [2]'. » De même Isidore : « Celui qui, dans le siècle, exerce bien le pouvoir temporel, règne sans fin dans l'éternité, et passe de la gloire de ce siècle à la gloire éternelle. Mais ceux qui exercent mal le pouvoir, laissant derrière eux leur vêtement brillant et les feux des pierres précieuses, descendront, nus et misérables, aux enfers pour y connaître le tourment. Les rois tirent leur nom de rectitude. En agissant bien, ils gardent le nom de roi, en péchant ils le perdent [3]. » Grégoire dans les *Morales* : « Et dans les Écritures sacrées, les hommes saints sont ainsi appelés rois parce qu'ils agissent avec droiture, qu'ils contrôlent bien leurs propres sentiments et qu'ils surmontent les passions qui leur résistent par un discernement conforme à la raison. C'est donc à juste titre que sont appelés rois ceux qui, en régnant bien, apportent l'apaisement tant à eux-mêmes qu'à leurs sujets. Il en est qui transforment ce nom même de gouvernement en une démesure de cruauté et, sitôt au sommet du pouvoir, ne tardent pas à tomber dans l'apostasie ; et ils s'exaltent eux-mêmes avec un tel orgueil qu'ils regardent de haut l'ensemble de leurs sujets en les comparant à eux-mêmes, et ignorent ceux qui, d'aventure, leur sont supérieurs [4]. » Et peu après : « Puisqu'ils savent qu'ils sont situés

Grégoire. Cependant, la suite du même paragraphe étant bien attribuée à Isidore, nous pensons qu'il s'agit d'une simple erreur.

150 miores se caeteris sentiunt, mortales tamen se esse agnoscant, nec regni gloriam, qua in saeculo sublimantur, aspiciant, sed opus quod secum deportent, intendant. » Item non post multa : « Reges, quando boni sunt muneris esse Dei ; quando uero mali, sceleris esse populi. Secundum
155 meritum enim plebium disponitur uita rectorum, testante Iob : *Qui regnare facit hypocritam propter peccata populi*[n]. Irascente enim Deo, talem rectorem populi suscipiunt, qualem pro peccato merentur. Nonnumquam pro malitia plebis etiam reges mutantur et qui ante uidebantur esse boni,
160 accepto regno fiunt iniqui. »

His ita praemissis, studendum est regi, ut non solum in se, uerum etiam in sibi subiectis, regis nomen adimpleat prouideatque ut populus sibi subiectus pietate, pace, caritate, iustitia et misericordia atque concordia et unanimitate
165 caeterisque bonis exuberet operibus, ut haec habentes, Dominum secum habere mereantur. Sciatque certissime, quod non solum de se, uerum etiam de ipsis, Dominus ab eo fructum bonae operationis exacturus est.

n. Job 34, 30

1. Isidore, *Sent.*, 48, 9 (*PL* 83, 719).
2. Isidore, *ibid.*, 48, 11 (*PL* 83, 720).

plus haut que tous les autres, que les rois du monde reconnaissent donc qu'ils sont mortels et qu'ils ne considèrent pas la gloire de la monarchie qui fait leur grandeur dans le siècle, mais qu'ils tournent leurs regards vers l'œuvre dont ils se sont chargés [1]. » De même un peu plus loin : « Quand les rois sont bons, c'est un don de Dieu ; mais quand ils sont mauvais, c'est la faute du peuple. La vie des dirigeants dépend du mérite des peuples, témoin Job : 'Il fait régner l'hypocrite à cause des péchés du peuple [n].' Car, quand Dieu est en colère, les peuples reçoivent un chef à la mesure de leur péché. Il arrive même que les rois soient transformés de par la malignité du peuple ; et ceux qui semblaient bons précédemment deviennent injustes dès qu'ils sont à la tête du royaume [2]. »

Ceci étant dit, le roi doit s'appliquer à accomplir le nom de roi non seulement en lui, mais aussi chez ses sujets, et veiller à ce que le peuple qui lui est soumis ait une abondance de piété, de paix, de charité, de justice et de miséricorde, de concorde, d'harmonie et de toutes les autres bonnes œuvres, de sorte que, les ayant, ses sujets méritent d'avoir le Seigneur avec eux. Et qu'il sache avec la plus grande certitude que le Seigneur lèvera non seulement sur lui, mais aussi sur eux-mêmes, l'impôt sur le fruit de leurs bonnes œuvres [3].

3. Cf. *supra*, Adm., l. 212 (n. 1).

<QVARTVM CAPITVLVM>

Quid sit proprie ministerium regis

Regale ministerium specialiter est populum Dei gubernare et regere cum aequitate et iustitia et ut pacem et concor-
diam habeant studere. Ipse enim debet primo defensor esse
5 ecclesiarum et seruorum Dei, uiduarum, orfanorum caeterorumque pauperum, necnon et omnium indigentium.

Ipsius enim terror et studium huiuscemodi, in quantum
possibile est, esse debet primo ut nulla iniustitia fiat ;
deinde, si euenerit, ut nullo modo eam subsistere permittat,
10 nec spem delitescendi, siue audaciam male agendi, cuiquam
relinquat ; sed sciant omnes quoniam si ad ipsius notitiam
peruenerit quippiam mali quod admiserint, nequaquam
incorrectum aut inultum remanebit, sed iuxta facti qualita-
tem erit et modus iustae correptionis. Quapropter in
15 throno regiminis positus est ad iudicia recta peragenda, ut ipse
per se prouideat et perquirat, ne in iudicio aliquis a ueritate
et aequitate declinet. Scire etiam debet, quod causa, quam
iuxta ministerium sibi commissum administrat, non hominum sed Dei causa existit, cui, pro ministerio quod suscepit,
20 in examinis tremendi die rationem redditurus est. Et ideo
oportet, ut ipse, qui iudex est iudicum, causam pauperum ad

---

1. Cf. *Conc. Paris* (829), II, 2 (*MGH Conc.* II, p. 651-652).

2. Après « Dei », *A*, revenant à l'idée exprimée à la fin du chap. 2,
ajoute la phrase suivante : « Ipsorum etiam officium est saluti et ministerio sacerdotum solerter prospicere, eorumque armis et protectione
ecclesia Christi debet tueri ». Il a donc modifié profondément le texte
original présenté par *R* et *C*.

3. *A* ajoute ici « inopia defendi » pour terminer sa phrase.

4. *A* donne « nullam iniustitiam faciat » au lieu de « nulla iniustitia fiat ». Cette leçon n'est pas invraisemblable, mais elle va à l'encontre
de tous les autres manuscrits.

Quatrième chapitre [1]

Ce qui est le propre du ministère royal

Le ministère royal est tout spécialement de gouverner et de diriger le peuple de Dieu avec équité et justice, et de s'appliquer à lui procurer la paix et la concorde. En effet, le roi doit en premier lieu être le défenseur des églises et des serviteurs de Dieu [2], des veuves, des orphelins et de tous les autres pauvres, et aussi de tous les indigents [3].

En effet, la terreur qu'il inspire et son zèle doivent s'exercer, dans la mesure du possible, de la manière suivante : en sorte d'abord qu'aucune injustice ne se commette [4] ; ensuite, si néanmoins cela arrive, il ne doit en aucune façon la laisser subsister ni laisser à quiconque l'espoir de se cacher ou l'audace de mal agir. Mais, au contraire, tous doivent savoir que s'il vient à l'apprendre, les mauvaises actions qu'ils se seront permises ne resteront en aucun cas sans correction ni vengeance, mais que la mesure de la juste correction sera proportionnée à la nature de l'acte. C'est pourquoi il a été placé sur le trône du gouvernement pour administrer des jugements équitables, pour y pourvoir par lui-même et s'informer avec soin, afin que nul ne s'écarte de la vérité et de la justice au cours du jugement. Il doit savoir aussi que la cause à laquelle il prête son concours conformément au ministère qui lui a été confié n'émane pas des hommes, mais de Dieu, à qui il aura des comptes à rendre au jour redoutable du jugement pour le ministère qu'il a reçu. Et c'est pourquoi il convient que lui, qui est le juge des juges [5], introduise à son audience la cause des pauvres et s'informe

---

5. *A* présente la leçon « iudicium causamque », qui change complètement le sens du passage, mais ne correspond pas au propos de Jonas.

se ingredi faciat et diligenter inquirat, ne forte illi, qui ab eo constituti sunt et uicem eius agere debent in populo, iniuste aut neglegenter pauperes oppressiones pati permittant.

25 De ministerio autem regis ita Iob loquitur : *Cumque sederem quasi rex circumstante exercitu, eram tamen maerentium consolator. Auris audiens beatificabat me et oculus uidens testimonium reddebat mihi, quod liberassem pauperem uociferantem et pupillum cui non esset adiutor.* 30 *Benedictio perituri super me ueniebat et cor uiduae consolatus sum. Iustitia indutus sum et uestiuit me sicut uestimento et diademate iudicio meo. Oculus fui caeco et pes claudo. Pater eram pauperum et causam, quam nesciebam, diligentissime inuestigabam. Conterabam molas iniqui et de denti-* 35 *bus illius auferebam praedam* [a].

Salomon : *Rex, qui sedet in solio iudicii, dissipat omne malum intuitu suo* [b]. Item : *Dissipat impios rex sapiens et curuat super eos fornicem* [c]. Item : *Iudex sapiens uindicabit populum suum et principatus sensati stabilis est* [d]. Item : *Rex* 40 *iustus erigit terram et uir auarus destruit eam* [e]. In libro Sapientiae : *Diligite iustitiam, qui iudicatis terram. Sentite de Domino in bonitate et in simplicitate cordis quaerite illum* [f]. Item ibi : *Audite ergo reges et intelligite ; discite iudices finium terrae. Praebete aures, uos qui continetis mul-* 45 *titudines et placetis uobis in turbis nationum, quoniam data est a Domino potestas uobis et uirtus ab Altissimo, qui interrogabit opera uestra et cogitationes scrutabitur. Quoniam, cum essetis ministri eius, non recte iudicastis neque custodis-*

---

a. Job 29, 25 et 29, 11-17   b. Prov. 20, 8   c. Prov. 20, 26   d. Sir. 10, 1   e. Prov. 29, 4   f. Sag. 1, 1

---

1. Littéralement, « dissipe », comme le vanneur sépare la balle du grain en la répandant au gré du vent. Le sens est donc qu'il distingue ainsi le mal du bien.

2. Allusion, comme au verset 8, à un procédé de battage : on fait pas-

avec diligence, afin qu'il n'advienne pas que ceux qu'il a établis et qui doivent s'occuper du peuple à sa place permettent, par injustice ou négligence, que les pauvres soient victimes d'oppressions.

Mais voici ce que dit Job du ministère du roi : « Et alors que je siégeais, campé tel un roi parmi ses troupes, j'étais pourtant le consolateur des hommes de mérite. L'oreille qui m'entendait me disait bienheureux et l'œil qui me voyait me rendait témoignage, car je sauvais le pauvre qui crie à l'aide, et l'orphelin sans secours. La bénédiction du mourant venait sur moi, et je rendais la joie au cœur de la veuve. J'avais revêtu la justice et elle me revêtait ; mon jugement était mon vêtement et mon diadème. J'étais devenu les yeux de l'aveugle et le pied du boiteux ; j'étais le père des indigents et, la cause que j'ignorais, je l'examinais avec la plus grande diligence. Je brisais les crocs de l'injuste, et d'entre ses dents j'arrachais la proie [a]. »

Salomon : « Un roi qui siège sur le trône de justice vanne tout ce qui est mal de son regard [b] [1]. » De même : « Un roi sage vanne les méchants et sur eux referme la voûte [c] [2]. » De même : « Le juge sage instruira son peuple, et le gouvernement de l'homme intelligent est bien établi [d]. » De même : « Le roi juste construit la terre et l'avare la détruit [e]. » Dans le Livre de la Sagesse : « Aimez la justice, vous qui jugez la terre. Pensez au Seigneur dans la bonté, et cherchez-le en simplicité de cœur [f]. » Là, de même : « Écoutez donc, rois, et comprenez ! Instruisez-vous, juges des confins de la terre. Prêtez l'oreille, vous qui régnez sur les foules, et qui êtes si fiers de la multitude de vos nations ; car c'est le Seigneur qui vous a donné votre pouvoir et le Très Haut votre force et c'est lui qui examinera vos actes et scrutera vos desseins. Si vous, ses ministres, n'avez pas jugé selon le

---

ser les roues du chariot pour extraire le grain (cf. *Is.* 41, 15 qui évoque les deux étapes : la dispersion des bales et le passage de la roue).

tis legem iustitiae neque secundum Dei uoluntatem ambu-
50 *lastis, horrende et cito apparebit uobis. Quoniam iudicium*
durissimum in his qui praesunt fiet. Exiguo enim conceditur
misericordia ; potentes enim potenter patientur. Non enim
subtrahet personam cuiusquam Dominus, nec reuerebitur
cuiusquam magnitudinem, quoniam pusillum et magnum
55 *ipse fecit et aequaliter pro omnibus cura est illi, fortioribus*
autem fortior instat cruciatio [g].

Isidorus : « Principes saeculi nonnumquam intra ecclesiam potestatis adeptae culmina tenent, ut per eamdem
potestatem disciplinam ecclesiasticam muniant. Caeterum
60 intra ecclesiam potestates necessariae non essent, nisi ut,
quod non praeualet sacerdos efficere per doctrinae sermo-
nem, potestas hoc imperet per disciplinae terrorem. Saepe
per regnum terrenum caeleste regnum proficit, ut qui intra
Ecclesiam positi contra fidem et disciplinam ecclesiae agunt,
65 rigore principum conterantur ipsamque disciplinam, quam
ecclesiae utilitas exercere non praeualet, ceruicibus super-
borum potestas principalis imponat et ut uenerationem
mereatur uirtutem potestas impertiat. Cognoscant principes saeculi Deo debere se reddere rationem propter
70 Ecclesiam, quam a Christo tuendam suscipiunt. Nam siue
augeatur pax et disciplina ecclesiae per fideles principes siue
soluatur, ille ab eis rationem exiget, qui eorum potestati
suam ecclesiam credidit. »

Sunt et alia utriusque Testamenti oracula copiosa, quibus
75 affatim adstruitur quod rex ministerium sibi commissum
secundum uoluntatem Dei exercere et adimplere debet,
quae hic ob prolixitatem uitandam praetermittuntur.

g. Sag. 6, 2-9

1. Isidore emploie le mot *humilitas* et Jonas celui d'*utilitas*, qui est la
leçon de certains mss tardifs des *Sentences*. Il semble plus logique que
l'on parle d'humilité de l'Église et ce terme répond à l'orgueil de ceux
qui s'opposent à l'Église, mais il est possible que la modification en *uti-*

droit, ni respecté la loi de la justice, ni suivi la volonté de Dieu, de façon terrible et soudaine il surgira devant vous. Car le jugement le plus rigoureux s'exercera contre les grands. Au petit, par pitié, on pardonne, mais les puissants subiront un châtiment puissant. Le Seigneur en effet ne soustraira la personne d'aucun homme et ne tiendra pas compte de la grandeur : il a créé le petit comme le grand, et sa providence est la même pour tous. Mais aux plus forts une plus dure enquête est réservée [g]. »

Isidore : « Les princes du siècle tiennent quelquefois les sommets du pouvoir dans l'Église, pour que, grâce à ce pouvoir, ils puissent renforcer la discipline ecclésiastique. D'ailleurs, au sein de l'Église, il ne serait nul besoin de pouvoirs, si ce n'est pour imposer par la crainte de la discipline ce que le prêtre ne peut accomplir par l'énoncé de la doctrine. C'est souvent que le royaume céleste progresse grâce au royaume terrestre, en ce sens que ceux qui, au sein de l'Église, agissent contre la foi et la discipline de celle-ci sont écrasés par la sévérité des princes ; que le pouvoir du prince exerce sur la tête des orgueilleux cette même discipline que l'intérêt de l'Église [1] ne peut faire prévaloir, et que le pouvoir emploie sa force à mériter le respect. Les princes du monde doivent comprendre qu'ils doivent rendre compte à Dieu de l'Église, dont la protection leur a été confiée par le Christ. En effet, que la paix et la discipline de l'Église soient renforcées par des princes fidèles, ou qu'elles soient détruites, celui qui a confié son Église à leur pouvoir leur demandera des comptes [2]. »

Un grand nombre d'autres sentences des deux Testaments nous apprennent amplement que le roi doit exercer et accomplir selon la volonté de Dieu le ministère qui lui a été confié ; nous les passons ici sous silence pour éviter la prolixité.

litas ait été adoptée volontairement par Jonas. Celui-ci se place souvent en effet dans le contexte de l'intérêt de l'Église.
2. Isidore, *Sent.*, III, 51, 4-6 (*PL* 83, 723-724).

<QVINTVM CAPITVLVM>

De periculo regis et quod bene agentes remunerare, male uero agentes sua auctoritate comprimere causamque pauperum ad se ingredi debeat facere

5   Ad peccatum regis pertinet, quando iudicibus ministrisque iniquis ministerium suum implendum committit, neque enim ministerium suum per alios tantum administrare et se ab eo debet alienare. Non ergo dicimus, ut solus iurgia et querimonias populi audiat et inuestiget et definiat,
10 quoniam nequaquam ad haec solus sufficere potest, sed magis ut tales sub se timentes Deum et auaritiam odientes constituat, per quos regem regum non offendat.

Quales autem constituendi sint, liber Deuteronomii manifestat, in quo legitur : *Iudices et magistros constituesin omni-*
15 *bus portis tuis, quas Dominus Deus tuus dederit tibi, per singulas tribus tuas, ut iudicent populum iusto iudicio nec in aliquam partem declinent*[a]. Item ibi : *Dixique uobis in illo tempore : non possum solus sustinere uos, quoniam Dominus Deus noster multiplicauit uos et estis hodie sicut stellae caeli*
20 *plurimae. Dominus Deus patrum uestrorum addat ad hunc numerum multa milia et faciat uobis, sicut locutus est. Non ualeo solus sustinere uestra negotia et pondus et iurgia. Date e uobis uiros sapientes et gnaros et quorum conuersatio sit pro-*

a. Deut. 16, 18-19

_____

1. Cf. *Conc. Paris* (829), II, 3 (*MGH Conc.* II, p. 653-654). La matière de ce chapitre est développée par Jonas en *Inst. des laïcs*, II, 24 (*PL* 106, 218-221).

2. Littéralement « portes ». Ce terme est parfois synonyme de place publique, où se tenaient les procès et les réunions publiques (Cf. *II Sam.* 7, 1 ; *Deut.* 25, 7 ; *Prov.* 22, 22 ; *Job* 29, 7-9).

Cinquième chapitre [1]

Du danger que court le roi, et de son devoir de récompenser ceux qui agissent bien, d'user de son autorité contre ceux qui agissent mal, et de faire entrer à son audience la cause des pauvres

C'est un péché, de la part du roi, de confier à des juges et à des subordonnés iniques l'exercice de son propre ministère ; car il ne doit pas faire administrer celui-ci par les soins des autres au point que lui-même en soit coupé. Nous ne disons donc pas qu'il doive entendre, examiner et trancher seul les litiges et les doléances du peuple, car en aucun cas il ne peut y suffire seul, mais plutôt qu'il doit constituer sous son autorité des hommes craignant Dieu et haïssant la cupidité, et par les actes desquels il n'offense pas le Roi des rois.

Le Livre du Deutéronome indique clairement quels sont ceux qu'il faut établir. On y lit : « Tu établiras des juges et des scribes dans toutes les villes [2] que le Seigneur ton Dieu t'aura données pour tes tribus, et ils jugeront le peuple avec justice, sans dévier d'aucun côté [a]. » Et là, de même : « Je vous ai dit en ce temps-là : Je ne puis, à moi, seul, vous porter, car le Seigneur votre Dieu vous a multipliés, et vous voici aujourd'hui aussi nombreux que les étoiles du ciel. Que le Seigneur, le Dieu de vos pères, ajoute à ce nombre de nombreux milliers et qu'il fasse de vous comme il vous l'a dit [3]. Comment, à moi tout seul, porterais-je vos affaires, votre charge et vos querelles [4] ? Désignez-vous des hommes

---

3. La traduction littérale du texte de la Vulgate est : « Et qu'il vous bénisse comme il vous l'a dit ».

4. Ce verset est à rapprocher de *Nombr.* 11, 14 : « Je ne puis, à moi seul, vous porter... » La charge à porter est le fardeau que représente le peuple (cf. *Nombr.* 11, 11.17).

bata in tribubus uestris [b]. Iob : *Quando procedebam ad por-*
25 *tam ciuitatis et in platea parabam cathedram mihi, uidebant*
me iuuenes et abscondebantur et senes adsurgentes stabant.
Principes cessabant loqui et digitum superponebant ori suo [c].

Cum quibus etiam rex pondus regiminis sui partiri
debeat, liber Exodi demonstrat, in quo legitur : *Prouide*
30 *autem de omni populo uiros potentes et timentes Deum, in*
quibus sit ueritas, et qui oderint auaritiam et constitue ex eis
tribunos et centuriones et quinquagenarios, qui iudicent
populum omni tempore. Quidquid autem maius fuerit refe-
rent ad te et ipsi minora tantummodo iudicent leuiusque tibi
35 *sit partito in alios onere. Si hoc feceris, implebis imperium*
Domini et praecepta eius poteris sustentare et omnis hic
populus reuertitur cum pace ad loca sua. Quibus auditis
Moyses fecit omnia, quae ille suggesserat et electis uiris stre-
nuis de cuncto Israel constituit eos principes populi, tribunos
40 *et centuriones et quinquagenarios et decanos, qui iudicabant*
plebem omni tempore. Quicquid autem grauius erat refere-
bant ad eum [d].

Quod uero rex causam pauperum ad se ingredi facere et
diligenter debeat inquirere, dat intelligi illud quod legimus,
45 antiquitus iudices idcirco in porta ad iudicandum sedisse [e],
ut nullus accedendi difficultatem aut quispiam ciuium
uim aut calumpniam necesse haberet sustinere. Ideo et
Iherusalem ciuitas iusti uocata est [f], quamdiu in ea exerce-
bantur iudicia, quia non permittebatur in ea a rectoribus ini-
50 quitas permanere. Quod uero rex bonos sublimare et malos

b. Deut. 1, 9-13   c. Job 29, 7-9   d. Ex. 18, 21-26   e. Cf. Deut. 21,
19   f. Cf. Is. 1, 26 et Zach. 8, 3

1. La Vulgate ajoute chef de dizaines (cf. *infra*, l. 40) ; tout ceci fait
allusion à l'organisation militaire (cf. *Nombr.* 31, 14 ; *I Sam.* 17, 18 ;
Deut. 1, 15 ; *IV Rois* 1, 9).
2. *Rector* a ici le sens médiéval de juge. Jonas l'utilise alternativement
au sens de « juge » ou de « chef » pour faire comprendre que les deux
fonctions sont liées. En ce qui concerne la difficulté pour les

sages, intelligents et dont la conduite a été éprouvée dans vos tribus [b]. » Job : « Quand je sortais vers la porte de la cité, et que j'installais mon siège sur la place, à ma vue, les jeunes se cachaient, les vieillards se levaient et restaient debout ; les notables arrêtaient leurs discours et mettaient le doigt sur leur bouche [c]. »

Avec qui encore le roi doit partager le fardeau de son gouvernement, c'est ce que montre le Livre de l'Exode, dans lequel on lit : « 'Et tu distingueras dans tout le peuple des hommes de valeur, craignant Dieu, dignes de confiance, incorruptibles, et tu établiras parmi eux des chefs de milliers, des chefs de centaines et des chefs de cinquantaines, qui jugeront le peuple en permanence [1]. Tout ce qui a de l'importance, ils te le présenteront, mais ce qui en a moins, ils le jugeront eux-mêmes. Allège ainsi ta charge : qu'ils la portent avec toi ! Si tu fais cela, tu accompliras la volonté du Seigneur, tu pourras faire face à ses commandements et tout ce peuple retournera chez lui en paix.' Ayant entendu cela, Moïse fit tout ce qu'il avait dit. Dans tout Israël, il choisit des hommes de valeur et les plaça à la tête du peuple comme chefs de milliers, de centaines, de cinquantaines et de dizaines. Ils jugeaient le peuple en tout temps, mais soumettaient à Moïse tout ce qui était grave [d]. »

Il faut en vérité que le roi fasse entrer à son audience la cause des pauvres et l'examine avec diligence ; nous sommes amenés à le comprendre quand nous lisons que dans les temps anciens les juges siégeaient, pour juger, à la porte de la ville [e], afin que nul citoyen n'ait de difficulté d'accès ou ne doive supporter la violence ou la calomnie. C'est ainsi que Jérusalem fut appelée la cité du juste, aussi longtemps qu'on y rendit la justice, car les juges n'y laissaient pas subsister l'iniquité [2]. De fait, le roi doit élever les bons et châtier les

« pauvres » d'avoir accès à la justice, il fait probablement allusion à une situation qui lui est contemporaine, et à laquelle les capitulaires impériaux ont souvent tenté de remédier.

debeat comprimere, apostolus Petrus docet dicens : *Subditi
estote omni creaturae propter Deum, siue regi quasi praecellenti siue ducibus tamquam ab eo missis ad uindictam male-
factorum, laudem uero bonorum* g. Quae uerba ita Beda
55 exponit : « Non quod omnes, qui a regibus mittuntur duces,
uel male facientes punire uel bonos laudare nouerint ; sed
quae esse debeat actio boni ducis simpliciter narrat, hoc est
ut male facientes coherceat et bene agentes remuneret. »
Hinc in historia gentili refertur moris fuisse Romanis « par-
60 cere subiectis et debellare superbos. »

Quod, quando praui iudices populo Dei praeferuntur, ad
delictum illius pertineat, a quo constituuntur, dicta Ysidori
manifestant quibus ait : « Ad delictum pertinet principum,
qui prauos iudices contra uoluntatem Dei populis fidelibus
65 praeferunt. Nam sicut populi delictum est quando principes
mali sunt, sic principis est peccatum quando iudices iniqui
existunt. Bonus iudex sicut nocere ciuibus nescit, ita pro-
desse omnibus nouit. Aliis enim praestat censuram iustitiae,
alios bonitate iudicii sine personarum acceptione suscipit.
70 Non infirmat iustitiam auaritiae flamma, nec studet auferre
alteri quod cupiat sibi. Boni iudices iustitiam ad solam obti-
nendam salutem aeternam suscipiunt, nec eam muneribus
acceptis distribuunt, ut, dum de iusto iudicio temporalia
lucra non appetunt, praemio aeterno ditentur. »
75 His quae praemissa sunt declaratur, quod hi, qui post
regem populum Dei regere debent, id est duces et comites,
necesse est ut tales ad constituendum prouideantur, qui sine
periculo eius, a quo constituuntur, constitui possint,

g. I Pierre 2, 13-14

---

1. BÈDE LE VÉNÉRABLE, *Exp. in I Epist. Petri*, c. 2 (*PL* 93, 52).
2. VIRGILE, *Énéide*, VI, v. 853, probablement par l'intermédiaire
d'AUG., *De ciu. Dei*, 1,6 (*BA* 33, p. 206-207).
3. ISIDORE, *Sent.*, III, 52, 1-3 (*PL* 83, 724).

mauvais : c'est ce qu'enseignent les paroles de l'apôtre
Pierre : « Soyez soumis à toute institution, à cause du
Seigneur : soit au roi, en sa qualité de souverain, soit aux
ducs, délégués par lui pour punir les malfaiteurs et louer les
gens de bien ᵍ. » Bède commente ainsi ces paroles : « Ce
n'est pas parce qu'ils sont les envoyés du roi que tous les
ducs savent punir les malfaisants, ou louer les bons ; mais il
montre simplement ce que doit être la conduite d'un bon
duc : contraindre les malfaisants et récompenser ceux qui
agissent bien [1]. » Il est dit aussi dans l'histoire païenne que
les Romains avaient coutume d'« épargner les soumis et de
réduire les orgueilleux [2]. »

Quand des juges malhonnêtes sont placés au dessus du
peuple de Dieu, la faute en revient à celui qui les a établis ;
c'est ce que montrent les paroles d'Isidore. Il dit : « C'est
une faute pour les princes que de placer des juges malhonnêtes au dessus de peuples fidèles. En effet, de même que
l'existence de mauvais princes est la faute du peuple, de
même l'existence de juges iniques est le péché du prince. Le
bon juge est celui qui ne sait pas nuire aux citoyens, de
même qu'il sait être utile à tous. En effet, il porte sur les uns
la rigueur de la justice, et il accueille les autres par la bienveillance de son jugement, sans acception de personne. La
flamme de la cupidité n'affaiblit pas sa justice, et il ne
cherche pas à prendre à autrui ce qu'il désire pour lui-même.
Les bons juges ne se chargent de la justice que pour obtenir
le salut éternel, et ils ne la dispensent pas en échange de
cadeaux. Ainsi, dans la mesure où ils ne cherchent pas à tirer
d'un juste jugement des bénéfices temporels, ils s'enrichis-
sent d'une récompense éternelle [3]. »

Ce qui précède montre clairement que ceux qui, après le
roi, doivent diriger le peuple de Dieu, c'est-à-dire les ducs
et les comtes, doivent, pour être choisis, avoir des qualités
telles que leur désignation ne constitue pas un danger pour

scientes se ad hoc positos esse, ut plebem Christi sibi natu-
80 ra aequalem recognoscant eamque clementer saluent et iuste
regant, non ut dominentur et affligant, neque ut populum
Dei suum aestiment aut ad suam gloriam sibi illum subi-
ciant, quod non pertinet ad iustitiam, sed potius ad tyranni-
dem et iniquam potestatem. Valde enim exigit necessitas ut,
85 quia ipse procul dubio rex aequissimo iudici de commisso
sibi ministerio rationem redditurus est, ut etiam singuli, qui
sub eo constituti sunt ministri, diligentissime ab eo inqui-
rantur, ne ipse pro eis iudicium incurrat diuinum.

Ipsis etiam ministris denuntiandum est, quod quicquid
90 iudicauerint in eos redundabit, iuxta illud, quod in libro
Paralipomenon legitur : *Habitauit ergo Iosaphat in
Ierusalem rursusque egressus est ad populum de Bersabeae
usque ad montem Effraim et reuocauit eos ad Dominum
Deum patrum suorum constituitque iudices terrae in cunctis
95 ciuitatibus Iuda munitis per singula loca et praecipiens iudicibus : Videte, ait, quid facitis ; non enim hominis exercetis
iudicium, sed Domini et quodcumque iudicaueritis in uos
redundabit. Sit timor Domini uobiscum et cum diligentia
cuncta facite. Non enim est apud Dominum Deum nostrum
100 iniquitas, nec personarum acceptio, nec cupido munerum* [h].

Haec et hiis similia, quae praelibata sunt, rex eiusque
ministri non desidiose, sed diligenter debent perpendere et
studium de ministerio sibi commisso tale adhibere, ut non
pro eo aeternaliter dampnari, sed potius a Domino merean-
105 tur feliciter remunerari.

h. II Chr. 19, 4-7

---

1. Noter qu'à l'époque carolingienne, les ducs et les comtes ont,
outre leur rôle administratif, des fonctions judiciaires. Les mots *iudex*
et *comes* sont même bien souvent synonymes (cf. J. F. NIERMEYER,
Mediae latinitatis lexikon minus, Leyde 1984, p. 561-562).

celui qui les a établis [1] : ils doivent savoir qu'ils sont là pour reconnaître le peuple du Christ comme leur égal par nature [2], pour le protéger par leur clémence, et pour le diriger avec justice, et non pour dominer, opprimer et considérer comme leur le peuple de Dieu, ou pour le mettre sous leur dépendance pour leur propre gloire, ce qui ne conduit pas à la justice, mais plutôt à la tyrannie et à la domination injuste. En effet, puisque le roi lui-même devra rendre compte au plus juste des juges du ministère qui lui a été confié, il faut absolument qu'il surveille chacun des subordonnés établis sous son ministère avec la plus grande attention, afin de ne pas encourir à cause d'eux le châtiment divin.

Il faut aussi faire savoir aux subordonnés eux-mêmes que tout ce qu'ils jugent retombera sur eux, comme on peut le lire dans le Livre des Paralipomènes : « Ainsi Josaphat, après être resté à Jérusalem, se remit à visiter le peuple depuis Bersabée jusqu'à la montagne d'Éphraïm et le ramena vers le Seigneur, le Dieu de leurs pères. Il institua des juges dans le pays, dans toutes les villes fortifiées de Juda, ville par ville. Il dit aux juges : Voyez ce que vous faites : ce n'est pas pour des hommes que vous rendez la justice, mais pour le Seigneur, et tout ce que vous jugerez retombera sur vous. Que la crainte du Seigneur soit avec vous, et prenez garde à ce que vous faites, car il n'y a chez le Seigneur notre Dieu ni injustice, ni acception de personne, ni corruption [h]. »

Le roi et ses ministres doivent peser ces paroles, ainsi que les précédentes, avec attention plutôt que distraitement, et faire preuve à propos du ministère qui leur a été confié d'un zèle tel qu'il leur vaille du Seigneur non pas la damnation éternelle mais la récompense de la félicité.

2. Cette idée de l'égalité par nature est déjà présente en *Inst. des laïcs*, II, 22 : « Tous les hommes sont égaux par nature, mais différents selon l'ordre du mérite » (*PL* 106, 213). Jonas l'emprunte à Grégoire (*Moralia*, 21, 10).

<SEXTVM CAPITVLVM>

Quod aequitas iudicii stabilimentum regni et iniustitia sit eius euersio

Quod per iustitiam stet regnum, Salomon in Prouerbiis adstruit, ita inquiens : *Iustitia eleuat gentem et miseros facit*
5   *populos peccatum*[a]. Item : *Misericordia et ueritas custodiunt regem et roboratur iustitia thronus eius*[b]. Item : *Facere misericordiam et iudicium magis placent Deo quam uictimae*[c]. Et infra : *Rapina impiorum detrahet eos, qui noluerunt facere iudicium*[d]. Item ibi : *Qui sequitur iustitiam et misericor-*
10 *diam, inueniet uitam et iustitiam et gloriam*[e].

Quod uero per iniustitiam cadat, Isaias demonstrat : *Tu enim*, inquit, *terram disperdidisti, tu populum occidisti. Non uocabitur in aeternum semen pessimorum. Praeparate filios eius occisioni iniquitate patrum eorum, non consurgent, nec*
15 *hereditabunt neque implebunt faciem orbis ciuitatum*[f]. In Amos : *Ecce oculi Domini super regnum peccans. Et conteram illud a facie terrae, dicit Dominus*[g]. Danihel loquitur ad Balthasar : *O rex, Deus altissimus regnum et magnificentiam et gloriam et honorem dedit Nabuchodonosor patri tuo*
20 *et propter magnificentiam, quam dederat ei, uniuersi populi, tribus et linguae tremebant et metuebant eum ; quos uolebat interficiebat et quos uolebat percuciebat ; quos uolebat exaltabat et quos uolebat humiliabat. Quando autem eleuatum est cor eius et spiritus illius obfirmatus est in superbiam,*

---

a. Prov. 14, 34   b. Prov. 20, 28   c. Prov. 21, 3   d. Prov. 21, 7
e. Prov. 21, 21   f. Is. 14, 20-21   g. Amos 9, 8

---

1. Cf. *Conc. Paris* (829), II, 4 (*MGH Conc.* II, p. 654-655).
2. *Misericordia* a dans le texte de Jonas le sens d'« équité », par opposition à l'application stricte du droit.

SIXIÈME CHAPITRE[1]

L'équité du jugement est la consolidation de la royauté, et l'injustice sa ruine

Dans les Proverbes, Salomon montre que la royauté se maintient par la justice. Il parle ainsi : « La justice élève une nation, et le péché fait la misère des peuples [a]. » Et encore : « L'équité [2] et la vérité préservent le roi et son trône s'affermit par la justice [b]. » De même : « La pratique de l'équité et du droit est préférée par le Seigneur à la victime immolée [c]. » Et, plus bas : « La violence des méchants les emporte, car ils refusent de pratiquer le droit [d]. » De même, ici : « Qui poursuit la justice et la miséricorde trouvera la vie, la justice [3] et la gloire [e]. »

De fait, le royaume s'effondre par l'injustice. C'est ce que montre Isaïe : « Car, dit-il, tu as détruit ton pays, tué ton peuple, la semence des méchants ne sera plus jamais nommée. Préparez le massacre de leurs fils, pour la faute des pères, qu'ils ne se lèvent pas pour s'emparer de la terre et couvrir de villes la face du monde [f]. » Dans Amos : « Voici que les yeux du Seigneur sont sur le royaume pécheur, je l'anéantirai de dessus la surface du sol, dit le Seigneur [g]. » Et Daniel dit à Balthazar : « O roi ! Le Dieu très haut a accordé la royauté, la grandeur, la gloire et la majesté à Nabuchodonosor ton père ; et à cause de la grandeur qu'il lui avait accordée, tous les peuples, nations et langues tremblaient de crainte en sa présence ; il tuait qui il voulait et frappait qui il voulait. Il élevait qui il voulait et abaissait qui il voulait. Et lorsque son cœur s'éleva et que son esprit s'endurcit jusqu'à l'arrogance, il fut déposé de son trône

---

3. *R, B* et *C* donnent « uitam et iustitiam », leçon conforme à la Vulgate, alors que *A* écrit « uitam aeternam ».

25 *depositus est de solio regni sui et gloria eius ablata est et a*
    filiis hominum eiectus est, sed et cor eius cum bestiis positum
    est [h]. In libro Sapientiae : *Sedes ducum superborum detraxit*
    Deus et sedere fecit mites pro eis [i]. Item : *Regnum a gente in*
    gentem transfertur, propter iniustitias et iniurias et contu-
30 *melias et diuersos dolos* [j].

   Quibus uerbis liquido claret, quod pietas, iustitia et misericordia stabiliant regnum et lesiones uiduarum et pupillo-
rum calumniaeque miserorum uiolentaque iudicia et per-
uersio iustitiae euidenter illud euertant. Vnde et multorum
35 regnorum conlapsio, quia pietatis, iustitiae et misericordiae
non habuerunt stabilimentum, his quae praemissa sunt
patenter fidem adtribuit.

---

h. Dan. 5, 18-21   i. Sir. 10, 17   j. Sir. 10, 8

royal et on lui retira sa gloire. Il fut chassé d'entre les hommes et son cœur devint semblable à celui des bêtes [h]. » Dans le Livre de la Sagesse [1] : « Dieu retira leur trône aux ducs orgueilleux et il fit asseoir les doux à leur place [i]. » De même : « La royauté passe de nation à nation, à cause des injustices, des torts, des violences et de toutes sortes de ruses [j]. »

Ces paroles montrent clairement que la piété, la justice et la miséricorde consolident la royauté, et que les torts faits aux veuves et aux orphelins, les accusations injustes envers les malheureux, les jugements cruels et la corruption de la justice, lui apportent à l'évidence la ruine. D'où l'effondrement de nombreux royaumes, qui n'ont pas eu le soutien de la piété, de la justice et de l'équité, ce qui démontre clairement la véracité de ce qui précède.

1. Il s'agit en fait de l'Ecclésiastique. L'attribution de Jonas est incorrecte, car il cite de mémoire.

<SEPTIMVM CAPITVLVM>

Quod regnum non ab hominibus sed a Deo, in cuius manu omnia regna consistunt, detur

Nemo regum a progenitoribus regnum sibi administrari, sed a Deo ueraciter atque humiliter credere debet dari, qui
5 dicit : *Meum est consilium et aequitas, mea est prudentia, mea est fortitudo. Per me reges regnant et legum conditores iusta decernunt. Per me principes imperant et potentes iustiam decernunt* [a]. Quod autem non ab hominibus, sed a Deo regnum terrenum tribuatur, Daniel propheta testatur
10 dicens : *In sententia uigilum decretum est et sermo sanctorum et petitio, donec cognoscant uiuentes, quod dominetur excelsus in regno hominum et cuicumque uoluerit dabit illud et humillimum hominem constituet super illud* [b]. Item idem loquens de Nabuchodonosor ad Baldasar : *Donec cognosce-*
15 *ret,* inquit, *quod potestatem haberet altissimus in regno hominum et quemcumque uoluerit suscitabit super illud* [c]. Et per Ieremiam : *Haec dicit Dominus exercituum Deus Israel : Haec dicetis ad dominos uestros : Ego feci terram et hominem et iumenta, quae sunt super faciem terrae, in fortitudi-*
20 *ne magna et in brachio meo extento ; et dedi eam ei, qui placuit in oculis meis* [d]. Hi uero, qui a progenitoribus sibi succedere regnum terrenum et non potius a Deo dari putant, illis aptantur, quos Dominus per prophetam improbat, dicens : *Ipsi regnauerunt et non ex me ; principes extite-*
25 *runt et non cognoui* [e]. Ignorare quippe Dei procul dubio reprobare est.

---

a. Prov. 8, 14-15   b. Dan. 4, 14   c. Dan. 5, 21   d. Jér. 27, 4-5
e. Os. 8, 4

---

1. Cf. *Conc. Paris* (829), II, 5 (*MGH Conc.* II, p. 655).

Septième chapitre [1]

La royauté n'est pas donnée par les hommes, mais par Dieu, dans la main de qui se tiennent tous les royaumes

Nul d'entre les rois ne doit croire que la royauté lui est conférée par ses ancêtres, mais il doit croire avec sincérité et humilité qu'elle lui est donnée par Dieu, qui dit : « A moi sont le bon sens et la justice, à moi l'intelligence, à moi la puissance ; par moi les rois règnent, et les souverains décrètent le droit. Par moi les princes gouvernent et les puissants décrètent la justice [a]. » La royauté terrestre n'est donc pas donnée par les hommes mais par Dieu : c'est ce qu'atteste le prophète Daniel : « Par la sentence des Vigilants [2] ont été décrétés la parole des saints et leur requête, afin que les vivants sachent que le Très Haut a le pouvoir sur la royauté des hommes, qu'il la donnera à qui il veut et y élèvera le plus humble des hommes [b]. » De même, il parle à Balthazar de Nabuchodonosor : « Jusqu'à ce qu'il reconnût que le Dieu Très Haut est maître de la royauté des hommes, et qu'il y élèvera qui il veut [c]. » Et chez Jérémie : « Ainsi parle le Seigneur, le Dieu des armées d'Israël : 'Dites ceci à vos maîtres : c'est moi qui ai fait la terre, l'homme et les bêtes qui sont à la surface de la terre, par une grande force, et en étendant mon bras ; et je l'ai donnée à qui bon m'a semblé [d].' » En vérité, c'est à ceux qui pensent que la royauté terrestre leur vient de leurs ancêtres plutôt que de Dieu, que s'applique la condamnation divine exprimée par le prophète, disant : « Ils ont régné par eux-mêmes, mais non par moi ; ils ont institué des chefs, et je ne les ai pas connus [e]. » Bien sûr, pour Dieu, ignorer revient sans aucun doute à condamner.

2. Il s'agit d'une allusion au songe de Nabuchodonosor. Les Vigilants ou Gardes sont les anges qui transmettent la volonté divine.

Quapropter quisquis ceteris mortalibus temporaliter
imperat non ab hominibus, sed a Deo sibi regnum commissum credat. Multi namque munere diuino, multi etiam Dei
30 permissu regnant. Qui pie et iuste et misericorditer regnant,
sine dubio per Deum regnant. Qui uero secus, non eius
munere, sed permissu tantum regnant. De talibus Dominus
per prophetam : *Dabo tibi*, inquit, *regem in furore meo* [f]. Et
Iob : *Qui regnare facit ypocritam propter peccata populi* [g]. Vt
35 enim Ysidorus exponit : « Irascente Deo talem rectorem
populi suscipiunt, qualem pro peccato merentur. »

Constat ergo, quia non astu, non uoto neque brachio for-
titudinis humanae, sed uirtute, immo occulto iudicio dis-
pensationis diuinae regnum confertur terrenum. Et idcirco
40 cuicumque ab eo committitur, ita illud secundum eius
uoluntatem disponere et gubernare procuret, quatenus cum
eo, a quo illud suscepit, feliciter in perpetuum regnare
ualeat, quoniam nihil prodest cuipiam terreno regno princi-
pari si, quod absit, contigerit eum aeterno extorrem fieri.

f. Os. 13, 11   g. Job 34, 30

1. Isidore, *Sent.*, III, 48, 11 (*PL* 83, 720).

C'est pourquoi, quiconque exerce une autorité temporelle sur les autres mortels doit croire que la royauté ne lui
a pas été confiée par les hommes, mais par Dieu. En effet,
nombreux sont ceux qui règnent par la faveur de Dieu, mais
nombreux sont aussi ceux qui règnent par sa permission.
Ceux qui règnent avec piété, justice et miséricorde règnent
sans doute grâce à Dieu. Mais ceux qui règnent autrement,
le font non par faveur, mais par permission seulement. De
ceux-là, le Seigneur dit, par l'intermédiaire du prophète :
« Je te donnerai un roi, dit-il, dans ma colère [f]. » Et Job :
« Lui qui fait régner l'hypocrite à cause des péchés du
peuple [g]. » En effet, comme l'exprime Isidore : « Quand
Dieu est en colère, les peuples reçoivent un dirigeant à la
mesure de leurs péchés [1]. »

Il apparaît donc que la royauté terrestre n'est accordée ni
par l'astuce, ni par la décision, ni par le bras de la puissance
humaine, mais par la vertu, ou plutôt par le jugement secret
de la divine providence. Il s'ensuit que tout homme à qui
Dieu confie la royauté doit veiller à administrer et à gouverner selon sa volonté, pour pouvoir régner pour toujours
dans la félicité avec celui qui la lui a donnée. Car il n'est
d'aucune utilité à quiconque d'être le chef d'un royaume
terrestre si, à Dieu ne plaise, il devient pour toujours un
exilé.

<OCTAVVM CAPITVLVM>

Quod potestati regali, quae non nisi a Deo ordinata est, humiliter atque fideliter cuncti parere debeant subiecti

Constat regalem potestatem omnibus sibi subiectis
5   secundum aequitatis ordinem consultum ferre debere et
idcirco oportet, ut omnes subiecti fideliter et utiliter atque
obedienter eidem pareant potestati, quoniam *qui potestati a
Deo ordinatae resistit, Dei utique ordinationi,* iuxta apostoli documentum, *resistit*[a]. Sicut enim subiecti a rege sibi
10 uolunt pie et iuste opitulari, ita specialiter ei primum ad
salutem animae suae procurandam, deinde generaliter ad
honestatem et utilitatem regni secundum Dei uoluntatem
disponendam atque administrandam indissimulanter atque
inretractabiliter solatium oportunum debent exhibere.
15 Quod cum faciunt, et diuinum praeceptum adimplere et
fidem regi debitam euidenter probantur conseruare.

Huiuscemodi ergo obsequium a subiectis regiae potestati impendi debere et legalia praecepta aperte testantur et

---

a. Rom. 13, 2

---

1. Cf. *Conc. Paris* (829), II, 8 (*MGH Conc.* II, 659-660).

2. Jonas use d'un vocabulaire juridique précis : l'expression *consultum ferre*, qui signifie prendre des dispositions législatives et relève du
domaine de compétences de l'empereur, doit être mise en parallèle
à celle de *consultum conferre* que Jonas utilise à la fin du chap. 1
(l. 27-28) pour caractériser l'action des évêques.

3. La place de ce passage célèbre de l'épître aux Romains est capitale dans la littérature médiévale : cf. W. Parsons, « The Influence of
Romans XIII on Christian Political Thought », *Theological studies*, 2
(1941), p. 325-346 et W. Affeldt, *Die weltliche Gewalt in der Paulus-*

Huitième chapitre [1]

Tous les sujets doivent se soumettre et obéir humblement et fidèlement au pouvoir royal, qui n'a été institué que par Dieu

Il est établi que le pouvoir royal doit légiférer [2] conformément à l'ordre de l'équité et, pour cette raison, il convient que tous les sujets obéissent fidèlement, utilement et docilement à ce pouvoir, car « celui qui s'oppose au pouvoir institué par Dieu se rebelle contre l'ordre voulu par Dieu [a] », selon l'enseignement de l'Apôtre [3]. En effet, de même que les sujets attendent du roi qu'il les dirige avec piété et justice, de la même façon ils doivent lui apporter sincèrement et irrévocablement un soutien suffisant [4] pour qu'il puisse d'abord veiller personnellement au salut de son âme, puis plus généralement, pour gouverner et assurer selon la volonté de Dieu l'honneur et l'intérêt du royaume. Ce faisant, ils montrent clairement qu'ils accomplissent l'ordre divin et qu'ils observent la fidélité due au roi.

Telle est donc la soumission dont doivent faire preuve les sujets à l'égard du pouvoir royal ; c'est ce qu'attestent les commandements de la Loi et que le Seigneur rappelle dans

Exegese : Röm. 13, 1-7 in den Römerbriefkommentaren der lateinischen Kirche bis zum Ende des 13. Jahrhunderts, Göttingen 1969. A l'époque carolingienne, un grand usage en est fait dans les « miroirs des princes ». Jonas insiste ici sur l'origine divine des pouvoirs, en associant *Rom.* 13, 2 à *Matth.* 22, 21. Il ne laisse ainsi aucune place à un quelconque droit de résistance de la part des sujets, tout en rappelant à Pépin son devoir d'obéissance à l'empereur.

4. Ce soutien suffisant (« solatium oportunum »), qui est un devoir pour les sujets, est la contrepartie des obligations qui incombent au roi et aux évêques (cf. la n. 2), dans une organisation idéale de la société.

Dominus in Euangelio admonet, dicens : *Reddite quae sunt*
20 *Caesaris Caesari et quae sunt Dei Deo* [b]. Petrus quoque ait :
Subiecti estote omni humanae creaturae propter Deum siue
regi quasi praecellenti [c], et non post multa : *Deum timete,*
regem honorificate [d]. Paulus etiam apostolus in id ipsum
concordans ait : *Omnis anima potestatibus sublimioribus*
25 *subdita sit. Non est enim potestas nisi a Deo ; quae autem*
sunt a Deo ordinata sunt. Itaque qui resistit potestati, Dei
ordinationi resistit [e], et caetera, quae de huiuscemodi potestate apostolicus sermo latius exsequitur. Idem etiam scribit
ad Titum : *Admone illos principibus et potestatibus subditos*
30 *esse* [f]. Item ad Thimoteum quanti pendat causam, immo
salutem regis demonstrat, ita scribendo : *Obsecro,* inquit,
primum omnium fieri obsecrationes, orationes, postula-
tiones, gratiarum actiones, pro omnibus hominibus, pro regi-
bus et omnibus qui in sublimitate sunt, ut quietam et tran-
35 *quillam uitam agamus in omni pietate et castitate. Hoc enim*
bonum est et acceptum coram saluatore nostro Deo [g] et caetera. Si enim Ieremias propheta Dei pro uita ydolatrae regis
Nabuchodonosor orare admonet [h], quanto magis pro salute
christianorum regum ab omnibus ordinibus Deo est humi-
40 liter supplicandum.

Qualiter igitur regiae potestati parendum qualiterque
eius saluti consulendum est, breuiter ex auctoritatibus diuinis dictum sit. Quapropter necesse est, ut unusquisque fidelis tantae potestati ad salutem propriam et ad honorem regni

---

b. Matth. 22, 21   c. I Pierre 2, 13-14 (cf. *supra* c. 5, n. g)   d. I Pierre
2, 17   e. Rom. 13, 1-2 (cf. *supra* n. *a*)   f. Tite 3, 1   g. I Tim. 2, 1-3
h. Cf. Jér. 29, 7

---

1. Il s'agit des trois ordres composant la société (moines, prêtres et
laïcs), selon une tradition que Jonas emprunte à saint Grégoire et déve-

l'Évangile, en disant : « Rendez à César ce qui est à César, et à Dieu ce qui est à Dieu [b]. » Pierre aussi dit : « Soyez soumis à toute institution humaine, à cause de Dieu ; soit au roi, en tant que souverain ... [c] », et peu après : « Craignez Dieu, honorez le roi [d]. » L'apôtre Paul abonde également dans ce sens. Il dit : « Que tout homme soit soumis aux pouvoirs supérieurs ; car il n'y a de pouvoir que par Dieu, et ceux qui existent sont établis par lui. Ainsi, celui qui s'oppose au pouvoir se rebelle contre l'ordre voulu par Dieu [e] », et ainsi de suite dans les propos que développe l'Apôtre au sujet du pouvoir ainsi conçu. Le même encore écrit à Tite : « Rappelle à tous qu'ils doivent être soumis aux princes et aux pouvoirs [f]. » De même, s'adressant à Timothée, il montre quelle importance il attache à la cause, ou plutôt au salut du roi ; il s'exprime ainsi : « Je recommande, dit-il, que l'on fasse avant toute chose des demandes, des prières, des supplications, des actions de grâces pour tous les hommes, pour les rois, et tous ceux qui occupent une position élevée, afin que nous menions une vie calme et paisible en toute piété et dignité. Voilà ce qui est bon et agréable aux yeux de Dieu notre sauveur [g] », et ainsi de suite. En effet, si Jérémie, le prophète de Dieu, invite à prier pour la vie du roi idolâtre Nabuchodonosor [h], bien plus encore il faut que tous les ordres [1] adressent humblement des prières à Dieu pour le salut des rois chrétiens.

Il a donc été dit brièvement à partir des autorités divines, comment il faut obéir au pouvoir royal et comment il faut veiller à son salut. C'est pourquoi il faut que chaque fidèle apporte un concours suffisant à ce si grand pouvoir pour le salut de celui-ci et pour le service du royaume, selon la

loppe plus précisément en *Inst. des laïcs*, II, 1 (*PL* 106, 169 D) et dans sa refonte de la *Vita* de saint Hubert (*ASS* Novembre I, 817 C).

45   secundum Dei uoluntatem, utpote membrum capiti, opem
congruam ferat plusque in illo generalem profectum et utilitatem atque honorem regni quam lucra quaerat mundi,
quatenus hiis saluberrimis opitulationibus sibi uicissim suf-
fragantes aeterno regno pariter mereantur perfrui felices.

1. Jonas fait allusion à sa doctrine de la collaboration nécessaire, en
vue du salut général, entre les différents ordres de la société chrétienne
considérée comme le corps du Christ, suivant en cela les conceptions
pauliniennes exprimées auparavant dans le chap. 1 (l. 6). L'expression

volonté de Dieu, comme un membre vis-à-vis de la tête [1] ; il faut qu'en cela chacun des fidèles cherche davantage le profit général, l'intérêt et le service du royaume que les avantages du monde, afin que, se rendant eux-mêmes service par cette aide très salutaire, ils méritent de jouir pareillement de la félicité du royaume éternel.

utilisée ici pour caractériser les devoirs des sujets (« opem congruam ») fait pendant au « solatium oportunum » exigé des sujets en début de chapitre (cf. la n. 4, p. 221).

<Nonvm capitvlvm>

Quod ubi caritas non est, nulla bona inesse possint

Magnum in utroque ordine, clericali uidelicet et laicali, periculum esse cognoscimus, quod caritas, quae Deus est[a]
5   et decus christianitatis et in qua summa totius fidei nostrae consistit, in multis utriusque ordinis, quod non sine magno animi dolore dicimus, non regnare conuincitur. Quae uirtus caritatis sit, et euangelica et apostolica lectio et sanctorum patrum expositiones plenissime docent. Expressissime
10 namque apostolus Iohannes ait, quod *Deus caritas est et qui manet in caritate in Deo manet et Deus in eo*[b]. Perpendat quisque, si in caritate manet, Deum manere in se, si caritatem non habet, non Deum, sed hostem animae suae habitare in se. Cum caritate quippe cuncta bona, sine caritate uero
15 nulla haberi possunt. Neque etenim digne angelicum hymnum caritate carens Domino decantare ualet. Si quaeritur quare, adtendatur qua re, quia non est bonae uoluntatis. Diffinitio quippe caritatis est, ut doctores nostri tradunt,

a. Cf. I Jn. 4, 16   b. I Jn. 4, 16

1. Cf. *Conc. Paris* (829), II, 6 (*MGH Conc.* II, p. 656).
2. *Caritas* a ici le sens d'amour, c'est-à-dire à la fois l'amour de Dieu pour nous et, par imitation, l'amour de nous pour Dieu. Jonas se réfère ici à *I Jn* 4, 16 (cf. aussi *I Jn* 4, 8) et étend cette notion à l'amour du prochain, ce qu'il exprime précisément en *Inst. des laïcs*, III, 1 : « Celui qui aime Dieu plus que soi-même et son prochain comme soi-même a véritablement la charité » (*PL* 106, 233 B).

Neuvième chapitre [1]

Là où la charité n'est pas, aucun bien ne peut exister

Nous savons qu'un grand danger menace les deux ordres, celui des prêtres et celui des laïcs, car il est prouvé que la charité, qui est Dieu [a] [2] et la gloire de la chrétienté, et dans laquelle réside la somme de toute notre foi, ne règne pas chez beaucoup de membres des deux ordres ; nous ne le disons pas sans une grande peine de l'âme. La lecture de l'Évangile et des apôtres, ainsi que les exposés des saints pères nous apprennent pleinement ce qu'est la vertu de charité. En effet, l'apôtre Jean dit d'une manière très expressive que « Dieu est charité, et qui demeure dans la charité demeure en Dieu, et Dieu en lui [b]. » Que chacun pèse soigneusement le fait que, s'il demeure dans la charité, Dieu demeure en lui, et que s'il n'a pas la charité, ce n'est pas Dieu mais l'ennemi de son âme qui demeure en lui. Bien sûr, avec la charité on peut avoir tous les biens, mais sans elle aucun. En outre, celui qui manque de charité n'a pas la force de chanter dignement au Seigneur l'hymne des anges [3]. Si l'on demande pourquoi, il faut en écouter la cause : c'est que l'on n'a pas la volonté du bien. De fait, la définition de la charité est, comme nos docteurs nous l'enseignent, la volonté du

---

3. L'hymne des anges désigne le *Gloria*. Walafrid Strabon (*De exordiis et incrementis quarundam in obseruationibus ecclesiasticis rerum*) expose en détail sa place dans la liturgie carolingienne (*MGH Capit.* II, p. 497-498). Cette expression désigne aussi quelquefois le *Sanctus*.

bona uoluntas. Ergo quicumque bonam uoluntatem non
20 habet, caritatem non habere comprobatur et ideo pacem
quae Christus est [c], quia bonae uoluntatis non est, habere
non meretur. *Gloria,* inquit multitudo caelestis exercitus, *in*
excelsis Deo et in terra pax hominibus bonae uoluntatis [d].

Miserabiliter plane decipiuntur plerique, qui sine caritate
25 aut Deo in hac mortalitate placere aut ad eum sine illa se
putant peruenire. Verum si in nobis caritas non est, sed
odium et inuidia et auaritia et discordia et simulatio et luxuria et caetera mala regnant, quae omnia a christianitatis pro-
posito abhorrent, mirum non est, si animaduersiones diui-
30 nae nos interius exteriusque diuersissimis modis feriant et
impetum   inimicorum   aduersum   nos   commoueant.
Quapropter si pacis tempora quiete et tranquille ducere
uolumus, pacis et caritatis amatorem diligamus et timeamus
eiusque praeceptis humiliter colla submittamus. Hi autem,

c. Cf. Éphés. 2, 14   d. Lc. 2, 14

1. Cette définition se réfère à la conception augustinienne de la
volonté humaine, exposée dans les livres XII et XIV de la *Cité de Dieu*
(XII, 9 et XIV, 6, *BA* 35, p. 174-176 et 368-370) : les mouvements du
cœur de l'homme sont dictés par une volonté mauvaise (*peruersa*
uoluntas) ou la volonté du bien (*bona uoluntas* ou *recta uoluntas*).
Augustin en déduit sa conception de la charité bien ordonnée un peu
plus loin : « C'est pourquoi il faut que l'homme qui ne vit pas selon
l'homme mais selon Dieu, aime le bien... (XIV, 6). Car de celui qui se
propose d'aimer Dieu, d'aimer aussi le prochain comme lui-même non
selon l'homme mais selon Dieu, on dit certes à cause de cet amour qu'il
est homme de bonne volonté. Cette bonne volonté, les saintes Écritures
l'appellent ordinairement *charité* ; mais ces mêmes Écritures l'appellent
aussi *amour* (XIV, 7) ». Dans le traité de Jonas, il faut donc voir dans
bona uoluntas la volonté du bien et dans *caritas* l'amour.

2. Cf. *Éphés.* 2, 14 : « Ipse est enim pax nostra. » Il s'agit encore d'une
idée augustinienne : la paix, d'essence divine, est le Souverain Bien. Cf.
sur ce point et sur l'association entre *paix, charité* et *concorde* à l'époque
carolingienne, R. BONNAUD DELAMARE, *L'Idée de paix à l'époque*
carolingienne, Paris 1939, p. 27-48 et 206-228.

bien [1]. Donc, celui qui n'a pas la volonté du bien montre qu'il n'a pas la charité, et il ne mérite pas d'obtenir la paix, qui est le Christ [c] [2], s'il n'a pas la volonté du bien. « Gloire à Dieu au plus haut des cieux, dit la multitude de l'armée céleste, et paix sur la terre aux hommes de bonne volonté [d]. »

La plupart des gens commettent une erreur tout à fait lamentable : sans charité ils pensent soit plaire à Dieu dans cette condition de mortel [3], soit parvenir jusqu'à lui sans elle. De fait, si en nous la charité n'est pas, mais si y règnent la haine, la jalousie, la cupidité, la discorde, la dissimulation, la luxure et tous les autres maux qui tous sont incompatibles avec le dessein du christianisme, il n'est pas étonnant que les châtiments divins nous frappent à l'intérieur comme à l'extérieur de toutes sortes de façons [4], et provoquent les attaques des ennemis contre nous. C'est pourquoi, si nous voulons mener dans le calme et la tranquillité une vie de paix, aimons et craignons celui qui aime la paix et la charité, et baissons humblement la tête devant ses commandements. Quant à ceux qui, clercs ou laïcs, vivent dans les honneurs

---

3. « Mortalitate » *C* : « moralitate » *RB*. Cette dernière leçon n'est pas invraisemblable dans le contexte présent, mais on trouve dans le *De rebus* adressé par Jonas au roi Pépin en 836 un passage similaire, se référant également à *Éphés.* 2, 14 : « Ceterum sciendum est, quod rex noster pacificus *Christus,* qui per crucem passionis suae pacificauit omnia, quae in caelis et quae in terris sunt, et *qui est vera pax nostra,* eandem ecclesiam suam ... *in hac mortalitate* aedificat » (*MGH Conc.* II, p. 759, l. 25-31). La leçon de *mortalitas* s'impose donc pour notre texte aussi. Jonas insiste par ce terme sur l'aspect transitoire de la vie humaine.

4. Ce passage fait allusion non à la situation politique du royaume de Pépin, mais à la lettre de convocation du concile de Paris en 829, dans laquelle l'empereur expose les maux provoqués par son manquement aux devoirs de son ministère (cf. *MGH Conc.* II, p. 599, l. 27-31 et l. 36 s.). Ces fléaux sont évoqués un peu plus loin par les évêques eux-mêmes dans leur lettre conciliaire (*ibid.* p. 667-668, l. 20 s.).

35 qui palatinis honoribus fulciuntur, clerici sint siue laici,
dignum est ut uinculo caritatis conectantur, nec alterutrius
iniuriam aut dehonorationem contra fas meditentur, ne
desides et dolosi ad inuicem existant, ne forte qui dolosi
sunt incidant in illud Psalmistae dicentis : *Qui loquuntur*
40 *pacem cum proximo suo, mala autem in cordibus eorum ; da*
illis, Domine, secundum opera eorum et secundum nequi-
tiam adinuentionum ipsorum e et caetera. Qui uero desides
existunt, patenter ab unanimitate, quam in Christo Paulus
habere docet, scinduntur f caueantque ypocrisin Iudae pro-
45 ditoris Domini.

Sunt et alia huic rei conuenientia, quae longum est dinu-
merare. Certe cum dignitatis palatinae huiusmodi homines
honoribus suffulti morsibus inuidiae se uicissim lacerant et
in proximi ruinam et dehonorationem aestuant et Deo,
50 cuius muneribus utuntur, in proximi aduersitatibus iniuriam inferunt et regi, cui familiariter inhaerent et adiutores
secundum Deum esse debuerunt, debitam fidem non
seruant et honorem palatinum, malum exemplum aliis
dantes, commaculant et, quod his indecentius est, ad inimi-
55 cos nominis Christi magnum tripudium transmittunt.

e. Ps. 27, 3-4   f. Cf. Rom. 15, 6 et Phil. 2, 2

---

1. C'est le sens fort du mot *dehonoratio*, qui fait ici référence aux
intrigues qui déchiraient la cour de Louis le Pieux et qui avaient abouti en 828 à la destitution des comtes Hughes de Tours et Matfrid
d'Orléans. Jonas utilise le même terme dans l'Adm. pour qualifier le
traitement infligé en 830 à l'empereur par ses fils révoltés (cf. *supra*,
Adm., l. 156).

des fonctions palatines, il est juste qu'ils soient unis par le lien de la charité ; qu'ils ne méditent pas, contre la volonté divine, l'injustice ou la perte de la fonction les uns des autres [1] ; qu'ils ne soient pas paresseux et fourbes les uns envers les autres, de peur que les fourbes n'encourent ce que dit le Psalmiste : « Ils parlent de paix avec leur prochain, mais la méchanceté est dans leur cœur ! Donne-leur, Seigneur, selon leur conduite et selon la méchanceté de leurs actions [e] », et ainsi de suite. Ceux qui sont paresseux se retranchent [f] manifestement de la communauté, que Paul nous apprend à avoir dans le Christ ; qu'ils évitent l'hypocrisie de Judas, qui a trahi le Seigneur.

Il y a d'autres points qui se rapportent à ce sujet, mais il serait long de les énumérer. Il est certain que lorsque les morsures de la jalousie font s'entre-déchirer les hommes qui sont maintenus dans les honneurs de la dignité de palais et lorsqu'ils brûlent de provoquer l'injustice et la perte de la fonction de leur prochain, ils infligent à Dieu, dont ils usent des faveurs, l'outrage des épreuves subies par leur prochain, et ils ne conservent pas envers le roi auquel ils sont intimement liés et dont ils devraient être les auxiliaires [2] selon Dieu, la fidélité qui lui est due ; ils souillent la charge palatine en donnant aux autres le mauvais exemple et, ce qui est encore plus déplorable, ils donnent beaucoup de joie aux ennemis du nom du Christ.

2. Cf. le chap. 5, dans lequel Jonas insiste sur la responsabilité des ducs et des comtes.

<Decimvm capitvlvm>

De transgressoribus praeceptorum Dei

Mala, quibus Deus offenditur uel periclitatur regnum, si quis liquido uult cognoscere, diuinam, id est legalem, propheticam et euangelicam atque apostolicam perspiciat auc-
5 toritatem ; ibi plene inueniet omnia mandata atque praecepta, quibus Dei adimpletur uoluntas, ibi etiam inueniet quae Deus fieri prohibuit, pro quibus ad omnem ordinem diuinae comminationes multae sunt et in quibusdam, qui audire contempserunt, ultio diuina completa est. Primus quippe
10 homo propter transgressionem diuini praecepti de paradiso eiectus et exilio dampnatus et morte multatus est[a], quod malum adhuc hodie genus humanum quasi natura sibi insertum experitur. Inde facta est alia generalis dampnatio in diluuio[b], quae multiplicatis uitiis et diuersis malis naturali
15 lege corrupta, euenisse manifeste probatur. Quam sit etiam praesumptio grauis et periculosa, quae ex contemptu praeceptorum Dei nascitur, aedificatio turris et confusio linguarum prodit[c]. Sodoma autem et Gomorra et finitimae ciuitates, quibus flagitiis deletae et quomodo aeterna
20 dampnatione in exemplum humani generis sint perditae, manifestum est[d] ; et tamen in comparatione earum Hierusalem duplum malum fecisse legitur[e], eo quod notitiam et praeceptum Dei habuerit et seruare contempserit, secuta propriam uoluntatem. Nam *iniquitas Sodomitica,*

a. Cf. Gen. 3   b. Cf. Gen. 6   c. Cf. Gen. 11   d. Cf. Gen. 19, 25
e. Cf. Lam. 4, 6

1. Cf. *Conc. Paris* (829), II, 9 (*MGH Conc.* II, p. 660-661).

DIXIÈME CHAPITRE

De ceux qui transgressent les commandements de Dieu [1]

Si l'on veut connaître avec certitude les maux qui offensent Dieu et causent le déclin du royaume, que l'on consulte l'autorité divine, c'est-à-dire celle de la Loi, des prophètes, de l'Évangile et des apôtres. On y trouvera absolument tous les ordres et les commandements par lesquels s'accomplit la volonté divine ; on y trouvera aussi ce que Dieu a interdit. Concernant ce dernier point, nombreuses sont les menaces divines qui s'adressent à tous les ordres, et la vengeance divine s'est accomplie sur ceux qui ont dédaigné d'écouter. En vérité, le premier homme a été chassé du paradis, condamné à l'exil et puni de mort parce qu'il avait transgressé le commandement divin [a], et aujourd'hui encore le genre humain fait l'expérience de ce mal comme s'il faisait partie de sa nature. De là, une autre condamnation générale, exprimée par le Déluge [b], est reconnue comme manifestement issue de la corruption de la loi naturelle provoquée par la multiplication des vices et toutes sortes d'autres maux. La construction de la tour et la confusion des langues [c] montrent encore la gravité et le danger d'une présomption issue du mépris des commandements de Dieu. Quant à Sodome, Gomorrhe et les cités voisines, on sait bien pour quelles turpitudes elles ont été détruites et comment elles furent anéanties dans une damnation éternelle pour servir d'exemple au genre humain [d]. Et pourtant, on lit qu'en comparaison d'elles, Jérusalem a commis un crime deux fois plus grand [e], car, bien qu'ayant reçu la connaissance et le commandement de Dieu, elle dédaigna de les respecter et suivit sa propre volonté. En effet, selon le prophète, « la faute des gens de Sodome résidait dans leur orgueil, leur satiété, leur abon-

25 iuxta prophetam, *fuit superbia, saturitas et habundantia et*
otium et quia egeno et pauperi manum non porrigebant [f].
Vnde accessit obliuio Dei et operati sunt adhuc abhomina-
tiones [g]. Obduratio quoque Aegyptiorum, qui nullis signis
nec prodigiis, sed neque flagellis corrigi potuerunt, ad quem

30 finem peruenerit notum est [h]. Nam Dathan et Abiron atque
Core cum sociis eorum, qui cum eis perierunt, quam horri-
bili terrae hiatu propter contemptum et inoboedientiam
contra Deum consumpti sint, manifestum est [i]. Quomodo
etiam multitudo populi Dei perierit in deserto propter

35 concupiscentiam et contemptum et peruersas consuetudines a Deo illis prohibitas, donec diuersis cladibus consu-
merentur, ita ut nullus eorum ad terram peruenerit repro-
missionis praeter duos tantum oboedientes uoci Domini,
omnibus perspicuum est [j].

40   Quotiens autem acciderit populum corruisse, uel regnum
interisse propter unius peccatum uel inoboedientiam, siue
praelati siue subiecti, longum est enumerare, sicuti contigit
in Saul, pro cuius inoboedientia regnum ab eo ablatum alte-
rique datum legimus [k]. Nam et filius eius Ionathas, in cuius

45 fidei fortitudine uictoria data est de aduersariis, postea sanctificationis uotum transgressus, licet ignarus, concupiuit et
uictoriam totius populi perturbauit [l].

      Sed et Heli de ordine sacerdotali, quia filios suos satis non
correxit, decidit, immo filiis suis merito suae iniquitatis cor-

50 ruentibus, corruit sacerdotiumque de progenie eius ablatum
est ; quorum negligentia et iniquitate populus in bello fuga-
tus ac caesus est et gloria cum arca Dei de Israel translata est,

---

f. Éz. 16, 49   g. Éz. 16, 50   h. Cf. Ex. c. 7-14   i. Cf. Nombr. 16,
1 s. ; Deut. 11, 6 ; Ps. 106, 17 ; Sir. 45, 18   j. Cf. Nombr. 14, 22-24.30 ;
26, 65 ; Deut. 1, 34-40 ; Jos. 5, 6 ; 14, 6-9   k. Cf. I Sam. 13, 14 ; 15, 28
l. Cf. I Sam. 14, 24-45

dance et leur paresse ; et ils ne tendaient pas la main au
pauvre et à l'indigent [f]. » Ainsi, elles en sont venues à oublier
Dieu et ont commis davantage d'abominations [g]. On
connaît également le résultat de l'endurcissement du cœur
des Égyptiens : aucun signe ni prodige, ni même les fléaux
ne purent les amender [h]. Car on sait bien quelle horrible
faille de la terre engloutit Datân, Abiram et Coré avec leurs
compagnons, qui périrent avec eux à cause de leur mépris et
de leur désobéissance envers Dieu [i]. Et chacun sait comment
la multitude du peuple de Dieu périt dans le désert à cause
de sa concupiscence, de son mépris et de ses coutumes perverses et interdites par Dieu. Ils succombèrent à toutes
sortes de calamités, en sorte qu'aucun d'eux ne parvint à la
terre promise, excepté deux seulement qui avaient obéi à la
voix du Seigneur [j] [1].

Il serait long d'énumérer le nombre de fois qu'il advint
qu'un peuple s'effondrât ou qu'un royaume périt à cause du
péché ou de la désobéissance d'un seul — chef ou sujet —,
comme c'est le cas de Saül [k] : nous lisons que sa désobéissance fit que la royauté lui fut enlevée et donnée à un autre.
Il en est de même pour son fils Jonathan : la victoire sur ses
adversaires lui fut donnée dans la plénitude de sa foi, mais
quand, par la suite, son appétit lui fit transgresser sans le
savoir le vœu de sanctification, il jeta le trouble sur la victoire de tout le peuple [l].

Mais c'est aussi Héli, de l'ordre sacerdotal, qui périt pour
n'avoir pas assez corrigé ses fils, ou plutôt, après la ruine de
ses fils due à leur propre iniquité, lui-même s'effondra et le
sacerdoce fut retiré à sa descendance. A cause de leur négligence et de leur iniquité, le peuple fut mis en fuite et massa-
cré dans une bataille, la gloire fut bannie d'Israël avec l'arche
de Dieu, et par la même occasion leur sanctuaire fut disper-

---

1. Il s'agit de Caleb, fils de Yephanné, et de Josué, fils de Noun : cf.
Nombr. 14, 24 ; 26, 65 ; 14, 29-30 ; *Deut.* 1, 34-40.

simul et locus sanctificationis eorum dissipatus est[m]. Achan
uero propter concupiscentiam inoboediens factus totum
55 populum perturbauit[n].

Pauca quippe de multis prosecuti sumus, ut diligenter
animaduertatur, si tot diuinis ultionibus totque periculis, tot
etiam dampnationibus subiacuerunt contemptores manda-
torum Dei, quorum infinitus est numerus et non solum illi,
60 qui praecepta susceperunt, uerum etiam qui naturalem
legem corruperunt[o], quanto putas reatui subiacebunt gratia
Christi redempti et ab eodem Domino in uiam iustitiae
edocti et instructi, si praeceptis eius oboedire contempse-
rint.

65 Proinde necesse est, ut unusquisque in ordine suo pro
uiribus studeat, ut quantum Deus annuerit, quae iussit
adimpleat et quae uetuit caueat, ut non cum contemptoribus
dampnari, sed potius cum executoribus diuinorum praeceptorum ualeat remunerari, quoniam non est dubium quin
70 propter inoboedientiam et contemptum praeceptorum Dei,
regni periclitatio et animarum proueniat dampnatio.

---

m. Cf. I Sam. 3, 13 ; I Sam. 4, 10-22   n. Cf. Jos. 7, 1 ; 22, 20
o. Cf. Rom. 2, 12-14

---

1. Allusion à la conception spirituelle des trois ordres divisant la
société, que Jonas a empruntée à saint Grégoire, et à la collaboration

sé [m]. Quant à Akân, sa convoitise le fit désobéir et il porta le trouble sur tout le peuple [n].

Certes, nous n'avons étudié que quelques exemples parmi beaucoup d'autres, afin que l'on prenne soin de noter ceci : si ceux, dont le nombre est infini — et non seulement ceux qui ont reçu les commandements, mais aussi ceux qui ont corrompu la loi naturelle [o] — qui méprisent les commandements de Dieu ont été l'objet de tant de vengeances divines, de tant de dangers, de tant même de condamnations, on peut imaginer à quelle accusation seront soumis ceux qui ont été rachetés par la grâce du Christ, formés et instruits par le Seigneur dans la voie de la justice, mais qui ont dédaigné d'obéir à ses commandements.

C'est pourquoi chacun, au sein de son ordre [1], doit veiller dans la mesure de ses forces à accomplir, dans la mesure où Dieu le lui permet, la volonté de celui-ci et à éviter ce qu'il interdit, afin de n'être pas condamné avec ceux qui méprisent les commandements divins, mais plutôt d'être récompensés avec ceux qui les exécutent. En effet, il n'est pas douteux que la désobéissance et le mépris des commandements de Dieu entraînent le déclin du royaume et la damnation des âmes.

---

nécessaire des fidèles, en tant que membres du corps du Christ, déjà évoquée à la fin du chap. 8.

\<VNDECIMVM CAPITVLVM\>

Quod multi professionem christianam uerbis tantum teneant sed operibus negligant

Si mundanarum legum iura ob iurgiorum forensium
5   negotia dirimenda a mortalibus edita homines auidissime
discere et intelligere acutissime satagunt, ut his bene notis,
quid uerum, quid falsum, quid iustum quidue iniustum sit
in hac terra morientium, liquido discernere queant, quanto
magis iura caelestia a summo opifice, Deo, omnium crea-
10 tore, hominibus promulgata salubriterque conlata, quibus
cauendum malum faciendumque bonum perdocetur, quae
etiam sectatores suos ad terram prouehunt uiuentium, cunctis fidelibus discere et intelligere intentioni esse debet. Lex
itaque Christi non specialiter clericis, sed generaliter cunc-
15 tis fidelibus est a Domino adtributa : licet in Euangelio que-
dam sint praecepta specialia, quae solummodo contemptoribus mundi et apostolorum sectatoribus conueniant,
caetera tamen cunctis fidelibus, unicuique scilicet in ordine,
quo se Deo deseruire deuouit, indissimulanter obseruanda
20 censentur.

Quod uero fides sola neminem ad regnum prouehat cae-
lorum, iam in superioribus capitulis demonstratum est.
Verum professio christiana a multis et in multis propter
delectationes carnales et propter diuersissimas huius saecu-

---

1. Cf. *Conc. Paris* (829), II, 7 (*MGH Conc.* II, p. 656-659) et, *partim,
Inst. des laïcs*, I, 20 (*PL* 106, 161).

2. Nouvelle allusion à l'ecclésiologie des trois ordres qui composent
la société : ceux qui méprisent le monde sont les moines, ceux qui suivent les apôtres sont les évêques, les autres sont les laïcs.

ONZIÈME CHAPITRE [1]

Beaucoup de gens professent la foi chrétienne seulement en paroles, mais la négligent dans leurs œuvres

Les hommes déploient leur ardeur et une très grande perspicacité à apprendre et comprendre les lois du droit civil que les mortels ont élaborées pour trancher les affaires des procès en place publique. Ainsi, en les connaissant bien, ils sont en mesure de distinguer clairement ce qui est vrai, ce qui est faux, ce qui est juste ou ce qui est injuste sur cette terre des mourants. A bien plus forte raison les fidèles doivent-ils donc vouloir apprendre et comprendre le droit céleste que Dieu, l'artisan suprême, le créateur de toutes choses a promulgué et donné aux hommes en vue de leur salut ; ces lois qui enseignent qu'il faut éviter le mal et faire le bien, et qui conduisent ceux qui les observent à la terre des vivants. C'est pourquoi la loi du Christ n'a pas été adressée par le Seigneur aux clercs en particulier, mais à tous les fidèles en général : bien qu'il existe dans l'Évangile des commandements spéciaux qui ne conviennent qu'à ceux qui méprisent le monde et à ceux qui suivent les apôtres, le reste doit cependant être observé ouvertement par tous les fidèles, c'est à dire par chacun dans l'ordre où il s'est consacré au service de Dieu [2].

Il a déjà été démontré dans les chapitres précédents que, de fait, la foi seule ne mène personne au royaume des cieux [3]. Mais la foi chrétienne est négligée de manière déplorable par beaucoup de gens et de bien des façons au profit des plaisirs

3. Ce renvoi constitue une erreur éditoriale de Jonas : le chapitre sur la foi et les œuvres ne vient qu'ensuite (chap. 12), alors que dans l'*Inst. des laïcs*, d'où ce passage est tiré, il venait d'être exposé (chap. I, 19).

25 li uanitates et peruersissimas consuetudines miserabiliter
negligitur ; quibus quanto plus inaniter inseruiunt, tanto
minus operibus christianae professionis uacant. Quod si
Acta Apostolorum relegamus[a] et deuotionem christianae
plebis, quae sub eisdem apostolis floruit, subtiliter anima-
30 duertamus, multum nostri saeculi christiani populi deuotionem ab illorum distare reperiemus. Et quanto illi ardentius
ac deuotius eam sunt sectati, tanto nonnulli ab eius operibus
torpentius sunt digressi. Proinde sicut tunc initio nascentis
ecclesiae eadem fides operibus floruit, ita nunc eisdem
35 neglectis apud quosdam marcescit. Vt enim uerbis beati
Augustini scribentis in libro sermonum utamur : « Christus
in nobis idem est, qui et in illis, sed non idem animus in
nobis, qui fuit in illis ; eadem fides in nobis, sed non eadem
deuotio. In illis enim maior erat fraternitas Christi quam
40 sanguinis ; in illis sicut una fides, ita erat et una substantia,
ut quibus erat communis Christus, communis esset et
sumptus. Nefas enim putabant cum sibi participem non
adsciscere in substantia, qui particeps esset in gratia. Non
ergo uerebantur ne esurirent, sed potius timebant ne alius

a. Cf. Act. 4, 32-36

1. La construction de cette phrase pose un problème : tous les mss,
y compris ceux de l'*Inst. des laïcs*, donnent « relegamus », qui peut être
le subjonctif présent de *relegere* (relire) ou l'indicatif présent de *relegare* (mettre de côté). De même, tous les mss donnent « animaduerti-
mus », sauf *RB*, qui présentent la leçon « animaduertamus ». Quelle
que soit la solution adoptée, la phrase est incorrecte, puisque la proposition principale est à l'indicatif futur. Mais le contexte permet de trancher : *relegare* n'aurait de sens que si l'on venait de citer les Actes des
apôtres, ce qui n'est pas le cas, alors que *relegere* fait allusion à l'*Inst.
des laïcs*, I, 11, dans lequel Jonas compare la dévotion des premiers
chrétiens à celle de son temps en faisant référence aux Actes des apôtres
et en annonçant son intention d'en reparler « dans le dernier chapitre
de ce livre » (*PL* 106, 143), c'est-à-dire le chap. I, 20 d'où est tiré le passage que nous étudions. La seule traduction possible est donc : « Si

charnels, des vanités les plus diverses de ce siècle et des habitudes les plus perverses ; plus on leur est inutilement soumis, moins on se consacre aux œuvres de la profession chrétienne. Et si nous relisions les Actes des Apôtres [a], si nous
prêtions une attention très fine à la dévotion de la communauté chrétienne qui fleurissait sous ces mêmes apôtres,
nous trouverions que la piété du peuple chrétien de notre
siècle est bien éloignée de la leur [1]. Et autant ceux-ci mettaient d'ardeur et de zèle à la suivre, autant d'aucuns s'en
écartent avec indolence. Ainsi, de même qu'autrefois, à
l'époque des débuts de l'Église naissante, la foi fleurissait
par les œuvres, de même aujourd'hui elle se fane chez certains parce qu'on néglige celles-ci [2]. En fait, pour employer
les mots de saint Augustin dans son livre des *Sermons* : « Le
Christ qui est en nous est le même qui était en eux, mais il
n'y a pas en nous le même esprit qu'en eux ; la même foi est
en nous, mais pas la même dévotion. En effet, en eux la fra-
ternité du Christ était plus grande que celle du sang ; en eux,
de même qu'il n'y avait qu'une seule foi, il n'y avait qu'une
seule matière : eux qui partageaient le Christ partageaient
aussi les dépenses. En effet, il leur semblait contraire à la
volonté divine de ne pas s'associer dans la matière celui qui
avec eux partageait la grâce. Ils ne craignaient donc pas la
faim, mais redoutaient plutôt la faim d'autrui [3]. Mais main-

---

nous relisions ... », en supposant que Jonas a corrigé par la suite la
deuxième subordonnée en « animaduertamus ».

2. L'insistance de Jonas sur la dévotion des premiers chrétiens est
beaucoup plus qu'un *topos* littéraire : elle participe de l'idéal carolingien de *renouatio* et de *correctio*. Jonas propose ainsi le modèle des
communautés (*plebes*) des apôtres à toute la société chrétienne (*populus christianus*), dans le cadre d'une rénovation morale des trois ordres
de celle-ci. Cf. R. SAVIGNI, *Giona di Orleans : una ecclesiologia carolingia*, Bologna 1989, p. 42-47.

3. Ps.-AUGUSTIN, *Serm.* 100, 1-3 (*PL* 39, 1937-1938). Il s'agit en fait
de MAXIME DE TURIN, *Serm.* 17, 1-3 (*CCSL* 23, p. 63-65).

45 esuriret. Nunc autem, ut idem beatus Augustinus ait, ita
    alter de alterius inopia non cogitat, ut illud sit, quod dicit
    apostolus : *Alius quidem esurit, alius ebrius est* [b]. » Et paulo
    post : « Nunc est, inquit, tempus quod Dominus in
    Euangelio ait : *Habundabit iniquitas, refrigescet caritas*
50 *multorum* [c]. Modo enim abundat auaritia et iniquitas, quae
    ante largitatis bonitate cessabat et refrigescit fraternitatis
    caritas, quae prius Christi amore feruebat. Tunc enim sub
    apostolis tanta fraternitatis dilectio fuit, ut in conuentu suo
    nulla inueniretur indigentia ; tanta autem modo christiani-
55 tatis dissimulatio est, ut in coetu nostro uix inuenias locu-
    pletem ; locupletem autem inueniri dico non facultatibus,
    sed operibus. Ait autem apostolus : *Diuites sint in operibus*
    suis bonis [d]. Locupletem enim in ecclesia intelligi uoluit, qui
    diues in Christo est ». Et idem post pauca : « Raro igitur in
60 hoc tempore in christiano populo inuenimus locupletem et
    si plerique in domibus auro sint diuites, in ecclesia tamen
    sunt mendici. Dum enim circa pauperes non pro eo, quod
    praeualent, operantur, nec hoc est gratum, quod offerunt,
    nec illud est satiabile, quod reseruant. Dixit autem Dominus
65 ad Cain cum offerret munera : *Si recte offeras, recte autem*
    non diuidas, peccasti, quiesce [e]. Sic tu, christiane, non recte
    diuidis, qui de tanto auro tuo maiorem partem Mammonae
    seruas quam Deo largiris. »
        In primordio igitur sanctae Dei ecclesiae circa credentes
70 ardor fidei ita uigebat, ut perseuerarent in doctrina aposto-
    lorum et comunicatione fractionis panis et orationibus et

b. I Cor. 11, 21   c. Matth. 24, 12   d. I Tim. 6, 18   e. Cf. Gen. 4, 7

1. *I Tim.* 6, 18 : « Diuites fieri in operibus bonis ».
2. MAXIME DE TURIN, *Serm.* 17, 1-3 *ibid.*
3. Cf. *Gen.* 4, 7. Le texte de Jonas est proche de la version des
Septante, alors que la Vulgate donne : « Si tu agis bien, ne te relèveras-
tu pas ? Mais si tu n'agis pas bien, le péché n'est-il point tapi à la
porte ? »

tenant, comme dit le même saint Augustin, on songe si peu
au dénuement d'autrui, qu'il se produit ce que dit l'Apôtre :
'Et l'un a faim, tandis que l'autre est ivre [b].' » Et, un peu plus
loin : « Voici venu le temps, dit-il, dont le Seigneur dit dans
l'Évangile : 'L'iniquité abondera, la charité du grand
nombre se refroidira [c].' En effet, la cupidité et l'iniquité,
auxquelles autrefois la bonté dans la générosité mettait fin,
existent en abondance, et l'amour fraternel, qui auparavant
brûlait dans l'amour du Christ, se refroidit. A l'époque, au
temps des apôtres, il y avait une telle dilection fraternelle
que, dans leur communauté, on ne trouvait personne dans
le besoin. Mais de nos jours, la négligence de la chrétienté
est telle que c'est à peine si l'on trouve un homme riche dans
notre assemblée — quand je dis trouver un homme riche, je
ne veux pas dire riche en ressources, mais riche en œuvres.
Car, comme dit l'Apôtre : 'Qu'ils soient riches de leurs
bonnes œuvres [d] [1].' Il voulait en effet qu'on entende par
riche dans l'Église, celui qui est riche dans le Christ [2]. » Et
le même, un peu plus loin : « Il est donc rare de trouver un
homme riche de nos jours dans le peuple chrétien ; et s'il en
est beaucoup qui sont riches en or dans leurs maisons, dans
l'Église ils restent des mendiants. Car, s'ils n'œuvrent pas
autour d'eux pour les pauvres dans la mesure de leurs capa-
cités, ce qu'ils offrent n'est pas agréable et ce qu'ils réservent
ne rassasie pas. Et le Seigneur a dit à Caïn, alors qu'il offrait
des présents : 'Si tu offres bien, mais que tu ne partages pas
bien, tu as péché, arrête [e] [3].' Ainsi, toi qui es chrétien, tu ne
partages pas bien, si de tant d'or qui est le tien tu gardes
davantage pour Mammon que tu n'en offres à Dieu [4]. »

Donc, dans les premiers jours de la sainte Église de Dieu,
l'ardeur de la foi était si forte chez les croyants qu'ils persé-
véraient dans l'enseignement des apôtres, dans la communion de la fraction du pain et dans les prières ; elle était si

4. MAXIME DE TURIN, *ibid.*

haberent omnia communia et sumerent cibum cum exultatione et simplicitate cordis, conlaudantes Deum. Nunc
autem deuotio christianitatis apud plerosque longe aliter se
75 habet, quoniam a quibusdam doctrinae apostolorum prae-
ponitur amor terrenorum negotiorum, communicationi
fractionis panis tenacitas, frigor caritatis et cupiditas
ambiendae rei alienae potius quam propriae largiende, orationibus delectatio carnalis, curiositas rerum, sollicitudo
80 mundi et multimoda mentis in diuersa uagatio. Quae autem
illis erant communia, nunc quibusdam ita sunt propria, ut
perraro in alterius ex hiis quicquam retorqueatur usum. Illi
sumebant cibum cum exultatione et simplicitate cordis,
conlaudantes Deum [f]. Nunc autem uix a quibusdam sumi-
85 tur cibus sine detractione, sine simulatione, sine insultatio-
ne, sine histrionum saltatione et obscena iocatione et turpi-
loquiis et scurilitatibus et caeteris innumeris uanitatibus,
quae animum christianum a uigore sui status emolliunt. Illi
in simplicitate cordis, isti autem e contrario subdolo et dupli-
90 ci animo, cum Scriptura dicat : *Sentite de Domino in boni-*
tate et in simplicitate cordis quaerite illum [g]. Illi sumentes
cibum Deum conlaudabant, isti diuersorum ciborum genera ad suum libitum exigentes, erga lautissimos sibi cibos
praeparatos artem conlaudant coquorum.
95 Est et aliud in christiana religione magna admiratione
dignum, eo quod leges humanae, quae plerumque peccare
uolentibus terrorem potius quam Christi praecepta incu-

f. Cf. Act. 2, 42.44.46.47   g. Sag. 1, 1 (cf. *supra* c. 4, n. *f*)

1. La comparaison de la foi et de la charité à un feu (*ardor fidei, ardor*
caritatis) est très ancienne. Il en est de même pour l'association de
l'absence de charité à la froideur ; cf. AUGUSTIN, *Tr. in evang. Joh.,* 48 :
« Ils étaient de glace pour la charité qui fait aimer ; ils étaient de feu,
quant au désir de nuire. »

forte qu'ils mettaient tout en commun, et prenaient leur repas dans la joie et la simplicité du cœur, en louant Dieu ensemble. Mais de nos jours, la piété du peuple chrétien a chez la plupart une toute autre allure, puisque certains préfèrent l'amour des affaires terrestres à l'enseignement des apôtres ; ils préfèrent à la communion de la fraction du pain l'avarice, la froideur à la charité [1] et le désir de s'approprier le bien d'autrui à celui de distribuer le sien propre ; ils préfèrent aux prières le plaisir charnel, les préoccupations matérielles, le souci du monde et diverses sortes de dispersion de l'âme. Ce qui était commun aux premiers est maintenant devenu la propriété de certains au point qu'il est très rare qu'il en revienne quoi que ce soit à autrui. Ceux-ci [2] « prenaient leur repas dans la joie et la simplicité du cœur, louant Dieu ensemble [f]. » Mais aujourd'hui, c'est à peine si certains prennent leur repas sans médisance, sans querelle, sans offenser autrui, sans danse d'histrions et sans plaisanteries obscènes, conversations indécentes, sans bouffonneries et autres vanités sans nombre, qui, en lui ôtant la vigueur de sa nature, amollissent l'esprit chrétien. Ceux-ci agissaient « dans la simplicité du cœur », mais ceux-là au contraire le font dans un esprit sournois et fourbe, alors que l'Écriture dit : « Entretenez de bonnes pensées sur le Seigneur, avec simplicité de cœur, cherchez-le [g]. » Ceux-ci, en prenant leur repas, rendaient grâces à Dieu, ceux-là, commandant à leur gré différentes sortes de nourritures, rendent hommage à l'art des cuisiniers pour les plats somptueux qui leur ont été préparés.

Mais il y a dans la religion chrétienne un autre fait digne d'un grand étonnement : les lois humaines, qui inspirent à la plupart de ceux qui veulent pécher plus de terreur que les

2. Les premiers chrétiens. Tout ce passage présente les oppositions caractéristiques du style de Jonas, introduites par des démonstratifs (« Isti... Illi ») ou des adverbes (« Tunc... Nunc).

tiunt, maiorem uim quam diuinae habere uideantur, cum
utique illae sibi parentes a temporali, hae quoque ab aeterna
100 liberent poena. Cum enim quispiam regiae aut imperialis
dignitatis apicem tenens, caeteris mortalibus temporaliter
imperans, aliquod edictum proponit, quod a sibi subditis et
audiri diligenter et impleri fideliter sagaciterque uelit, quis,
rogo, subditorum non inhianter id audit illiusque iussioni-
105 bus obtemperare satagit ? Quis uero in tantam audaciam
prorumpere audet, qui id, nisi ad sui discrimen, contemnere praesumat ?

Vnde satis mirari non potest, cur homines tanta caecitate
percussi existunt, ut creatoris sui legem tam temerario ausu
110 postponant. Homines condunt leges et a subditis custo-
diuntur ; Deus, creator omnium aeternaliter imperans, qui
nostro augmento non crescit nec nostro detrimento decres-
cit, in cuius manu ita sumus sicut lutum in manu figuli[h],
dedit legem ob salutem animarum capessendam et audiri
115 contemnitur et, si aure cordis auditur[i], aure cordis non percipitur et, si aure cordis percipitur, opere non adimpletur.
Quid autem excusationis christiani Domino adferre pote-
runt, qui mundanae legis censuram ob mundialem metum
suscipiunt et iugo Christi, quod suaue et leue[j] est et ad
120 uitam ducit aeternam, colla submittere rennuunt ?

Dominus dicit : *Venite ad me, qui laboratis et onerati estis
et ego reficiam uos*[k]. Et idem alibi : *Discite a me, quia mitis
sum et humilis corde et inuenietis requiem animabus uestris.
Iugum enim meum suaue est et onus meum leue est*[l]. Et
125 uenire ad talem tantumque uocantem et ab eo humilitatem

---

h. Cf. Jér. 18, 6   i. Cf. Prov. 28, 9   j. Cf. Matth. 11, 30   k. Matth. 11,
28   l. Matth. 11, 29-30

---

1. Sur cette expression, cf. *supra* Adm., p. 152, n. 2. Il s'agit d'un
emprunt au prologue de la *Règle* de saint Benoît.

commandements du Christ, semblent avoir plus de force que les lois divines, bien que les premières ne fassent que préserver d'un châtiment temporel ceux qui leur obéissent, alors que les secondes les préservent d'un châtiment éternel. En effet, quand celui qui détient le sommet de la dignité royale ou impériale et qui exerce le pouvoir temporel sur tous les autres mortels propose quelque édit, qu'il désire voir écouté avec soin et appliqué avec fidélité et discernement par ses sujets, qui, je vous le demande, parmi les sujets ne l'écoute pas avec avidité, et qui ne s'efforce pas d'obéir à ses ordres ? Qui, de fait, oserait faire preuve d'une telle audace qu'il se permette de le dédaigner, à moins de chercher sa propre perte ?

De ce fait, on ne peut s'étonner assez du fait qu'il existe des hommes frappés d'un aveuglement tel, qu'ils placent, avec une audace téméraire, la loi de leur créateur au second plan. Les hommes font des lois, et elles sont respectées par les sujets. Dieu, qui est le créateur de toutes choses et règne pour l'éternité, qui ne croît pas avec notre croissance ni ne décline avec notre déclin, Dieu dans la main duquel nous sommes comme l'argile dans la main du potier [h], a donné une loi qu'il faut embrasser pour sauver son âme, et on dédaigne de l'entendre ! Et, si l'oreille du cœur l'entend, elle ne l'écoute pas [1] ; et, même si l'oreille du cœur l'écoute [i], les actes ne l'accomplissent pas. Quelle excuse pourraient donc invoquer auprès du Seigneur les chrétiens qui acceptent l'autorité du droit séculier par une crainte du siècle, mais refusent de soumettre leur nuque au joug du Christ, qui est doux et léger [j] et mène à la vie éternelle ?

Le Seigneur dit : « Venez à moi, vous qui peinez et ployez sous le fardeau, et je vous donnerai du repos [k]. » Et le même, ailleurs : « Recevez mes leçons, parce que je suis doux et humble de cœur, et vous trouverez du repos pour vos âmes. Car mon joug est doux et ma charge légère [l]. » Mais les hommes refusent de répondre à celui qui les appelle si bien

et mansuetudinem discere eiusque iugum suscipere recusa-
tur. Hoc qui faciunt, quid aliud faciunt, nisi a salute propria
deficiunt ? Quod quam miserabile et exitiabile sit, explicari
non potest.

130   Perspicue sane animaduerti potest, quod professio christiana modernis temporibus a plerisque non sic deuote ac
religiose colitur, sicut a priscis colebatur christianis. Hanc
itaque fidei regulam, de qua superius breuiter et in memo-
ratis actis apostolorum plenissime dictum est, apostoli,
135 immo per apostolos Christus tenendam fidelibus censuit. Si
igitur hanc Christus docuit, immo quia docuit, ut quid tot
tantisque peruersis consuetudinibus ad uotum quorumdam
repertis contemnitur ? Quae quamuis, Deo annuente, ueraciter percipiatur, operibus tamen a nonnullis diuersis negle-
140 gitur modis ; et hoc idcirco accidisse conicimus, quia inrep-
sit inter quosdam nimium deflenda consuetudo, qui utique
legibus diuinis, quibus se per fidem subdiderunt, non ut
oportet animaduersis, quod libet et licitum non est, sed et id
quod licet[m], non tamen expedit, legem sibi faciunt et secun-
145 dum id quod libitum fuerit uiuere se posse inculpabiliter
credunt.

    His ita praemissis, necesse est, ut unusquisque fidelis
penetralia cordis sui rimetur et, si fidem Christi, quam percepit, operibus non exornat, pacti, quod cum Deo in bap-
150 tismate fecit, se praeuaricatorem esse cognoscat. Dum ergo
tempus habet, Christi adiuuante gratia, uiam salutis non
uerbis tantum, sed operibus repetat. Non ergo mirum est, si

m. Cf. I Cor. 6, 12

1. *R* et *B* donnent « humiliantem », *C* et *L* « humilitatem ». Nous
avons choisi cette dernière leçon, qui est seule grammaticalement cor-
recte et qui s'accorde au contexte du Christ appelant.

2. « Conicimus » *C* : « concimus » *RB*, « reor » *L*. La leçon de *RB*
n'a pas de sens.

et tellement, ils refusent d'apprendre de lui l'humilité [1] et la bienveillance, et d'admettre son joug ! Que font ceux-là, si ce n'est négliger leur propre salut ? Les mots ne suffisent pas à exprimer à quel point ceci est déplorable et funeste.

On peut très clairement constater que la plupart des gens de l'époque actuelle ne cultivent pas la profession chrétienne avec autant de dévotion et de piété que les premiers chrétiens. C'est pourquoi le Christ a décidé que cette règle de foi — dont nous avons parlé brièvement plus haut, et qui est exposée dans tous ses détails dans les Actes des Apôtres que nous avons mentionnés — doit être suivie par les fidèles, selon la prescription des apôtres, ou plutôt, à travers les apôtres, selon celle du Christ. Si donc le Christ a enseigné cette règle, ou plutôt puisqu'il l'a enseignée, pourquoi est-elle dédaignée au profit de tant et tant d'habitudes perverses que certains trouvent à leur goût ? Bien qu'elle soit admise sincèrement, avec l'assentiment de Dieu, il en est cependant qui la négligent de diverses manières ; et nous présumons [2] que ceci se produit parce qu'une habitude extrêmement déplorable s'est insinuée chez certains qui, en tout cas, ne portant pas aux lois divines, auxquelles ils se sont soumis par la foi, l'attention nécessaire, se font une loi de ce qui leur plaît mais n'est pas permis, et aussi de ce qui est permis [m] sans être utile, et ils croient pouvoir vivre selon leur bon plaisir sans commettre de faute.

Ceci étant dit, il est nécessaire que chaque fidèle sonde les profondeurs de son cœur [3], et s'il n'illustre pas par ses œuvres la foi du Christ qu'il a reçue, il doit savoir qu'il trahit le pacte qu'il a conclu avec Dieu par le baptême. Donc, tant qu'il en a le temps, et avec l'aide de la grâce de Dieu, qu'il regagne la voie du salut non seulement en paroles, mais aussi par ses œuvres. Il n'est donc pas étonnant que l'épée divine

---

3. Le cœur est considéré comme une demeure secrète, un sanctuaire, chez saint Augustin et saint Grégoire ; cf. A. BLAISE, *Le vocabulaire latin des principaux thèmes liturgiques*, Turnhout 1966, p. 532.

mucro diuinus grassetur ubi fides Christi non ueraciter, sed
simulanter tenetur. Semper enim dicimus nos Deum uelle
155   quaerere et de praeteritis admissis ab eo ueniam postulare et
mentimur quia, quod dicimus, adimplere differimus ; quotidie etiam dicimus uiam Dei, a qua peccando exorbitaui-
mus, nos quaerere uelle, per quam ad Deum reuertamur et
Deus eam strauit in conspectu oculorum nostrorum et per
160   eam ingredi contemnimus. Quis ratione utens ignorat nos
debere semper potiora eligere et uiliora contemnere ?
Diuersis diuinae ultionis cladibus merito nostrae iniquitatis
adterimur et ad eum, a quo percutimur, reuerti contemnimus, adimplentes illud propheticum : *Et populus non est*
165   *reuersus ad percutientem se et Dominum exercituum non*
exquisierunt[n]. Verendum porro satis est, ne nobis totiens a
Domino per legales et propheticas atque euangelicas et
apostolicas denuntiationes siue comminationes admonitis
et flagellatis et ad Deum ueraciter redire contemnentibus,
170   illud tandem proueniat, quod Israhelitico populo, prophe-
tis Domini insultanti et ad Deum reuerti contemnenti,
prouenit, quorum iniquitates Dominus diu patienter pertu-
lit et ad extremum his propitiari nolens, eos in Assiriorum
captiuitatem migrare permisit[o]. Assirii namque demones
175   significant et interpretantur captiuantes. Vnde satis uigilanter prouidendum est, ne sicut illi corporaliter ita nos, quod
absit, spiritualiter in eorum deueniamus captiuitatem.

n. Is. 9, 13   o. Cf. II Sam. 17, 5-23 ; Judith 5, 18-19

---

1. Jonas fait ici une allusion discrète à la conjoncture de 829 et des
maux ayant provoqué la réunion de quatre conciles réformateurs cette
année-là : cf. la lettre de convocation rédigée par l'empereur et dans
laquelle il expose les maux qui ont ravagé l'empire et la nécessité pour les
chrétiens de revenir vers celui qui les frappe (*MGH Conc.* II, p. 599-600).
2. Nous avons choisi « captiuantes » (*RB*) plutôt que « captiuitates »
(*C*), qui aurait pu avoir le sens de captifs, sens invraisemblable dans
notre contexte.
3. Ce passage est obscur. L'opposition entre le plan matériel et le
plan spirituel est fréquente chez Jonas (cf. *Inst. des laïcs*, II, 10, *PL* 106,

s'abatte là où la pratique de la foi du Christ n'est pas réelle, mais seulement feinte. En effet, nous prétendons toujours vouloir chercher Dieu et demander son pardon pour les fautes passées ; et nous mentons, car nous différons la réalisation de ce que nous disons. Nous prétendons même chaque jour que nous voulons chercher la voie vers Dieu, dont nos péchés nous ont éloignés, pour revenir par elle à Dieu ; Dieu l'a tracée devant nos yeux, mais nous dédaignons de l'emprunter. Qui, s'il se sert de sa raison, peut ignorer que nous devons toujours choisir ce qui a le plus de valeur et dédaigner ce qui en a le moins ? A cause de notre iniquité, les divers fléaux de la vengeance divine nous écrasent, mais nous dédaignons de revenir à celui qui nous frappe, accomplissant ainsi cette parole du prophète : « Et le peuple n'est pas revenu à celui qui le frappait et ils n'ont pas recherché le Seigneur des armées [n] [1]. » D'ailleurs, il est bien à craindre qu'il ne finisse par nous arriver ce qui est arrivé au peuple d'Israël, qui bravait les prophètes du Seigneur et dédaignait de revenir à Dieu — à nous qui tant de fois avons été admonestés et frappés par le Seigneur dans les avertissements et les menaces de la Loi, des prophètes, de l'Évangile et des apôtres, mais qui dédaignons de revenir à Dieu avec sincérité — : le Seigneur toléra longtemps et avec patience l'iniquité du peuple d'Israël, mais ne voulant pas lui pardonner jusqu'à la fin, il le laissa emmener en captivité par les Assyriens [o]. En effet, les Assyriens représentent les démons et leur nom veut dire ceux qui asservissent [2]. De ce fait, il faut veiller avec suffisamment de soin à ne pas tomber, à Dieu ne plaise, dans leur captivité par l'esprit, comme les Israélites le firent par le corps [3].

187 BC). La captivité représente au plan spirituel l'esclavage de la nature humaine sous l'empire du démon, cf. AUGUSTIN, *De ciu. Dei*, VIII, 24 (*BA* 34, p. 322) : « Post hanc ergo captiuitatem, qua homines a malignis daemonibus tenebantur » et ISIDORE, *Etym.*, IX, 2, 54 (éd. Reydellet, Paris 1984, p. 67-69) : « Samaritanorum gens sumpsit exordium ab Assiriis... Qui latine interpretantur custodes ».

\<Dvodecimvm capitvlvm\>

Quod grauius puniantur qui fidem Christi perceperunt et in malis uitam finierunt quam illi, qui sine fide mortui sunt et tamen bona opera egerunt

5   Dici solet a nonnullis christianis, quod hi, qui in Christo renati sunt, quamquam scelerate uiuant et in malis operibus diem extremum claudant, diuturno atque purgatorio, non tamen perpetuo, sint igne puniendi. Cum multi hoc adserant et nullus id uerum esse ex diuinis oraculis adstruere
10   ualeat, cauendum est, ut hoc non solum non credant, uerum etiam nec ex ore proferant, ne forte hoc dicendo et se et alios quodammodo uana securitate deludant.

Quod ergo neminem sola fides Christi sine operibus ad regnum prouehat aeternum, in praecedentibus iam dictum
15   est. Quod autem in flagitiis uiuentes et haec nec poenitentiae lamentis nec elemosinarum largitionibus redimentes, sed in eis potius perseuerantes diem obeunt, atrociora sint tormenta passuri quam illi qui, licet lauacro Christi in ecclesia nequaquam sunt baptizati, bona tamen opera fecerunt,
20   subter testimonia collecta declarant. Ait itaque Petrus : *Melius enim illis fuerat non agnoscere uiam ueritatis, quam post agnitionem ueritatis retrorsum conuerti ab eo, quod traditum est illis sancto mandato. Contigit enim illis illud ueri prouerbium : « Canis reuersus ad suum uomitum*[a], *et sus*

a. Prov. 26, 11

1. Cf. *Conc. Paris* (829), II, 10 (*MGH Conc.* II, p. 661-663) et *Inst. des laïcs,* I, 19 (*PL* 106, 158-160).
2. Sur la notion de feu purgatoire et son emploi chez saint Grégoire, dont dépend Jonas, cf. J. Le Goff, *La Naissance du purgatoire,* Paris

DOUZIÈME CHAPITRE [1]

Ceux qui ont reçu la foi du Christ et ont fini leur vie dans le mal sont punis plus sévèrement que ceux qui sont morts sans la foi, mais qui ont fait de bonnes œuvres

Il est des chrétiens qui ont coutume de dire que ceux qui ont été rénovés dans le Christ — même s'ils vivent dans le crime et s'ils achèvent leur vie par des actions mauvaises —, doivent être punis par un feu durable et purgatoire mais cependant non éternel [2]. Comme nombreux sont ceux qui l'affirment et qu'aucun d'eux n'arrive à en démontrer la véracité par les paroles divines, il faut éviter non seulement qu'ils le croient, mais aussi qu'ils le disent, de peur que d'aventure ils ne s'abusent eux-mêmes et n'abusent les autres par une fausse sensation de sécurité.

On a déjà dit précédemment que la foi du Christ seule, sans les œuvres, ne mène personne au royaume éternel. Mais ceux qui vivent dans l'infamie et ne la rachètent pas par des pleurs de repentir et des distributions généreuses d'aumônes, mais au contraire persévèrent en elle jusqu'à la mort, devront subir des supplices plus cruels que ceux qui n'ont pas reçu la purification du Christ par le baptême dans l'église, mais ont pourtant accompli de bonnes œuvres : c'est ce qu'affirment les témoignages rassemblés ci-dessous. Ainsi Pierre dit : « Mieux leur aurait valu, en effet, de ne pas connaître le chemin de la vérité, que d'avoir connu la vérité pour se détourner du saint commandement qui leur avait été transmis. Il leur est arrivé ce que dit en toute vérité le proverbe : 'Le chien est retourné à sa propre vomissure [a], et la

1981, p. 121-131, et la critique de cet ouvrage faite par A. H. BREDERO, « Le Moyen Age et le purgatoire », *RHE* 78 (1983), p. 429-452.

25 *lota in uolutabro luti* [b]. » Et Dominus in Euangelio : *Cum*
    inmundus, inquit, *spiritus exierit ab homine, uadit per loca*
    arida, quaerit requiem et non inuenit et tunc dicit :
    « *Reuertar in domum meam, unde exiui* » *et, si ueniens*
    inuenerit eam uacantem, mundatam et ornatam, uadit et
30 *adducit secum septem alios spiritus nequiores se et intrant in*
    domum illam et habitant in ea et erunt nouissima hominis
    illius peiora prioribus [c].

       Origenes quoque, in omelia de initio Decalogi :
    « Habitauit enim in nobis inmundus spiritus, antequam cre-
35 deremus, antequam ueniremus ad Christum, cum adhuc
    fornicaretur anima nostra a Deo et esset cum amatoribus
    suis daemonibus ; sed posteaquam dixit : Reuertar ad uirum
    meum priorem, et uenit ad Christum, qui eam ab initio ad
    imaginem suam creauit, necessario locum dedit adulter spi-
40 ritus, ubi uadit ad legitimum uirum. Suscepti ergo sumus a
    Christo et mundata est domus nostra, a peccatis prioribus et
    ornata est ornamentis sacramentorum fidelium, quae noue-
    runt qui initiati sunt. » Item idem post pauca : « Non enim
    domus tantum, sed templum esse debet, in quo habitet
45 Deus. Si ergo acceptam gratiam neglegat et implicet se nego-
    tiis saecularibus, continuo ille inmundus spiritus redit et
    uindicat sibi domum uacantem et, ne iterum possit expelli,
    alios secum septem spiritus adhibet nequiores et *fiunt*
    huiusmodi nouissima hominis peiora prioribus [d]. » Et Beda
50 in expositione euangelii Lucae : « Quemcumque enim post
    baptisma siue prauitas heretica seu mundana cupiditas arri-
    puerit, mox omnium prosternet in ima uitiorum. Vnde recte

---

b. II Pierre 2, 21-22   c. Matth. 12, 43-45 ; cf. Lc. 11, 24-26
d. Matth. 12, 45

1. ORIGÈNE, *In Exodum homilia* VIII, 4 (*PG* 12, 355-356 et éd.
W. A. Baehrens, *GCS* 29, p. 225) ; texte latin et traduction française
par M. Borret, Paris 1985 (*SC* 321, p. 258).

truie, à peine lavée, se vautre dans le bourbier [b].' » Et le
Seigneur dit dans l'Évangile : « Lorsque l'esprit impur est
sorti d'un homme, il parcourt les régions arides en quête de
repos, mais il n'en trouve pas. Alors il se dit : 'Je vais retour-
ner dans mon logis, d'où je suis sorti.' Et si, en arrivant, il le
trouve inoccupé, balayé et orné, il va prendre avec lui sept
autres esprits plus mauvais que lui, ils entrent dans cette
demeure et s'y installent. Et le dernier état de cet homme
deviendra pire que le premier [c]. »

Origène également, dans son *Homélie sur le début du
Décalogue* : « En effet, avant que nous n'ayons la foi, avant
que nous ne soyons venus au Christ, l'esprit impur était ins-
tallé en nous, et jusqu'à ce moment, notre âme se prostituait
loin de Dieu et était avec les démons, ses amants. Mais après
qu'elle eut dit : 'Je reviendrai à mon premier mari' et qu'elle
fut venue au Christ, qui l'avait créée au commencement à
son image, l'esprit adultère a été contraint de s'effacer
devant l'époux légitime. Nous avons donc été accueillis par
le Christ, et notre demeure a été purifiée de nos péchés passés et parée des ornements des sacrements des fidèles, que
connaissent les initiés [1]. » Le même dit encore, un peu plus
loin : « Car elle doit être non seulement une demeure, mais
un temple fait pour que Dieu y réside. Si donc elle néglige la
grâce reçue et s'engage dans les affaires du siècle, cet esprit
impur revient aussitôt, revendiquant la demeure inoccupée.
Et, pour interdire qu'il soit à nouveau chassé, il amène sept
autres esprits plus mauvais que lui, et 'le nouvel état de cet
homme devient pire que le premier [d] [2]'. » Et Bède dans son
Commentaire de l'Évangile de Luc : « Car si quelqu'un,
après le baptême, se laisse aller à la dépravation de l'hérésie
ou au désir du siècle, il ne tarde pas à s'abaisser aux derniers
de tous les vices. C'est pourquoi il est alors juste de dire que

2. *Ibid.* (*SC* 321, p. 258).

nequiores tunc eum spiritus dicuntur ingressi, quia non
solum habebit illa septem uitia, quae septem spiritualibus
55 sunt contraria uirtutibus, sed et per hypocrisin ipsas se uirtutes habere simulabit *et sunt nouissima hominis illius peiora prioribus*[e] ». « *Melius quippe erat ei uiam ueritatis non
cognoscere quam post agnitionem retrorsum conuerti*[f].
Quod in Iuda traditore uel Simone mago ceterisque talibus
60 specialiter legimus impletum[g]. » Augustinus quoque in
libro Enchiridion : « Creduntur, inquit, etiam hi, qui nomen
Christi non relinquunt et eius lauacro in ecclesia baptizan-
tur nec ab ea ullo scismate uel haeresi praeciduntur, in quan-
tis sceleribus uiuant, quae nec diluant poenitendo nec ele-
65 mosinis redimant, sed in eis usque ad ultimum huius uitae
diem pertinacissime perseuerent, salui futuri per ignem,
licet pro magnitudine facinorum flagitiorumque diuturno,
non tamen aeterno igni puniri. Sed qui hoc credunt et tamen
catholici sunt, humana quadam beniuolentia mihi falli
70 uidentur. Nam Scriptura Diuina aliud consulta respondit. »
Et paulo post : « Porro autem si homo sceleratus propter
solam fidem per ignem saluatur — et sic est accipiendum,
quod ait beatus Paulus : *Ipse autem saluus erit ; sic tamen
quasi per ignem*[h] —, poterit ergo saluare sine operibus fides
75 et falsum erit quod dixit eius coapostolus Iacobus[i], falsum
erit et illud, quod idem ipse Paulus : *Nolite,* inquit, *errare ;
neque fornicatores neque idolis seruientes neque adulteri
neque molles neque masculorum concubitores neque fures*

---

e. Matth. 12, 45   f. II Pierre 2, 21   g. Cf. Act. 8, 9 s.   h. I Cor. 3,
15 i. Cf. Jac. 2, 17

---

1. *II Pierre* 2, 21-22 : « Melius enim erat illis non cognoscere uiam
iustitiae quam post agnitionem retrorsum conuerti. »
2. BÈDE LE VÉNÉRABLE, *In Lucae euangelium expositio*, XI, 26 (éd.
D. Hurst, *CCSL* 120, p. 235).

des esprits plus mauvais l'ont envahi. Car il aura en lui non seulement ces sept vices, qui s'opposent aux sept vertus spirituelles, mais, par hypocrisie, il fera semblant d'avoir ces mêmes vertus, 'et le nouvel état de cet homme est pire que le premier [c].' 'Mieux lui aurait valu, en effet, de ne pas connaître le chemin de la vérité, que de l'avoir connu pour s'en détourner [f][1].' Et nous lisons que ceci s'est réalisé, notamment pour le traître Judas, ou pour Simon Le Magicien [g], et pour tous les autres de cette espèce [2]. » Augustin aussi dans le livre de l'*Enchiridion* : « On croit même, dit-il, que ceux qui n'abandonnent pas le nom du Christ, qui reçoivent sa purification dans l'Église par le baptême, et que nul schisme ou hérésie n'a séparés de cette Église, seront également sauvés par le feu ; et ceci quels que soient les crimes dans lesquels ils vivent, crimes qu'ils n'effacent pas par la pénitence ni ne rachètent par les aumônes, et dans lesquels ils persistent avec une grande opiniâtreté jusqu'à leur dernier jour : tout en étant punis par le feu pour une durée proportionnée à la taille de leurs crimes et de leurs turpitudes, ils ne seraient pourtant pas punis du feu éternel. Mais ceux qui le croient, et pourtant sont catholiques, me semblent trompés par quelque tendance de l'homme à l'indulgence. Car la consultation de la Divine Écriture donne une autre réponse. » Et un peu plus loin : « Par ailleurs, si la seule foi peut sauver le criminel à travers le feu — et ainsi faut-il comprendre ce que dit saint Paul : 'Lui même sera sauvé, mais comme on l'est à travers le feu [h]'—, la foi pourra donc sauver sans le concours des œuvres et ce que dit Jacques [i], son compagnon d'apostolat [3], deviendra faux ainsi que ce qu'a dit Paul lui même : 'Ne vous y trompez pas ! a-t-il dit, ni les débauchés, ni les idolâtres, ni les adultères, ni les dépravés, ni les sodomites, ni

---

3. Cf. *Jac.* 2, 17 : « Sic et fides, si non habeat opera, mortua est in semetipsam. »

neque auari neque ebriosi neque maledici neque rapaces
80 *regnum Dei possidebunt* [j]. Si enim in istis perseuerantes criminibus, tamen propter fidem Christi salui erunt, quomodo in regno Dei non erunt ? » Si igitur iuxta euangelicam
sententiam post agnitionem Christi quis nequiter uiuendo
spiritum inmundum, qui a se tempore baptismatis expulsus
85 est, cum daemonum septenario sibi numero addito ad se
redire facit pristinamque domum in se quodammodo uindi-
care sinit, *fiunt illi nouissima peiora prioribus* [k]. Patet pro-
fecto, si in eisdem nequitiis uitam finierit, grauius illum
quam eos, qui licet fidem Christi non perceperunt, bonis
90 tamen operibus operam dederunt, puniendum.

Proinde necesse est, ut unusquisque fidem Christi, quam
percepit, bonis operibus exornet. Et, sicut nulli de misericordia Dei desperandum est, ita nemo post hanc uitam iudicium Dei, quod nisi iustum esse non potest, sibi aliisque
95 fauorabiliter molliendo temperet et propter hoc in hac uita
bonis operibus deditus esse neglegat. Quapropter procurandum est ut, dum in hac uita uiuitur, bonis operibus insi-
statur. Admonet quippe Dominus in Euangelio : *Vigilate et*
orate, quia nescitis diem neque horam [l]. Item : *Dies Domini*
100 *sicut fur in nocte ita ueniet* [m]. Item : *Ambulate, dum lucem*
habetis, ne tenebrae uos comprehendant [n]. Et apostolus :
Ecce nunc tempus acceptabile, ecce nunc dies salutis [o]. His
documentis perdocemur, quod indulta tempora poenitentiae in uanum non sint deducenda et quod fides Christi
105 bonis semper operibus sit exornanda.

j. I Cor. 6, 9-10   k. Matth. 12, 45 (cf. *supra* n. e)   l. Matth. 25, 13 ;
Matth. 26, 41   m. I Thess. 5, 2   n. Jn 12, 35   o. II Cor. 6, 2

1. AUGUSTIN, *Enchiridion*, 67 (*PL* 40, 263-264 et *BA* 9, p. 220 s.).
2. Jonas associe *Matth.* 26, 41 (« Vigilate et orate ut non intretis in
temptationem ») et *Matth.* 25, 13 (« Vigilate itaque quia nescitis diem
neque horam »), comme ici dans l'Adm. (cf. *supra*, p. 154, n. 1).

les voleurs, ni les accapareurs, ni les ivrognes, ni les calomniateurs, ni les filous n'hériteront du royaume de Dieu ʲ'. En effet, si ceux qui persistent dans ces crimes sont pourtant sauvés par la foi du Christ, comment ne seront-ils pas dans le royaume de Dieu ¹ ? » Donc, selon la parole de l'Évangile, si quelqu'un, après avoir connu le Christ, provoque en lui-même, par une vie indigne, le retour avec sept démons supplémentaires de l'esprit impur, qui en avait été chassé au moment du baptême, et s'il lui permet de reprendre en lui son ancienne demeure, « son nouvel état devient pire que le premier ᵏ ». Il est bien évident que, s'il finit sa vie dans les mêmes turpitudes, sa punition doit être plus lourde que celle de ceux qui, n'ayant pas reçu la foi du Christ, ont cependant accompli de bonnes œuvres.

De ce fait, il est nécessaire que chacun illustre par des bonnes œuvres la foi du Christ qu'il a reçue. Et, de même que personne ne doit désespérer de la miséricorde de Dieu, ainsi que personne, après cette vie, ne tempère le jugement de Dieu, qui ne peut qu'être juste, en l'adoucissant en sa propre faveur ou en celle d'autrui, et ne néglige, à cause de cela, de s'adonner dans cette vie aux bonnes œuvres. C'est pourquoi il faut tâcher de se consacrer aux bonnes œuvres, tant qu'on est dans cette vie. De fait, le Seigneur nous prévient dans l'Évangile : « Veillez et priez, car vous ne savez ni le jour, ni l'heure ¹ ². » De même : « Le jour du Seigneur viendra comme un voleur dans la nuit ᵐ. » De même : « Marchez pendant que vous avez la lumière, pour que les ténèbres ne s'emparent pas de vous ⁿ. » Et l'Apôtre : « Voici maintenant le moment favorable, voici maintenant le jour du salut ᵒ. »

Ces exemples nous apprennent que les moments consacrés à la pénitence ne doivent pas s'écouler en vain, et que la foi du Christ doit toujours être illustrée de bonnes œuvres.

\<TERCIVM DECIMVM CAPITVLVM\>

Quod ad ecclesiam orandi gratia frequenter conueniri debeat

Quia moderno tempore christiani populi deuotio a deuotione plebium fidelium, quae sub apostolis extitit, longe sit
5 impar, in praecedentibus iam commemoratum est. Procul nempe quorumdam christianorum deuotio, sicut et in nonnullis aliis, ita et in eo, quod ad ecclesiam tepide conueniunt, ab illius plebis religiosa deuotione distat. Verum sicut sunt plerique, qui pio religiosoque studio orandi gratia ecclesiam
10 saepissime frequentant, ita e contrario existunt quidam, qui licet e uicino habeant basilicam, id tamen perraro, quod emendatione dignum est, faciunt.

Vt ergo templa diuinis cultibus mancipata frequenter adiri ibique Deum constanter et deuote oporteat inuocari,
15 Diuinae Scripturae testimonia subter collecta testantur. Legitur itaque in libro Paralipomenon : *Apparuit Dominus Salomoni nocte et ait : « Audiui orationem tuam et elegi locum istum mihi in domum sacrificii* [a] *»* et caetera ; et paulo post : *Oculi quoque mei erunt aperti et aures meae erectae*
20 *ad orationem eius, qui in loco isto orauerit. Elegi enim et sanctificaui locum istum, ut sit nomen meum ibi in sempiternum, et permaneant oculi mei et cor meum ibi cunctis diebus* [b]. Et in Euangelio Lucae : *Et factum est, dum benediceret illis, recessit ab eis, et ferebatur in caelum. Et ipsi*
25 *adorantes regressi sunt in Hierusalem cum gaudio magno et erant semper in templo, laudantes et benedicentes Deum* [c].

---

a. II Chr. 7, 12   b. II Chr. 7, 15-16   c. Lc 24, 51-53

---

1. Cf. *Conc. Paris* (829), II, 11 (*MGH Conc.* II, p. 663-664) et *Inst. des laïcs*, I, 11 (*PL* 106, 143-144).

Treizième chapitre [1]

Il faut se réunir fréquemment à l'église pour prier

On a déjà rappelé dans ce qui précède qu'à l'époque actuelle la dévotion du peuple chrétien est de loin différente de la dévotion qui exista au temps des apôtres dans les communautés de fidèles [2]. C'est un fait que la dévotion de certains chrétiens est très éloignée de celle de ces communautés : on le voit dans la tiédeur qu'ils manifestent à se rassembler à l'église, comme en bien d'autres choses. De fait, s'il en est beaucoup qui se rendent très souvent à l'église pour prier, dans un souci de piété et de dévotion, il en est au contraire certains qui, bien qu'ils aient une église dans le voisinage, ne le font que rarement, ce qui mérite réforme.

Les témoignages de la Divine Écriture rassemblés ci-dessous attestent bien le fait qu'il convient de se rendre fréquemment dans les églises, qui sont consacrées au culte divin, et d'y invoquer Dieu avec constance et dévotion. C'est ainsi qu'on lit dans le livre des Paralipomènes : « Le Seigneur apparut à Salomon pendant la nuit et lui dit : 'J'ai entendu ta prière, et je me suis choisi ce lieu comme maison de sacrifice [a]' », et ainsi de suite ; et un peu plus loin : « Mes yeux aussi seront ouverts et mes oreilles attentives à la prière faite en ce lieu. Et maintenant j'ai choisi et consacré ce lieu, afin que mon nom y soit à jamais, mes yeux et mon cœur y seront tous les jours [b]. » Et, dans l'évangile de Luc : « Or, comme il les bénissait, il se sépara d'eux et fut emporté au ciel. Eux, après s'être prosternés devant lui, retournèrent à Jérusalem pleins de joie, et ils étaient sans cesse dans le temple à louer et à bénir Dieu [c]. » Et dans les Actes des

2. Cf. *supra*, chap. 11.

Et in Actibus Apostolorum : *Erant autem*, inquit, *perseue-*
rantes in doctrina apostolorum et communicatione fractionis
panis et orationibus ᵈ et paulo post : *Quotidie quoque per-*
30   *durantes unanimiter in templo et, frangentes circa domos*
panem, sumebant cibum cum exultatione et simplicitate cor-
dis, conlaudantes Deum et habentes gratiam ad omnem ple-
bem ᵉ. Item ibi : *Petrus et Iohannes ascenderunt in templum*
ad horam orationis nonam ᶠ. Origenes quoque in omelia de
35   Rebecca : « Vereor, inquit, ne sitis matri uestrae Ecclesiae
adhuc in tristitia et gemitu, cum non conuenitis ad audiendum Dei uerbum et uix festis diebus ad ecclesiam procedi-
tis et hoc non tam desiderio uerbi quam studio sollemnita-
tis et publicae quodammodo remissionis obtentu. Quid
40   igitur ergo faciam, cui dispensatio uerbi credita est ? Vbi uel
quando uestrum tempus inueniam ? Plurimum ex hoc,
immo paene totum mundanis occupationibus tenetis ; in
foro aliud, aliud in negotiatione consumitis ; alius litibus
uacat et ad audiendum Dei uerbum nemo aut pauci admo-
45   dum uacant. Sed quid uos de occupationibus culpo, quid de
absentibus conqueror ? Praesentes etiam, in ecclesia positi,
non estis intenti, sed communes et ex usu fabulas tenetis et
uerbo Dei uel lectionibus diuinis terga uertitis. Vereor ne et
uobis dicatur a Domino : *Conuerterunt ad me dorsa et non*
50   *facies suas* ᵍ. » Et post aliqua in eadem : « Dicite mihi uos,
qui tantummodo festis diebus ad ecclesiam conuenitis, caeteri dies non sunt festi ? non sunt dies Domini ? Iudaeorum
est dies certos et raros obseruare sollemnes et ideo ad eos
dicit Deus : *Quia neomenias uestras et sabbata et diem*

---

d. Act. 2, 42   e. Act. 2, 46-47   f. Act. 3, 1   g. Cf. Jér. 32, 33 ; 2,
27 ; 18, 17

---

1. Origène, *Homiliae in Genesim* X, 1 : *De Rebecca* (GCS 29, 93
et *SC* 7 bis, p. 254-256). Le début de cette citation a été modifié par
Jonas.

Apôtres : « Ils étaient, dit-il, assidus à l'enseignement des apôtres, à la communion de la fraction du pain et aux prières ᵈ. » Et peu après : « Chaque jour aussi, d'un commun accord, ils fréquentaient assidûment le Temple et, rompant le pain à la maison, ils prenaient leur nourriture avec allégresse et simplicité de cœur, ils louaient Dieu et trouvaient faveur auprès de tout le peuple ᵉ. » De même, ici : « Pierre et Jean montèrent au Temple pour la prière de la neuvième heure ᶠ. » Origène aussi, dans l'*Homélie sur Rébecca* : « Je crains, dit-il, que vous ne soyez encore pour l'Église, votre mère, un sujet de tristesse et de gémissements, quand vous ne venez pas écouter la parole de Dieu et que c'est à peine si vous allez à l'église les jours de fête. Et encore y venez-vous moins par désir d'entendre la parole que par goût de la solennité et pour obtenir de quelque manière la rémission publique. Que vais-je donc faire, moi à qui fut confié le ministère de la parole ? Où et quand trouverai-je le temps qui vous convient ? Vous en accordez la plus grande partie, sinon la presque totalité, aux occupations du monde ; vous en consacrez une partie au forum, l'autre au commerce. Un autre a du temps pour les procès, et personne, ou un tout petit nombre, n'a du temps pour écouter la parole de Dieu. Mais pourquoi vous reprocher vos occupations ? Pourquoi me plaindre des absents ? Même quand vous êtes présents et que avez pris place à l'église, vous n'êtes pas attentifs, vous discutez de banalités d'usage et vous tournez le dos à la parole de Dieu ou aux lectures divines. Je crains que le Seigneur ne vous dise, à vous aussi : 'Ils ont tourné vers moi leur dos et non pas leur visage ᵍ ¹.' » Et peu après, dans la même homélie : « Dites-moi, vous qui ne venez à l'église que les jours de fête, les autres jours ne sont-ils pas des jours de fête ? Ne sont-ils pas des jours du Seigneur ? C'est le propre des Juifs de respecter des jours fixes et peu fréquents pour célébrer les solennités ; et c'est pourquoi Dieu leur dit : 'Car je ne supporte pas vos néoménies, vos sabbats et votre

55 *magnum non sustineo, ieiunium et ferias et dies festos ues-*
    tros odit anima mea [h]. Odit ergo Deus eos, qui una die
    putant esse festum Domini. »

    Quia ergo christiani instar templi Hierosolimitani, ubi
    sanguis brutorum animalium effundebatur, basilicas in
60 amore et honore Dei construunt, ubi non iam sanguis tau-
    rorum effunditur sed corpus et sanguis Christi conficitur et
    a fidelibus percipitur et Deus tam euidentibus oraculis loca
    nomini suo dicata inhabitare ibique supplicum preces se
    exaudire polliceri dignatur et pontifices sub tanta inuoca-
65 tione eas Deo dedicant, ut omnes, qui illuc deprecaturi
    ueniunt, de quacumque tribulatione ad eum clamauerint,
    consolationis eius beneficia consequantur, oportet, ut
    remoto neglegentiae torpore huiuscemodi loca ad Deum
    exorandum sibique propitium faciendum frequenter ac
70 deuote adeant dignosque se aspectibus angelorum, quorum
    conuentus ibi minime adesse dubitantur, exhibeant.

    Quod si etiam memoratum templum, in quo pecudes
    mactabantur, tantae uenerationi habebatur, ut ad illud non
    solum Iudaei diuinae legis notitiam habentes, uerum etiam
75 nationes a testamento Dei longe remotae orandi gratia
    concurrerent, sicut habes in Actibus Apostolorum de uiro
    Ethyope eunucho, qui uenerat adorare in Hierusalem et
    reuertebatur et a Philippo catechizatus et baptizatus est [i],
    quanto magis templa Christi, ubi eius caro et sanguis immo-
80 latur, a fidelibus sunt religiosis obsequiis ueneranda, et assi-

---

h. Cf. Is. 1, 13-14   i. Cf. Act. 8, 27-38

---

1. ORIGÈNE, *Hom. in Gen.* X, 3 (*GCS* 29, 97 et *SC* 7 bis, p. 264).
2. Cf. BENOÎT, *Reg.,* 19, 6 (*SC* 182, p. 536-537) et BÈDE LE
VÉNÉRABLE, *Hom. II, 10 in Luc.* (*CCSL* 122, p. 249), mais aussi *Conc.
Aix* (816), *MGH Conc.* II, p. 409, 132. Pour les auteurs du haut Moyen

grand jour. Mon âme a en horreur votre jeûne, vos féries et vos jours de fête [h].' Dieu a donc en horreur ceux qui pensent qu'il n'y a de fête du Seigneur qu'un seul jour [1]. »

Donc, puisque les chrétiens construisent, pour l'honneur et par amour de Dieu, et sur le modèle du temple de Jérusalem où l'on répandait le sang des bêtes brutes, des églises où l'on ne répand plus le sang des taureaux mais où le sacrifice du corps et du sang du Christ est accompli et reçu par les fidèles ; puisque Dieu, dans des sentences si dignes de foi, daigne promettre de résider dans les lieux dédiés à son nom et d'y écouter les prières de ceux qui s'y prosternent ; puisque les évêques les consacrent à Dieu en leur donnant une dédicace telle que tous ceux qui viennent y prier obtiennent les bienfaits de sa consolation, quelle que soit la nature du tourment pour lequel ils l'implorent, il convient que, délaissant la torpeur de la négligence, les fidèles se rendent fréquemment et avec piété dans ces lieux-là pour implorer Dieu et se le rendre propice, et qu'ils se montrent dignes du regard des anges, qui y sont sans nul doute assemblés [2].

De plus, le temple mentionné précédemment, où du bétail était sacrifié, était l'objet d'un tel respect que non seulement les Juifs, qui connaissaient la loi divine, mais aussi des nations bien éloignées du testament de Dieu, s'y rassemblaient pour prier ; c'est le cas, que l'on voit dans les Actes des Apôtres, de l'eunuque d'Éthiopie qui était venu adorer à Jérusalem, et qui, sur le chemin du retour, fut instruit par Philippe de la doctrine religieuse et baptisé par lui [i]. Combien davantage faut-il donc que les fidèles respectent, en y célébrant des offices religieux, les églises du Christ, où l'on fait le sacrifice de la chair et du sang de celui-ci, et les

Age, les anges sont toujours présents dans la vie des hommes, et particulièrement à l'église.

duis precibus inexcusabiliter frequentanda. Non igitur,
sicut se habet quorumdam reprehendenda et emendanda
consuetudo, propter aediculas, quas sibi ad uotum suum
construunt ibique Deo sacrificium offerri posse et debere
85 contendunt, templa per sacerdotum ministerium nomini
diuino dicata penitus sunt negligenda ac relinquenda, prae-
sertim cum Dominus dicat in lege : *Ad locum, quem elegerit Dominus Deus de cunctis tribubus uestris, ut ponat
nomen suum ibi et habitet in eo, uenietis et offeretis in illo*
90 *loco holocausta ac uictimas uestras* [j], et post pauca : *Caue ne
offeras holocausta tua in omni loco, quem uideris, sed in eo,
quem elegerit Dominus, in una tribuum tuarum* [k], et in
sacris canonibus in concilio scilicet Laodicensi, sit institu-
tum : « Quod non oporteat in domibus oblationes ab epi-
95 scopis et presbiteris fieri. »

j. Deut. 12, 5-6   k. Deut. 12, 13-14

1. Le problème des chapelles privées, qui s'étaient généralisées à
l'époque mérovingienne, et dont les propriétaires laïcs désignaient eux-
mêmes les desservants, n'était pas encore résolu à l'époque de Jonas,
malgré les tentatives de Carloman et Pépin, puis de Charlemagne et de
Louis le Pieux. Cf. M. AUBRUN, *La Paroisse en France des origines au
XVe siècle*, Paris 1986, p. 11 s.

fréquentent, sans chercher à se dérober, de leurs prières assi-
dues ! Il ne faut donc pas que les églises, qui sont dédiées au
nom divin par le ministère des prêtres, soient complètement
négligées et abandonnées, selon l'habitude, blâmable et à
réformer, de certains, au profit de chapelles qu'ils se
construisent à leur gré et où ils prétendent pouvoir et devoir
célébrer l'office divin [1] ; surtout alors que le Seigneur dit
dans la Loi : « Au lieu qu'aura choisi le Seigneur, votre Dieu,
d'entre toutes vos tribus pour y mettre son nom et pour y
demeurer, vous le rechercherez et vous y amènerez vos
holocaustes et vos sacrifices [j]. » Et, un peu plus loin :
« Garde-toi d'offrir tes holocaustes en tout lieu que tu ver-
ras, mais au lieu qu'aura choisi le Seigneur dans l'une de tes
tribus [k] », comme le prescrivent les canons sacrés du concile de Laodicée : « Il ne convient pas que des offrandes soient
faites par les évêques et les prêtres dans des maisons privées [2]. »

2. Cf. *Conc. Laodicense*, c. 58 (éd. J. D. Mansi, *Sanctorum concilio-
rum noua et amplissima collectio*, II, 582). La formulation de ce canon
est conforme au texte de l'*Hispana*.

\<QVARTVM DECIMVM CAPITVLVM\>

Quod in ecclesia Christi non sit otiosis turpibusque fabulis uacandum, et quod qui haec faciunt non solum sibi peccata non minuant, sed etiam maiora accumulent

5   Multi ecclesiam ingressi non ad Deum puram simpli-
cemque orationem dirigunt, quoniam, quod ore precantur,
hoc etiam mente non meditantur. De talibus Beda in omelia
Euangelii septima decima : « Sunt, inquit, qui intrantes
ecclesiam multis psalmodiae uel orationum sermonibus
10   prolongant, sed alibi corde intendendo, nec ipsi quid dicant,
recolunt ; ore quidem orantes, sed mentem foris uagantem
omni orationis fructu priuantes, putantes a Deo precem
exaudiri, quam nec ipsi, qui fundunt, audiunt. Quod antiqui
hostis instinctu fieri nemo, qui animaduertere nequeat ;
15   sciens enim utilitatem orandi et inuidens hominibus gratiam
impetrandi, inmittit orantibus multimoda cogitationum
leuium, et aliquando etiam turpium nocentiumque fantas-
mata, quibus orationem impediat, adeo ut nonnunquam
tales tantosque discurrentium cogitationum fluctus pro-
20   strati in oratione toleremus. » Sunt itaque plerique, quibus
potius cordi est uanis et obscenis confabulationibus uacare,
quam lectionibus diuinis aurem accomodare, quibus etiam
nusquam tam delectabile uidetur esse consiliari, susurra-
tiones aliorum auribus ingerere, cachinnis ora dissoluere
25   quam in ecclesia Dei, ubi eum humiliter deuoteque debuerant inuocare et peccata sua deflere. Sed et hoc eiusdem hostis antiqui instinctu fieri non dubium est.

1. Cf. *Conc. Paris* (829), II, 12 (*MGH Conc.* II, p. 664-666) et *Inst.
des laïcs* I, 13 (*PL* 106, 147-149).
2. Bède le Vénérable, *Homelia I, 22 in quadragesima* (*CCSL* 122,
p. 160).

QUATORZIÈME CHAPITRE [1]

Dans l'église du Christ, il ne faut pas passer son temps à écouter des récits distrayants et honteux ; ceux qui le font, loin de diminuer leurs péchés, en accumulent encore de plus grands

Il en est beaucoup qui, entrés dans l'église, n'adressent pas à Dieu une prière pure et simple, car leur esprit ne se concentre pas sur la prière que leur bouche prononce ; c'est de tels gens que parle Bède dans la *Dix-septième homélie sur l'Évangile* : « Il en est, dit-il, qui, entrant dans une église, prolongent le chant des psaumes ou la prière de nombreuses paroles, mais leur cœur se dirige ailleurs et ils ne prêtent même pas attention à ce qu'ils disent eux-mêmes. Certes leur bouche exprime une prière, mais ils privent leur esprit, qui erre au dehors, de tout le fruit de la prière et croient que Dieu prête attention à une prière que ceux-là mêmes qui la prononcent n'écoutent pas. Personne ne peut ignorer que ceci est le fait de l'antique ennemi, car celui-ci, connaissant l'utilité de la prière et jaloux de ce que les hommes obtiennent la grâce, suscite chez ceux qui prient toutes sortes de pensées légères et parfois même l'image de choses indignes et criminelles, par lesquelles il empêche la prière ; à ce point que parfois, plongés dans la prière, nous supportons en grand nombre de tels flots de pensées errantes [2]. » C'est pourquoi beaucoup de gens ont plus à cœur de passer leur temps en conversations inutiles et indécentes plutôt que de prêter l'oreille aux lectures divines ; ils considèrent même qu'il n'est nul endroit plus agréable pour tenir conseil, chuchoter à l'oreille des autres et rire bruyamment, que l'église de Dieu, où ils devraient invoquer celui-ci avec humilité et dévotion, et pleurer leurs péchés. Il n'est pas douteux que ceci arrive à l'instigation de l'antique ennemi.

Quod autem domus Dei non sit huiuscemodi inlicitarum actionum, sed potius orationum, Dominus docet in
30   Euangelio dicens : *Domus mea domus orationis est, uos autem fecistis eam speluncam latronum* [a]. Origenes quoque, ubi de uelamine Moysi scribit, ita dicit : « Dicendum nobis est prius, quid sit homo auersus a Domino, ut scire possimus, quid sit conuersus. Omnis, qui, cum recitantur uerba
35   legis, communibus fabulis occupatur, auersus est. Omnis, qui, cum legitur Moyses, de negotiis saeculi, de pecunia, de lucris sollicitudinem gerit, auersus est. Omnis, qui possessionum curis stringitur et diuitiarum cupiditate distenditur, qui gloriatur saeculo et mundi honoribus studet, auersus
40   est. Sed et alius, qui ab his quidem uidetur alienus, adsistit autem et audit uerba legis et uultu atque oculis intentus, corde tamen et cogitationibus euagatur, auersus est. Quid ergo est conuerti ? Si his omnibus terga uertitis et studio ac mentis sollicitudine uerbo Dei operam detis, in lege eius die
45   ac nocte meditemini [b], hoc est conuersum esse ad Deum. Aliqui uestrum, ut recitari audierint quae leguntur, statim discedunt ; nulla ex his, quae lecta sunt, inquisitio ad inuicem, nulla conlatio, nusquam memoria mandati illius, quo te diuina lex commonet : *Interroga patres tuos et dicent tibi*
50   *presbiteri tui et adnuntiabunt tibi* [c]. Alii ne hoc ipsum quidem patienter expectant, quod lectiones in ecclesia recitentur ; alii uero nec, si recitentur, sciunt, sed in remotioribus dominicae domus loci saecularibus fabulis occupantur. De quibus ego ausus sum dicere, quia, cum legitur Moyses, iam
55   non uelamen super cor eorum, sed paries quidam et murus est positus. »

---

a. Luc 19, 46   b. Cf. Ps. 1, 2   c. Deut. 32, 7

1. ORIGÈNE, *In Exodum homilia*, XII, 2 (*GCS* 29, 263 et *SC* 321, p. 356).
2. ORIGÈNE, *ibid.* (*GCS* 29, 264 et *SC* 321, p. 358).

Mais la maison de Dieu n'est pas celle de ce genre d'actes interdits, mais plutôt celle de la prière ; c'est ce qu'enseigne le Seigneur dans l'Évangile. Il dit : « Ma maison est une maison de prière, mais vous, vous en avez fait une caverne de bandits [a]. » Origène aussi, dans son texte concernant le voile de Moïse, s'exprime ainsi : « Il nous faut dire d'abord ce que c'est que d'être *diverti*, pour pouvoir comprendre ce que c'est que d'être *converti*. Tout homme qui, alors qu'on récite les paroles de la Loi, s'occupe de conversations profanes, est *diverti*. Tout homme qui, alors qu'on lit Moïse, songe aux affaires du siècle, à l'argent ou à des bénéfices est *diverti*. De même, est *diverti* tout homme qu'étreint le souci de ce qu'il possède ou que dilate le désir des richesses, tout homme aussi qui tire sa gloire du siècle et recherche les honneurs du monde. De même cet autre aussi qui semble étranger à tous ces soucis, qui est présent et montre un visage et des yeux attentifs aux paroles de la Loi, mais dont cependant le cœur et les pensées vagabondent, celui-là aussi est *diverti*. Qu'est-ce donc que se *convertir* ? Si vous tournez le dos à tout cela et si vous consacrez le zèle et les soins de votre esprit à la parole de Dieu, si vous méditez jour et nuit la Loi de Dieu [b], c'est cela être *converti* à Dieu [1]. Il en est parmi vous qui, dès qu'ils ont entendu lire les textes, se retirent aussitôt. Ils n'échangent pas de questions sur ce qui a été lu, ils n'en discutent pas entre eux, ils ne se souviennent pas de ce commandement par lequel la loi divine t'ordonne : 'Interroge tes pères et ils te répondront, tes prêtres et ils t'enseigneront [c].' Certains n'ont même pas la patience d'attendre que les lectures soient faites dans l'église. D'autres n'ont pas conscience que la lecture se fait, mais, dans les coins les plus reculés de la maison du Seigneur, ils s'absorbent dans des conversations profanes. De ceux-là, moi, j'ose dire que, alors qu'on lit Moïse, ce n'est pas un voile qui est posé sur leur cœur, mais plutôt une paroi et un mur [2]. »

Augustinus in omeliis ad populum : « Quando conuenitis, inquit, ad ecclesiam, pro peccatis uestris orate ; nolite
scandala concitare aut otiosas fabulas dicere. In ecclesia
60 stantes, nolite uerbosare, sed sacras scripturas patienter
audite. Qui enim in ecclesia uerba uana locutus fuerit et pro
se et pro aliis rationem redditurus est in die iudicii, quia uerbum Dei nec ipse audit nec alios audire permittit. » Item
idem : « Plures sunt, de quorum perditione nimium contris-
65 tor ; illos dico, qui uenientes ad ecclesiam magis litigare
cupiunt quam orare et, quando debent lectiones diuinas in
ecclesia intentis auribus tota pietate suscipere, tunc foris
causas dicere et diuersis se student calumniis impugnare.
Aliquando etiam, quod peius est, aliqui nimium iracundia
70 succenduntur, amarissime rixantur et turpiter sibi conuitia
et crimina iniiciunt et calcibus et pugnis inuicem conlidun-
tur. Melius enim fuerat talibus ad ecclesiam non uenire
quam tot malis contra se diuinam iram prouocare. Isti enim,
etsi cum minoribus peccatis ad ecclesiam ueniunt, cum mul-
75 tis criminibus de ecclesia reuertuntur. » Item idem : « Sunt
namque aliqui, qui in natalibus sanctorum aut in qualibet
festiuitate causas aut dicere aut audire uolunt et, quod peius
est, non pro ueritate sed pro auaritia et cupiditate. Debent
enim causas dicere et cum iustitia deliberare, sed aliis diebus,
80 alio tempore, non in sanctorum sollemnitate, quando
omnes homines magis debent Deo uacare quam se diuersis
litibus impugnare. » Item idem : « Quando ad ecclesiam
conuenitis, nolite uos talibus fabulis occupare, unde possitis peccata adquirere. Nolite uos occupare ad litigandum,
85 sed potius ad orandum, non ut rixando Deum offendere, sed

---

1. Ps.-AUGUSTIN, *Serm.* 265, 3 (*PL* 39, 2238), en fait CÉSAIRE
D'ARLES, *Serm.* 13, 3 (éd. G. Morin, *CCSL* 103, p. 66).

2. Ps.-AUGUSTIN, *Serm.* 106, 1, en fait CÉSAIRE D'ARLES, *Serm.* 55
(*CCSL* 103, p. 241). .

3. *Ibid., CCSL* 103, p. 242.

Augustin dans les *Homélies* adressées au peuple : « Quand vous vous rassemblez à l'église, dit-il, priez pour vos péchés ; ne suscitez pas de scandales ni ne tenez de conversations oiseuses. Debout dans l'église, ne bavardez pas, mais écoutez patiemment les saintes Écritures. Car celui qui tient des propos inutiles dans une église devra en rendre compte pour lui et pour les autres le jour du Jugement, puisque non seulement il n'écoute pas la parole de Dieu, mais qu'il empêche aussi les autres de le faire [1]. » Le même, encore : « Il en est beaucoup dont la perdition morale m'afflige au plus haut point : je veux parler de ceux qui, en venant à l'église, cherchent plus à se quereller qu'à prier et, alors que dans l'église ils devraient, en toute piété, prêter l'oreille aux lectures divines, ils s'appliquent à plaider des causes extérieures et à s'agresser les uns les autres par diverses calomnies. Parfois même, ce qui est pire, il en est qui s'embrasent d'une colère excessive, se querellent avec beaucoup d'aigreur, se lancent des accusations et des invectives de manière indigne et se battent à coup de poing et de talon. En fait, de tels gens auraient mieux fait de ne pas venir à l'église, plutôt que de provoquer contre eux-mêmes la colère divine par tant de mauvaises actions. Car s'ils sont venus à l'église avec des péchés mineurs, ils en repartent avec beaucoup de crimes [2]. » Le même, à nouveau : « Il en est quelques-uns en effet qui, aux anniversaires des saints ou en quelque autre festivité, veulent plaider ou entendre des causes et, ce qui est pire, ne le font pas par souci de la vérité, mais pour satisfaire leur convoitise et leur cupidité. Certes, ils doivent plaider et délibérer avec justice, mais en d'autres jours, à un autre moment, et non lors de la célébration des saints, quand tous les hommes devraient se consacrer à Dieu plutôt que s'engager dans des querelles de toutes sortes [3]. » Le même, encore : « Quand vous vous rassemblez à l'église, ne vous perdez pas en de telles conversations, qui pourraient vous valoir des péchés. Ne vous perdez pas en discussions, mais consacrez-vous plutôt à la prière, afin d'éviter d'offen-

supplicando gratiam illius possitis adquirere. » Beda in omelia euangelii Lucae uicesima : « *Cum fecisset Dominus quasi flagellum de funiculis, omnes deiecit de templo* [d]. Quid ergo, fratres mei, quid putatis faceret Dominus, si rixis dis-
90 sidentes, si fabulis uacantes, si risu dissolutos uel alio quoli-bet scelere reperiret inretitos, qui hostias, quae sibi immola-rentur, ementes in templo inuenit et eliminare festinauit ? Haec propter illos diximus, qui ecclesiam ingressi non solum intentionem orandi neglegunt, uerum etiam ea pro
95 quibus orare debuerant, augent. Insuper et arguentes se pro huiusmodi stultitia, conuitiis odiisque uel detractionibus insequuntur, addentes uidelicet peccata peccatis et quasi funem sibi longissimum incauta eorum augmentatione texentes et nec timentes ex eo districti iudicis examinatione
100 damnari. » Et paulo post : « Vnde multum tremenda sunt haec, dilectissimi, et digno expauescenda timore, sedulaque praecauendum industria, ne ueniens improuisus peruersum quid in nobis, unde merito flagellari ac de ecclesia eici debeamus, inueniat ; et maxime in illa, quae specialiter
105 domus orationis [e] uocatur, obseruandum, ne quid ineptum geramus, ne cum Corinthiis ab apostolo audiamus : *Numquid domos non habetis ad agenda uel loquenda tem-poralia aut ecclesiam Dei contemnitis* [f] *?* »

Quapropter summopere omnibus fidelibus procuran-
110 dum est, ut nihil in ecclesia inhonestum aut cogitatione aut dicto aut facto gerant, ne forte peccatis pro quibus abso-luendis confluxerant, peccata accumulantes non absolutio-nem peccatorum adquirant, sed magis funes, quibus quo-dammodo ligentur, sibi accumulent.

---

d. Jn 2, 15   e. Cf. Lc 19, 46   f. I Cor. 11, 22

---

1. *Ibid.*, p. 242.
2. Bède, *Homil. II, 1 in quadragesima* (*CCSL* 122, p. 186).
3. *I Cor. 11, 22* : « Numquid domos non habetis ad manducandum

ser Dieu par des querelles et pour pouvoir gagner sa grâce par la prière [1]. » Bède, dans la *Vingtième homélie sur l'Évangile de Luc* : « 'Le Seigneur s'étant fait une sorte de fouet avec des cordes, il les chassa tous du Temple [d].' Que ferait donc, mes frères, que pensez-vous que ferait le Seigneur s'il trouvait les hommes divisés par des querelles, perdus en bavardages, se dissipant en rires ou séduits par quelque autre forfait, lui qui, trouvant dans le temple les marchands des victimes qui lui seraient immolées, s'empressa de les chasser ? Nous avons dit cela pour ceux qui, entrés dans l'église, non contents de négliger l'attention due à la prière, accroissent encore ce qui motivait leur prière. De plus, se blâmant eux-mêmes d'une telle sottise, ils persistent dans l'invective, dans la haine et la médisance. Bien sûr, ils accumulent péchés sur péchés, ils se tressent par le dangereux accroissement de ceux-ci une très longue corde, sans craindre que celle-ci leur vaille d'être damnés lors du jugement du juge inflexible [2]. » Et peu après : « Aussi mes bien aimés, nous faut-il beaucoup redouter et craindre ceci d'une juste frayeur, et apporter un soin vigilant à éviter que, venant à l'improviste, il ne trouve en nous quelque perversion qui nous vaille à juste titre d'être fouettés et chassés de l'Église ; et surtout, dans la maison qu'on appelle spécialement la maison de la prière [e], il nous faut veiller à ne rien faire de déplacé pour ne pas entendre, avec les Corinthiens, l'Apôtre nous dire : 'N'avez-vous donc pas de maisons pour traiter et parler des affaires temporelles, ou bien méprisez-vous l'église de Dieu [f] [3] ?' »

C'est pourquoi il faut que tous les fidèles mettent le plus grand soin à ne commettre dans l'église aucun acte méprisable que ce soit en pensée, en paroles ou par action, de peur que, ajoutant des péchés aux péchés qu'ils étaient venus faire absoudre, ils n'en obtiennent pas l'absolution, mais multiplient plutôt les cordes qui, en quelque sorte, les ligotent.

et bibendum ... » ; Unde — contemnitis : BÈDE, *Homil. II, 1 in quadragesima* (*CCSL* 122, p. 186).

<QVINTVM DECIMVM CAPITVLVM>

Quod et in aliis competentibus locis, si locus basilicae procul fuerit, oratio ad Deum et confessio peccatorum fieri possit et debeat

Sicut sunt nonnulli, qui orandi gratia ecclesiae limina fre-
5 quentare neglegunt, ita e contrario existunt plerique, qui
pro eo, quod basilicas adire nequeunt et reliquias sanctorum
presto non habent, idcirco uota precum suarum ad
Dominum, ut oportet, supplici deuotione non fundunt, non
animaduertentes, quod Deus non sit minus in parte quam in
10 toto, sed ubique totus, ubique praesens, ubique mirabilis.
Vnde ait psalmista : *Quo ibo a spiritu tuo et a facie tua quo
fugiam ? Si ascendero in caelum, tu illic es, si descendero in
infernum, ades* [a] et idem alibi : *In omni loco dominationis
eius, benedic anima mea Domino* [b]. Legitur itaque in libro
15 Regum : *Si egressus fuerit populus tuus ad bellum contra
inimicos suos per uiam, quamcumque miseris eos, orabunt te
contra uiam ciuitatis quam eligisti et contra domum quam
aedificaui nomini tuo et exaudies in caelo orationem eorum
et preces eorum et facies iudicium eorum. Quod si peccaue-
20 rint tibi — non est enim homo, qui non peccet — et iratus
tradideris eos inimicis suis et captiui ducti fuerint in terram
inimicorum suorum longe uel prope et egerint poenitentiam
in corde suo in loco captiuitatis et conuersi deprecati te fuerint in captiuitate sua, dicentes : Peccauimus, inique egimus,
25 impie gessimus et reuersi fuerint ad te in uniuerso corde suo
et tota anima sua in terra inimicorum suorum, ad quam captiui ducti sunt, et orauerint te contra uiam terrae suae, quam*

---

a. Ps. 138, 7-8   b. Ps. 102, 22

1. Cf. *Conc. Paris* (829), II, 13 (*MGH Conc.* II, p. 666-667) et *Inst. des laïcs*, I, 14 (*PL* 106, 149-151).

Quinzième chapitre [1]

Si l'église est éloignée, on peut et on doit prier Dieu, et confesser ses péchés, dans d'autres lieux appropriés

S'il en est quelques-uns qui négligent de franchir le seuil d'une église pour prier, beaucoup d'autres au contraire, sous prétexte qu'ils ne peuvent pas se rendre aux basiliques et n'ont pas de reliques de saints à leur disposition, n'adressent pas au Seigneur, en se prosternant avec dévotion comme il le faudrait, les offrandes de leurs prières ; ils ne réalisent pas que Dieu n'est pas moins dans la partie que dans le tout, qu'il est partout dans sa totalité, partout présent et admirable. Aussi le psalmiste dit-il : « Où aller loin de ton esprit et où fuir loin de ta face ? Si je monte au ciel, tu es là ; si je descends aux enfers, t'y voilà [a] ! » Et de même, à un autre endroit : « En tous les lieux de sa domination, bénis le Seigneur, mon âme [b] ! » On lit aussi dans le Livre des Rois : « Quand ton peuple partira en guerre contre son ennemi, dans la direction où tu l'auras envoyé, il te priera face à la route de la cité, que tu as choisie, et face à la maison que j'ai bâtie pour ton Nom, et tu écouteras depuis le ciel sa prière et sa supplication et tu lui feras justice. Lorsqu'ils pécheront contre toi — car il n'y a pas d'homme qui ne pèche —, et qu'irrité contre eux, tu les livreras à leurs ennemis ; quand ils seront emmenés captifs au pays de l'ennemi, lointain ou proche, si, dans le pays où ils sont captifs, ils font pénitence dans leur cœur, s'ils se convertissent et te supplient dans leur captivité, en disant : 'Nous avons péché et fauté, nous avons fait le mal', et s'il reviennent vers toi de tout leur cœur et de toute leur âme dans le pays de leurs ennemis, où ils ont été emmenés en captivité, et s'ils te prient devant la route du pays que tu as donné à leurs pères, de la ville que tu as choi-

dedisti patribus eorum et ciuitatis quam elegisti et templi
quod aedificaui nomini tuo, exaudies in caelo, in firma-
30 *mento solii tui orationem eorum et preces et facies iudicium*
eorum c. Et in libro Danielis : *Quod cum Daniel comperis-*
set, id est constitutam legem, ingressus est domum suam et,
fenestris apertis in cenaculo suo contra Hierusalem, tribus
temporibus in die flectebat genua sua et adorabat confiteba-
35 *turque coram Deo suo, sicut et ante facere consueuerat* d.
Apostolus quoque ait : *Volo igitur uiros orare in omni loco,*
puras leuantes manus, sine ira et disceptatione e. Hieronimus
ad Eustochium : « Egredientes hospitium armet oratio,
regredientibus de platea oratio occurrat antequam sessio,
40 nec prius corpusculum requiescat, quam anima uerbo Dei
pascatur ; ad omnem actum, ad omnem incessum manus
pingat crucem. »

c. III Rois 8, 44-49 ; cf. II Chr. 6, 34 s.   d. Dan. 6, 10
e. I Tim. 2, 8

sie et du temple que j'ai bâti pour ton Nom, tu écouteras depuis le ciel, le lieu de ta demeure, leur prière et leur supplication, et tu leur feras justice [c]. » Et dans le livre de Daniel : « Lorsque Daniel sut que la loi avait été écrite, il entra dans sa maison et, les fenêtres de sa chambre haute ouvertes du côté de Jérusalem, trois fois par jour, il se mettait à genoux et priait et louait devant son Dieu, comme il le faisait auparavant [d]. » L'Apôtre dit aussi : « Je veux donc que les hommes prient en tout lieu, levant des mains pures, sans colère ni dispute [e]. » Jérôme dit à Eustochium : « Que la prière arme ceux qui quittent leur maison ; en revenant de la place publique, que l'on prie avant de s'asseoir. Et que le pauvre corps ne se repose pas avant que l'âme ne se soit nourrie de la parole de Dieu. Pour tout acte, pour toute démarche, que la main fasse le signe de la croix [1]. »

1. JÉRÔME, *Ep.* 22, 37 *ad Eustochium* (éd. J. Labourt, *CUF* 61, 1, Paris 1949, p. 153).

\<SEXTVM DECIMVM CAPITVLVM\>

De obseruatione diei dominici et perceptione corporis et sanguis Domini nostri Ihesu Christi

Nam et hoc obnixe deprecamur, ut in obseruatione diei dominici, quo Deus lucem mundi condidit et quo auctor
5 uitae a mortuis resurrexit, quo etiam Spiritum Sanctum paraclitum de caelis apostolis misit, sicuti dudum genitorem uestrum admonendo deprecati sumus, debitam adhibeatis curam et tanto diei debitum impendatis honorem ; scilicet ut in ipsa die, quantum potestis a curis et sollicitudinibus
10 mundanis uos exuatis et, quod tantae diei uenerationi competit, et uos faciatis et uestros exemplo uestro ad id faciendum et doceatis et agere compellatis.

Ad perceptionem uero sacri corporis et sanguinis Domini nostri Ihesu Christi nihilominus monemus, ut sicut chris-
15 tianae religioni expedit, congruis temporibus salubriter praeparetis, attendentes illud euangelicum : *Qui manducat carnem meam et bibit sanguinem meum in me manet et ego in eo* [a]. Quatenus id exequentes, uestro exemplo uobis famulantes, ut hoc faciant, instruatis.

a. Jn 6, 57

SEIZIÈME CHAPITRE [1]

De l'observance du jour du Seigneur, et de la réception du corps et du sang de Notre Seigneur Jésus-Christ

De fait, comme nous en avons déjà prié votre père il y a quelque temps dans une admonition, nous vous prions instamment d'accorder le soin qui est dû à l'observance du jour du Seigneur, où Dieu créa la lumière du monde et où, auteur de la vie, il ressuscita d'entre les morts, jour encore où il envoya du ciel sur les apôtres le Saint-Esprit protecteur ; et nous vous prions de rendre l'honneur dû à un si grand jour : débarrassez-vous en ce jour, autant que possible, des soins et des soucis du monde ; faites ce qui convient à la vénération d'un si grand jour et par votre exemple, apprenez et incitez les vôtres à le faire.

Pour la réception du corps et du sang sacrés de Notre Seigneur Jésus-Christ, nous ne vous en conseillons pas moins, comme c'est l'intérêt de la religion chrétienne, de vous y préparer utilement et aux moments appropriés, et de prendre garde à cette parole de l'Évangile : « Celui qui consomme ma chair et boit mon sang demeure en moi et moi en lui [a] », pour que, en accomplissant cela, vous appreniez par votre exemple à vos familiers à le faire.

1. Cf. *partim, Conc. Paris* (829), I, 50 ; III, 19 ; III, 20 (*MGH Conc.* II, p. 643 ; 676-677).

\<Septimvm decimvm capitvlvm\>

Qui imperatorum uel regum ueraciter felices dici possint et debeant

Hoc opusculum, optime rex, ob amorem salutis uestrae digessi, humiliter deprecans, ut illud, sicut iam in praece-
5   dentibus dictum est, libenter legere et audire dignemini, quatenus libentius atque frequentius deinceps serenitati uestrae ea, quae ad salutem animae uestrae et honorem regni pertinere cognouero, alacri animo scribam.

Quod tamen opusculum non meis, sed beati Augustini
10   doctoris eximii uerbis finiendum ratum dignumque duxi, ut in eis perspicue cognoscatis, qui imperatores quiue reges felices dici possint et debeant. Scribit autem in libro quinto de ciuitate Dei, inter caetera, ita : « Neque enim nos chris- tianos quosdam imperatores ideo felices dicimus, quia uel
15   diutius imperarunt, uel imperantes filios morte placida reli- querunt, uel hostes rei publicae domuerunt, uel inimicos ciues aduersus se insurgentes et cauere et opprimere potue- runt. Haec et alia uitae huius erumnosae uel munera uel solatia quidam etiam cultores daemonum accipere merue-
20   runt, qui non pertinent ad regnum Dei, quo pertinent isti ; et hoc ipsius misericordia factum est, ne ab illo ista, qui in eum crederent, uel ut summa bona desiderarent. Sed felices eos dicimus, si iuste imperant, si inter linguas sublimiter honorantium non extollantur et se homines esse memine-
25   rint, si suam potestatem ad Dei cultum maxime dilatandum

Dix-septième chapitre

Quels sont les empereurs qui peuvent et doivent être appelés heureux

J'ai composé cet opuscule, ô roi très bon, pour l'amour de votre salut. Je vous prie humblement, comme je l'ai déjà dit plus haut, de prendre plaisir à le lire et à l'écouter, afin que, par la suite, j'écrive plus volontiers, plus fréquemment et avec joie à Votre Sérénité ce que je saurai utile au salut de votre âme et à l'exercice de la fonction royale.

Cependant, j'ai jugé bon et raisonnable de terminer cet opuscule non point par mes paroles mais par celles de saint Augustin, l'éminent docteur de l'Église. Elles vous permettront de comprendre clairement quels empereurs ou quels rois on peut et doit appeler heureux. Entre autres, dans le cinquième livre de *La Cité de Dieu*, il écrit ainsi : « Pour notre part, si nous appelons heureux certains empereurs chrétiens, ce n'est pas parce qu'ils ont régné plus longtemps, ou qu'ils ont, après une mort paisible, laissé l'empire à leurs fils, ou qu'ils ont dompté les ennemis de l'État, ou qu'ils ont pu se garder des citoyens qui leur étaient hostiles et se dressaient contre eux, et ont même pu les écraser. Tout cela et les autres succès ou les consolations de cette vie de misère, certains adorateurs des démons ont mérité eux aussi d'en bénéficier, eux qui pourtant ne font pas comme nos empereurs partie du royaume de Dieu. Et c'est la miséricorde de Dieu qui en a décidé ainsi, pour que ceux qui croient en Lui ne désirent pas ces avantages comme s'ils étaient le souverain Bien. Mais nous les appelons heureux s'ils règnent avec justice ; s'ils ne s'exaltent pas au milieu des discours de ceux qui les honorent jusqu'aux nues et s'ils se souviennent qu'ils ne sont que des hommes ; s'ils mettent leur puissance au service de la majesté divine pour étendre le plus possible le

maiestati eius famulatam faciunt et Deum timentes diligant,
colant ; si plus amant illud regnum, ubi non timent habere
consortes ; si tardius uindicant, facile ignoscant ; si eamdem
uindictam pro necessitate regendi et utendi re publica, non
30   pro saturandis inimicitiarum odiis exerunt ; si eamdem
ueniam non ad impunitatem iniquitatis, sed ad spem correptionis indulgent ; si, quod aspere coguntur plerumque
decernere, misericordiae lenitate et beneficiorum largitate
compensant ; si luxuria tanto eis est castigatior, quanto pos-
35   set esse liberior ; si malunt cupiditatibus prauis, quam qui-
buslibet gentibus imperare ; et si haec omnia faciunt non
propter ardorem inanis gloriae, sed propter caritatem felici-
tatis aeternae ; si, pro suis peccatis, humilitatis et miseratio-
nis sacrificium Deo suo uero imolare non negligunt.

40   « Tales christianos imperatores dicimus esse felices
interim spe, postea re ipsa futuros, cum id quod expectamus
aduenerit. »

Deo gratias.

EXPLICIT ISTE LIBER.

1. AUGUSTIN, *De ciu. Dei*, V, 24 (*BA* 33, p. 748-750).

culte de Dieu ; si, craignant Dieu, ils l'aiment et l'adorent, s'ils aiment davantage ce royaume (celui du ciel) où ils ne redoutent pas de trouver des égaux ; s'ils retardent la vengeance et pardonnent facilement ; s'ils n'exercent cette vengeance que par nécessité de gouverner et de servir l'État, et non pour assouvir les rancœurs de leurs inimitiés ; s'ils accordent leur pardon, non pour laisser l'injustice impunie, mais dans l'espoir d'une correction ; s'ils compensent par la douceur de leur miséricorde et l'ampleur de leurs bienfaits l'obligation qu'ils ont souvent d'user de rigueur ; s'ils sont d'autant plus modérés dans l'ordre des excès qu'ils seraient plus libres de s'y abandonner ; s'ils aiment mieux dominer leurs passions mauvaises plutôt que n'importe quelle nation ; et s'ils font tout cela non par désir ardent d'une vaine gloire, mais par amour de la félicité éternelle ; et enfin si, pour leurs péchés, ils ne négligent pas d'offrir au vrai Dieu, qui est le leur, un sacrifice d'humilité et de compassion.

« Ce sont de tels empereurs chrétiens que nous appelons heureux, pour l'instant en espérance, et plus tard dans la réalité, quand ce que nous espérons sera arrivé [1]. »

Grâces soient rendues à Dieu.

ICI SE TERMINE CE LIVRE.

INDEX

La référence à droite de la colonne renvoie aux chapitres et aux lignes de la présente édition.

I. INDEX SCRIPTURAIRE

L'index recense toutes les références bibliques, y compris celles qui sont contenues dans des citations patristiques. La référence au texte latin de Jonas (à droite de la colonne) est en italiques quand il ne s'agit que d'une allusion au texte biblique et non d'une citation explicite.

II. INDEX DES AUTEURS ANCIENS

Cet index contient les citations, les allusions et les lieux parallèles. La référence de droite concerne l'*Institution royale*. Les références des citations patristiques explicites sont en caractères gras avec un astérisque (deux si Jonas cite successivement deux parties non contiguës du texte concerné). Les allusions diverses et les textes parallèles dans les conciles contemporains de Jonas ou dans ses œuvres sont signalés par la page et la note où ils sont mentionnés.

III. INDEX DES NOMS DE PERSONNES

IV. INDEX DE MOTS LATINS

Cet index ne prétend pas être exhaustif. Il contient essentiellement les mots ou les expressions relatifs au vocabulaire politique, juridique et théologique. D'autre part, les mots figurant partout dans le traité, tels que *rex*, *regnum* ou *ecclesia* ne sont pas mentionnés, non plus que ceux qui se trouvent dans les citations.

TABLE DES MATIÈRES

SOURCES CHRÉTIENNES

Fondateurs : † *H. de Lubac, s.j.*
† *J. Daniélou, s.j.*
† *C. Mondésert, s.j.*
Directeur : D. Bertrand, s.j.
Directeur de la Collection : J.-N. Guinot

Dans la liste qui suit, dite « liste alphabétique », tous les ouvrages sont rangés par nom d'auteur ancien, les numéros précisant pour chacun l'ordre de parution depuis le début de la collection. Pour une information plus complète, on peut se procurer deux autres listes au secrétariat de « Sources Chrétiennes » – 29, rue du Plat, 69002 Lyon (France) – Tél. : 78.37.27.08 :

1. la « liste numérique », qui présente les volumes et leurs auteurs actuels d'après les dates de publication ; elle indique les réimpressions et les ouvrages momentanément épuisés ou dont la réédition est préparée.

2. la « liste thématique », qui présente les volumes d'après les centres d'intérêt et les genres littéraires : exégèse, dogme, histoire, correspondance, apologétique, etc.

LISTE ALPHABÉTIQUE (1-407)

SOUS PRESSE

APPONIUS, **Commentaire sur le Cantique.** Tome I. L. Neyrand, B. de Vregille.

GRÉGOIRE DE NYSSE, **Homélies sur l'Ecclésiaste.** F. Vinel.

HUGUES DE BALMA, **Théologie mystique.** Tomes I et II. J. Barbet, F. Ruello.

MARC LE MOINE, **Traités.** Tome I. G.-M. de Durand.

OPTAT DE MILÈVE, **Traité contre les donatistes.** M. Labrousse.

ORIGÈNE, **Sur les Psaumes.** L. Brésard, H. Crouzel, E. Prinzivalli.

PROCHAINES PUBLICATIONS

Les Apophtegmes des Pères. Tome II. J.-C. Guy (†).

BERNARD DE CLAIRVAUX, **Sermons sur le Cantique.** Tome I. R. Fassetta, P. Verdeyen.

EUDOCIE, **Centons homériques.** A.-L. Rey.

ISIDORE DE PÉLUSE, **Lettres.** Tome I. P. Évieux.

Livre d'heures ancien du Sinaï. M. Ajjoub.

PACIEN DE BARCELONE, **Traités et Lettres.** C. Épitalon, C. Granado.

Passion de Perpétue. J. Amat.

TERTULLIEN, **Le Voile des vierges.** P. Mattei, E. Schulz-Flügel.

Également aux Éditions du Cerf

LES ŒUVRES DE PHILON D'ALEXANDRIE
publiées sous la direction de
R. ARNALDEZ, C. MONDÉSERT, J. POUILLOUX.
Texte original et traduction française.

ACHEVÉ D'IMPRIMER
SUR LES PRESSES DE
L'IMPRIMERIE CHIRAT
42540 ST-JUST-LA-PENDUE
EN AVRIL 1995
DÉPÔT LÉGAL 1995 N° 9285
N° D'ÉDITEUR 10065

IMPRIMÉ EN FRANCE